CB015211

QUERIDO EVAN HANSEN

QUERIDO EVAN HANSEN

VAL EMMICH com
STEVEN LEVENSON,
BENJ PASEK e Justin Paul

Tradução
GUILHERME MIRANDA

2ª reimpressão

SEGUINTE
O selo jovem da Companhia das Letras

O selo Seguinte pertence à Editora Schwarcz S.A.

Grafia atualizada segundo o Acordo Ortográfico da Língua Portuguesa de 1990, que entrou em vigor no Brasil em 2009.

TÍTULO ORIGINAL Dear Evan Hansen: The Novel

CAPA Vitor Martins

PREPARAÇÃO Luisa Tieppo

REVISÃO Érica Borges Correa e Renato Potenza Rodrigues

Dados Internacionais de Catalogação na Publicação (CIP)
(Câmara Brasileira do Livro, SP, Brasil)

Querido Evan Hansen / Val Emmich... [et. al.]; tradução Guilherme Miranda. — 1ª ed. — São Paulo : Seguinte, 2019.

Outros autores: Steven Levenson, Benj Pasek & Justin Paul.
Título original: Dear Evan Hansen : The Novel.
ISBN 978-85-5534-083-3

1. Ficção juvenil I. Emmich, Val. II. Levenson, Steven. III. Pasek, Benj. IV. Paul, Justin

19-23744 CDD-028.5

Índice para catálogo sistemático:
1. Ficção : Literatura juvenil 028.5

Cibele Maria Dias — Bibliotecária — CRB-8/9427

[2020]

EDITORA SCHWARCZ S.A.
Rua Bandeira Paulista, 702, cj. 32
04532-002 — São Paulo — SP
Telefone: (11) 3707-3500
www.seguinte.com.br
contato@seguinte.com.br

/editoraseguinte
@editoraseguinte
Editora Seguinte
editoraseguinteoficial

QUERIDO EVAN HANSEN

Eu dei o fora.

É melhor queimar de uma vez do que ir se apagando aos poucos, certo? Kurt Cobain escreveu isso na carta dele. Assisti a um vídeo sobre todos os famosos. Ernest Hemingway. Robin Williams. Virginia Woolf. Hunter S. Thompson. Sylvia Plath. David Foster Wallace. Van Gogh. Não que eu esteja me comparando a eles — longe disso. Essas pessoas causaram um impacto de verdade. Eu não fiz nada. Não consegui nem escrever uma carta.

Queimar de uma vez é a melhor maneira de explicar. Você sente o corpo esquentando muito, dia após dia. Cada vez mais quente. Começa a ficar demais. Até para as estrelas. Uma hora elas se apagam ou explodem. Deixam de existir. Mas, se você olhar para o céu, não vai ver as coisas desse jeito. Você pensa que todas as estrelas ainda estão lá. Algumas não estão. Algumas já se foram. Há muito tempo. Acho que, agora, eu também.

Meu nome. Foi a última coisa que escrevi. No gesso de outro garoto. Não foi bem uma carta de despedida. Mas, enfim, deixei minha marca. Em um braço quebrado. Parece certo. Até poético, se parar para pensar. E pensar é basicamente tudo que consigo fazer agora.

PARTE 1

1

Querido Evan Hansen,

É assim que todas as minhas cartas começam. Primeiro vem o "querido", só porque é o cabeçalho de uma carta. É o padrão. Depois vem o nome da pessoa para quem você está escrevendo. No caso, eu mesmo. Estou escrevendo para mim. Então, é, *Evan Hansen*.

"Evan" na verdade é meu segundo nome. Minha mãe queria que eu me chamasse Evan e meu pai queria que meu nome fosse Mark, que é como ele se chama. Segundo minha certidão de nascimento, meu pai ganhou a batalha, mas minha mãe venceu a guerra. Nunca me chamou de nada que não seja Evan. Consequentemente, meu pai também não. (Spoiler: meus pais não estão mais juntos.)

Sou Mark apenas na minha carteira de motorista (que nunca uso), nos currículos ou no primeiro dia de aula, como hoje. Meus professores novos vão falar "Mark" durante a chamada, e terei de pedir a cada um para, por favor, me chamarem pelo meu nome do meio. Obviamente, isso terá de ser feito depois que todos tiverem saído da sala.

Tem um milhão e dez coisas entre o nível subatômico e o cósmico que são capazes de abalar meus nervos todos os dias, e uma delas são minhas iniciais: M. E. H. Como a palavra *méh*. "*Méh*" é basicamente um dar de ombros, o que resume mais ou menos a reação que a sociedade costuma ter ao me conhecer. Ao contrário da surpresa de "*oh*!". Ou da comoção de "*ah*!". Ou da hesitação de "*hum*". Ou da confusão de "*hã?*". "*Méh*" é indiferença pura. Pegar ou largar. Tanto faz. Ninguém liga. Mark Evan Hansen? *Méh*.

Mas prefiro pensar em mim como "*éh*", que parece um pouco mais uma busca por aprovação. Tipo, "Que tal aquele Evan Hansen, *éh*?".

Minha mãe diz que sou um verdadeiro pisciano. O símbolo de Peixes são dois peixinhos amarrados um ao outro, tentando nadar em direções opostas. Ela curte essa besteira de astrologia. Baixei um aplicativo no celular dela que informa o horóscopo diário. Agora ela me deixa bilhetinhos pela casa com frases como: "Saia da zona de conforto". Ou dá um jeito de incluir a mensagem do dia em nossas conversas: "Encare um desafio novo. Um empreendimento com um amigo hoje parece promissor". Para mim é tudo besteira, mas acho que, para a minha mãe, os horóscopos dão um pouco de esperança e orientação, que é o que minhas cartas supostamente deveriam me proporcionar.

Por falar nelas. Depois do cumprimento, vem a parte mais importante da carta: o corpo do texto. Minha primeira frase é sempre a mesma.

Hoje vai ser um dia bom, e vou dizer por quê.

Uma perspectiva positiva gera uma experiência positiva. É esse o conceito básico por trás desse exercício de escrita.

Tentei fugir no começo. Falei para o dr. Sherman: "Não acho que eu escrever uma carta para mim mesmo vá ajudar muito. Eu nem sei o que escrever". Ele se esticou, se inclinando para a frente em sua poltrona de couro em vez de ficar encostado nela de forma informal, como de costume. "Você não precisa saber. Essa é a intenção do exercício. Explorar. Por exemplo, você pode começar com algo como: 'Hoje vai ser um dia bom, e vou dizer por quê'. E continuar a partir daí."

Às vezes acho que a terapia é só papo-furado; outras, acho que o problema, na verdade, é que nunca consigo mergulhar de cabeça nela.

Enfim, acabei seguindo o conselho dele — palavra por palavra, literalmente. (Uma coisa a menos com que me preocupar.) Porque o resto da carta é a parte complicada. A primeira frase é só a abertura; depois tenho de sustentar essa frase com meus próprios argumentos. Tenho de provar *por que* hoje vai ser um dia bom mesmo que todas as evidências mostrem o contrário. Nenhum dia que veio antes deste foi incrível; por que hoje seria diferente?

A verdade? Não faço ideia. Então está na hora de soltar a imaginação, garantir que todas as moléculas de criatividade estejam bem despertas e prontas para trabalhar. (Muitas moléculas de criatividade são necessárias para escrever um discurso motivacional *incrível*.)

Porque hoje você só precisa ser você mesmo. Mas também ter autoconfiança. Isso é importante. E interessante também. Fácil de conversar. Acessível. E nada de ficar se escondendo. Mostre-se para os outros. Não de um jeito pervertido, não é para tirar a roupa. Só seja você mesmo — seu verdadeiro eu. Seja você mesmo. Seja verdadeiro consigo mesmo.

Meu verdadeiro eu. O que isso quer dizer, afinal? Parece uma frase pseudofilosófica daquelas propagandas de perfume em preto e branco. Mas o.k., tanto faz, não vamos julgar. Como diria o dr. Sherman, estamos aqui para explorar.

Explorando: tenho de supor que esse meu "verdadeiro" eu é melhor na vida. É melhor com as pessoas. E é menos tímido também. Por exemplo, aposto que ele nunca teria perdido a chance de se apresentar à Zoe Murphy no show de jazz do ano passado. Não teria passado todo o tempo decidindo qual palavra descrevia melhor seus sentimentos em relação à apresentação dela sem parecer um maluco obcecado — *bom, ótimo, espetacular, luminoso, encantador, forte* — e então, depois de finalmente escolher "muito bom", acabar não dizendo nada, por medo de que suas mãos estivessem suadas demais. Que diferença faria se as mãos estavam suadas? Ela não teria exigido que eu apertasse a mão dela. Era mais provável que as mãos *dela* estivessem suadas de tanto tocar violão. Além do mais, minhas mãos só ficaram suadas depois que pensei que poderiam ficar suadas, então, na verdade, eu *fiz* minhas mãos suarem e, obviamente, esse "verdadeiro" Evan nunca faria algo tão deprimente.

Ótimo, estou fazendo isso de novo, deixando minhas mãos suadas com o poder da mente. Agora vou ter de secar o teclado com o lençol. E acabei de digitar *csxldmrr xsmit ssdegv*. E agora meu braço também está suado. O suor vai acabar se acumulando dentro do gesso e, sem ter como entrar ar, logo o gesso vai começar a cheirar mal, aquele cheiro que não quero que ninguém na escola sinta nem de leve, muito menos no primeiro dia de aula do último ano. Que saco, Evan Hansen falso. Você me cansa.

Respiro fundo.

Coloco a mão dentro da gaveta do criado-mudo. Já tomei meu Lexapro hoje, mas o dr. Sherman diz que não tem problema tomar um Lorazepam também, se tudo parecer demais. Engulo o Lorazepam, o alívio está a caminho.

Este é o problema de escrever essas cartas. Começo em uma linha reta, mas acabo fazendo desvios, vagando nas áreas mais perigosas do meu cérebro, de onde nunca sai nada de bom.

— Então você achou melhor não comer nada ontem à noite?

É a minha mãe, parada ao meu lado, segurando a nota de vinte dólares que não usei.

Fecho o notebook e o enfio embaixo do travesseiro.

— Estava sem fome.

— Poxa, filho. Você precisa conseguir pedir comida quando eu estiver no trabalho. Dá até para pedir pela internet agora. Não precisa nem falar com ninguém.

Mas, sabe, isso não é bem verdade. Precisa falar com o entregador quando ele chegar. Precisa ficar ali parado enquanto ele confere o dinheiro e sempre finge que não tem troco, então você é obrigado a decidir na hora se dá menos gorjeta do que planejava ou mais, e, se der menos, você sabe que ele vai xingar você mentalmente enquanto vai embora, então você simplesmente acaba dando mais e acaba sem dinheiro.

— Desculpa — digo.

— Não precisa pedir desculpas. É só que você deveria estar trabalhando esse tipo de coisa com o dr. Sherman. Falar com as pessoas. Interagir. Não ficar evitando.

Não foi exatamente isso que eu escrevi na carta? Sobre me mostrar? Não me esconder? Já sei de tudo isso. Não preciso que ela fique repetindo. É como o lance das mãos suadas; quanto mais você olha para o problema, pior ele fica.

Agora ela está rodeando a minha cama, de braços cruzados, analisando o quarto como se tivesse alguma coisa diferente de quando ela veio aqui da última vez, como se tivesse uma resposta nova ao grande enigma de Evan na minha cômoda ou pendurada na parede, e que ela finalmente conseguisse encontrar se procurasse com bastante atenção. Acredite em mim, considerando o tempo que passo no quarto, se a resposta estivesse aqui, eu já teria encontrado.

Sento na cama e calço o tênis.

— Por falar em dr. Sherman — ela diz —, marquei uma consulta com ele para hoje à tarde.

— Hoje? Por quê? Eu só preciso ir lá semana que vem.

— Eu sei — ela diz, observando a nota de vinte dólares em suas mãos. — Mas pensei que faria bem para você ir um pouco antes.

Só porque não comi ontem à noite? Devia ter ficado com o dinheiro para ela não saber, mas isso seria roubo, e esse negócio de carma é tenso.

Talvez seja mais do que o dinheiro que não gastei. Talvez eu esteja com um aspecto preocupante sem perceber. Levanto e me olho no espelho. Tento ver o que ela vê. Tudo parece bem. Os botões da camisa estão alinhados. O cabelo está em ordem. Até tomei banho ontem à noite. Não tenho tomado muitos banhos ultimamente porque é um saco ter de cobrir o gesso, primeiro com o plástico filme, depois com a sacola e a fita adesiva. Eu nem me sujo tanto assim mesmo. Desde que quebrei o braço, basicamente me isolo no quarto o dia todo. Além disso, ninguém da escola vai prestar atenção em como eu estou.

Tem mais uma coisa no meu reflexo que só percebo agora. Tenho roído as unhas. Estava roendo as unhas esse tempo todo. Certo, a verdade é que passei as últimas semanas apavorado com este dia. Depois do isolamento seguro das férias de verão, a volta às aulas sempre parece uma sobrecarga de sensações. Ver os amigos se reencontrarem entre abraços e gritinhos agudos. As panelinhas se formando nos cantos como se todos os grupos tivessem sido informados previamente sobre onde se encontrar. As gargalhadas pelo que parece ter sido a piada mais engraçada do mundo. Consigo me orientar no meio de tudo isso porque já estou acostumado com a situação. O que me preocupa são as coisas que não consigo prever. Mal conseguia lidar com o funcionamento das coisas ano passado, e agora vai ter tanta novidade para absorver. Novas roupas, tecnologias, carros. Novos penteados, cores e comprimentos de cabelo. Novos piercings e tatuagens. Novos casais. Orientações sexuais e identidades de gênero novas. Novas turmas, alunos e professores. Tantas mudanças. E todo mundo só vai na onda, como se nada tivesse mudado, mas, para mim, todo ano é começar do zero.

Também dá para ver o reflexo da minha mãe no espelho, seu chaveiro personalizado pendurado para fora do bolso. (Ao longo dos anos, melhorei muitos presentes baratos — canecas, canetas, capinhas de celular — simplesmente estampando *Mãe* ou *Heidi* em alguma parte deles.) Vasculhando meu quarto com seu jaleco, ela parece mais uma cientista forense do que uma enfermeira. Uma cientista forense muito cansada. Ela sempre foi "a mãe jovem", porque nasci logo depois que ela se formou na faculdade, mas não sei se o título ainda serve. Ultimamente, ela tem esse cansaço permanente no olhar que parece ter menos a ver com o quanto ela consegue dormir por noite e mais com estar começando a aparentar a idade que tem.

— O que aconteceu com as tachinhas? — ela pergunta.

Viro e olho para o mapa na parede. Quando comecei a trabalhar no parque estadual Ellison no verão, tive uma ideia de tentar fazer as trilhas mais legais do país: Precipice no Maine, Angel's Landing em Utah, Kalalau no Havaí, Harding Icefield no Alasca. Eu tinha marcado todas no meu mapa com tachinhas coloridas. Mas, depois de como o verão acabou, decidi tirar todas — exceto uma.

— Achei melhor me concentrar em uma de cada vez — eu disse. — A primeira trilha que quero fazer é a West Maroon.

— E essa fica no Colorado? — minha mãe pergunta.

Ela consegue ver a resposta no mapa, mas ainda assim precisa da confirmação. Eu a dou.

— Sim.

A inspiração dela chega a doer de tão óbvia. Seus ombros se

erguem, quase encostando nas orelhas, antes de caírem e ficarem mais baixos do que antes. Meu pai mora no Colorado. "Pai" é uma palavra que precisa ser usada com cautela nesta casa, assim como qualquer outra relacionada a ele, como "Mark" ou, no caso, "Colorado".

Minha mãe vira as costas para o mapa e me encara com uma expressão que gostaria de parecer valente e confiante, mas parece exatamente o oposto. Ela está ferida, mas continua em pé. Somos dois.

— Busco você depois da aula — ela diz. — Continua escrevendo aquelas cartas que o dr. Sherman pediu? As palavras motivacionais? É bom continuar, Evan.

Antes eu escrevia uma por dia, mas, ao longo do verão, fui deixando o hábito de lado. Tenho quase certeza de que o dr. Sherman comentou com a minha mãe, e é por isso que ela anda me enchendo.

— Estava escrevendo uma agora — digo, aliviado por não precisar mentir.

— Que bom. O dr. Sherman vai querer ler.

— Eu sei. Vou terminar na escola.

— Essas cartas são importantes, filho. Ajudam você a ter autoconfiança. Ainda mais em um primeiro dia de aula.

Ah, sim. Mais uma pista sobre por que ela achou que eu deveria fazer uma visita ao dr. Sherman hoje.

— Não quero mais um ano com você em casa, sozinho, sentado em frente ao computador toda sexta à noite. Você só precisa encontrar um jeito de conhecer gente nova.

Estou tentando. Estou tentando de verdade.

Ela vê alguma coisa na minha escrivaninha.

— Já sei. — Ela tira uma caneta permanente de uma caneca. — Por que não pede para seus amigos assinarem seu gesso? Seria uma ótima maneira de quebrar o gelo, não?

Não consigo pensar em nada pior. É como sair mendigando em busca de amigos. Talvez eu devesse levar um cachorrinho raquítico para sentar em um canto comigo, para causar mais comoção.

É tarde demais. Ela está na minha frente.

— Evan.

— Mãe, eu não consigo.

Ela me estende a caneta.

— Aproveite o dia. Hoje é dia de aproveitar o dia.

Isso parece ter saído do horóscopo.

— Não precisa falar "hoje". "Aproveite o dia" é a mesma coisa que "aproveite hoje".

— Tanto faz. Você que é bom com as palavras. Só estou falando para aproveitar, né?

Sem encarar os olhos dela, suspiro e pego a caneta.

— É.

Ela começa a caminhar para a porta e, quando acho que estou livre, ela se vira para mim com um sorriso apreensivo.

— Já estou orgulhosa de você.

— Ah. Que bom.

O sorriso dela vacila um pouco, e ela sai.

O que eu poderia responder? Ela diz que está orgulhosa de mim, mas seus olhos indicam outra coisa. Minha mãe me encara como se eu fosse uma mancha na banheira que ela não consegue limpar, não importa que produto use. Orgulhosa de mim? Não consigo entender por quê. Então, vamos só continuar mentindo um para o outro.

Não é que eu não goste das sessões com o dr. Sherman. Claro, nossas conversas são marcadas, inorgânicas e normalmente unilaterais, mas existe, sim, algum conforto em sentar e conversar com outro ser humano. Além da minha mãe, que está sempre muito ocupada com o trabalho e com as aulas e quase não para em casa e, mesmo que ela esteja tentando prestar atenção, mal escuta o que eu falo (sem falar que é a minha mãe). Ligo para o meu pai de vez em quando, nas poucas vezes em que tenho novidades que valem a pena ser compartilhadas. Mas ele também é muito ocupado. O problema de falar com o dr. Sherman, porém, é que sou meio ruim nisso. Fico lá, me esforçando para conseguir botar para fora até as respostas monossilábicas mais simples. Acho que é por isso que ele deu a ideia de que eu escrevesse essas cartas para mim mesmo. Ele me disse que elas poderiam ser um jeito melhor de botar para fora o que eu sinto e também poderiam me ajudar a pegar mais leve comigo mesmo, mas tenho quase certeza de que isso facilita as coisas para ele também.

Abro o notebook e leio o que escrevi até agora.

Querido Evan Hansen,

Às vezes essas cartas causam o efeito oposto do que deveriam. Elas deveriam deixar o copo meio cheio, mas, na verdade, me lembram de que eu não sou como todo mundo. Nenhum outro aluno da escola tem lição de casa do terapeuta. Os outros nem devem ter um terapeuta, aliás. Eles não tomam Lorazepam de lanche. Não ficam nervosos e agitados toda vez que as pessoas chegam muito perto, falam ou olham para eles. E, definitivamente, não fazem os olhos de suas mães lacrimejarem só porque estão sentados sem fazer nada.

Não preciso ser lembrado disso. Sei que não sou normal. Pode acreditar, sei mesmo.

Hoje vai ser um dia bom.

Talvez... Se eu ficar aqui no meu quarto, pode ser verdade.

Apenas seja você mesmo.

Sim. Claro. Pode deixar.

2

Já não tenho mais o que pegar no meu armário, mas continuo na frente dele parado, fingindo que estou procurando alguma coisa. Falta bastante tempo para o sinal tocar e, se eu fechar o armário agora, vou ser obrigado a dar uma volta. Sou péssimo em dar uma volta. Dar uma volta requer autoconfiança e uma roupa boa e uma postura audaciosa, porém casual.

Robbie Oxman (também conhecido como Rox) é mestre em dar uma volta, sempre afastando o cabelo do rosto e mantendo as pernas distantes uma da outra na largura dos ombros. Ele até sabe o que fazer com as mãos: quatro dedos dentro dos bolsos da calça jeans e o polegar no passador do cinto. Genial.

Quero fazer o que o dr. Sherman e a minha mãe vivem falando para eu fazer — *interagir* —, mas não faz meu estilo. Quando entrei no ônibus hoje de manhã, todo mundo estava conversando com os amigos ou mexendo no celular. O que eu deveria fazer? Curiosidade: uma vez pesquisei "como fazer amigos" e cliquei em um dos vídeos que apareceram. Juro que só percebi que estava assistindo a uma propaganda de carro no final.

É por isso que prefiro deixar tudo isso de lado. Infelizmente, preciso ir para a aula agora.

Fecho o armário e obrigo meu corpo a girar exatamente cento

e oitenta graus. Mantenho a cabeça baixa o suficiente para evitar contato visual, mas levantada o bastante para conseguir olhar por onde ando. Kayla Mitchell está exibindo seu sorriso com aparelho transparente para Freddie Lin. (Eu até poderia pedir para um deles assinar meu gesso, mas, sem ofensas, não preciso de assinaturas de pessoas que são tão irrelevantes quanto eu na escola.) Passo pelos Gêmeos (que não são irmãos, só se vestem igual) e pelo Espião Russo. (Pelo menos, eu não tenho nenhum apelido — não que eu saiba.) Vanessa Wilton está falando ao celular, provavelmente com o agente dela (ela aparece em propagandas da cidade). Mais à frente, dois bombadões estão lutando no chão. E lá está o Rox, na frente da sala do sr. Bailey. Ele está com um polegar no passador do cinto e a outra mão na cintura de Kristen Caballero. Da última vez que ouvi falar dela, estava com o Mike Miller, mas ele se formou no ano passado. Pronta para o próximo pelo visto. Eles se beijam. De um jeito bem babado. Não fique olhando.

Paro no bebedouro. Já esqueci o plano: *Deixe as pessoas verem você.* Como vou fazer isso? Andar jogando glitter por aí? Distribuir camisinhas? Simplesmente não nasci para essa história de "aproveitar o dia".

Escuto uma voz mais alta que o barulho da água do bebedouro. Tenho a impressão de que a voz talvez esteja falando comigo. Paro de beber. Tem mesmo uma pessoa ao meu lado. O nome dela é Alana Beck.

— Como foram as férias? — ela pergunta.

Alana se sentava à minha frente na aula de matemática, no ano passado, mas nunca nos falamos. Agora estamos nos falando. Ainda não tenho certeza.

— Minhas férias?

— As minhas foram produtivas — Alana diz. — Fiz três estágios e noventa horas de serviço comunitário. Pois é, uau.

— É. Verdade, uau. Isso é...

— Mesmo tão ocupada, fiz um monte de amigos legais. Quer dizer, conhecidos, na verdade. Tinha essa menina chamada Clarissa, ou *Ca*-rissa... não consegui entender muito bem. E tinha o Bryan com Y. E minha orientadora no Conselho Nacional de Treinamento de Liderança de Mulheres Negras, a srta. P. E também...

As únicas vezes em que escutei a voz de Alana no ano passado foram quando ela fazia ou respondia perguntas, o que acontecia o tempo todo. O sr. Swathchild ignorava no começo, até perceber que ela era a única que levantava a mão e não tinha escolha a não ser chamar o nome dela — o tempo todo. Ela tem uma coragem confiante que nunca vou ter, sem mencionar um sorriso muito convincente, mas, fora isso, Alana Beck e eu temos muito em comum. Mesmo com sua participação nas aulas e sua mochila gigantesca que sempre esbarra nas pessoas, ela passa pela escola assim como eu: despercebida.

"Aproveite o dia", minha mãe diz. Beleza, aí vamos nós. Ergo o gesso.

— Você quer...

— Ai, meu Deus — Alana diz. — O que aconteceu com seu braço?

Abro o zíper da mochila e procuro a caneta permanente.

— Eu quebrei. Estava...

— Ah, sério? Minha vó quebrou o quadril quando estava entrando na banheira, em julho. Foi o começo do fim, os médicos disseram. Porque depois ela morreu.

— Ah... que péssimo.

— Pois é! — diz, sem deixar de sorrir. — Bom primeiro dia de aula!

Ela se vira e sua mochila derruba a caneta da minha mão. Eu me abaixo para pegar e, quando me levanto, Alana se foi e Jared Kleinman surgiu no lugar dela.

— Você tem vergonha de ser a primeira pessoa na história a quebrar o braço por bater tanta punheta ou considera isso uma honra? — Jared pergunta bem alto. — Conta aí como foi. Você estava no seu quarto. As luzes apagadas. Jazz tocando ao fundo. Estava olhando o Instagram da Zoe Murphy no seu celularzinho barato.

Eu e Jared temos um passado. A mãe dele é corretora de imóveis. Foi ela quem encontrou a casa nova para mim e minha mãe depois que meu pai foi embora. Durante alguns anos, os Kleinman nos convidavam para ir nadar no clube que frequentavam no verão, e jantávamos na casa deles, uma vez fomos no Rosh Hashaná, o ano-novo judaico. Fui até ao Bar Mitzvah do Jared.

— Quer saber o que realmente aconteceu?

— Na verdade, não — Jared diz.

Algo está me dando vontade de contar, de compartilhar a história com alguém, talvez só para deixar as coisas claras. Não, eu não estava olhando o Instagram da Zoe Murphy. Não nessa ocasião em particular.

— O que aconteceu é que eu estava subindo numa árvore e caí.

— Você caiu de uma árvore? Tipo uma frutinha?

— Você sabia que eu estava trabalhando como aprendiz de guarda-florestal nas férias?

— Não. Por que eu saberia?

— Bom, enfim, sou meio que um especialista em árvores agora. Modéstia à parte. Mas vi um carvalho incrível, de uns doze metros, então comecei a subir e aí só...

— Caiu? — Jared diz.

— Isso, mas é uma história engraçada, porque fiquei lá jogado no chão uns dez minutos depois que caí, esperando que alguém viesse me buscar. "Alguma hora", eu dizia a mim mesmo. "Alguma hora alguém vai chegar."

— Alguém chegou?

— Não. Ninguém chegou. Por isso é engraçado.

— Meu Deus.

Ele parece envergonhado por mim. Mas, enfim, a piada foi minha. Sei que parece patético ter ficado esperando que alguém viesse me buscar. Estou tentando rir da minha própria incapacidade, mas, como sempre, não fiz isso de uma boa maneira. Tem muita coisa passando pela minha cabeça agora. Avós estão morrendo e estou com várias manchas escuras na camiseta por causa da água que espirrou do bebedouro, e ainda nem começou a primeira aula, quando vou ser chamado de "Mark" por pelo menos quarenta e cinco minutos.

É isso que ganho por tentar conversar com Jared Kleinman, que uma vez deu risada em uma aula sobre o Holocausto. Ele jurou que estava rindo de algo que não tinha nada a ver com as fotos horríveis em preto e branco que deixaram a sala inteira chocada, e acho que eu até acredito nele, mas, ainda assim, tenho quase certeza de que ele não tem escrúpulos.

Jared ainda não foi embora, então faço uma pergunta inspirado em Alana Beck.

— Como foram as férias?

— Bom, meu time mandou bem no rouba-bandeira e peguei nos peitos de uma menina de Israel que está, tipo, entrando para o exército. Isso responde à sua pergunta?

— Na verdade... — A caneta ainda está na minha mão. Nem sei por que ainda me importo com esse lance de assinaturas no gesso, mas aí falo mesmo assim. — Quer assinar meu gesso?

Ele ri. Ri na minha cara.

— Por que está perguntando isso pra mim?

— Sei lá. Porque somos amigos?

— Nossas *famílias* são amigas — Jared diz. — É uma coisa completamente diferente.

É? Já joguei videogame no sofá do porão do Jared. Até tirei a sunga na frente dele. Foi ele quem me explicou que não se usa cueca por baixo da sunga. Tá, a gente não anda mais junto como antes, e só ficamos juntos quando nossas famílias se encontram, mas essas memórias ainda contam, certo? Um amigo da família ainda é um amigo, de certa forma.

— Fala pra sua mãe falar pra minha que eu fui legal com você, senão meus pais não vão pagar o seguro do meu carro — Jared diz, e sai andando.

Jared é um saco, mas ele é o meu saco. Quer dizer, não, não foi isso que eu quis dizer, não nesse sentido. Só quero dizer que ele não é tão ruim assim. Ele age como se fosse fodão, mas não é muito convincente. Seus óculos de aro de casco de tartaruga e suas camisas praianas não ficam muito bem nele, e o fone gigante que ele carrega pendurado no pescoço fica desconectado. Mesmo assim, ele se veste melhor que eu.

Entro na sala bem na hora em que o sinal toca e sento. (Prefiro ficar na fileira mais perto da porta no fundo da sala, fora de vista e perto da saída.) Enquanto me ajeito, tenho uma leve sensação de vitória. Nenhum nome no meu gesso ainda, mas já interagi com mais gente do que em todo o primeiro mês de aulas do ano passado. Que tal aproveitar o dia assim?

Vai saber? Talvez este seja mesmo um dia incrível, afinal.

3

Não. Nada incrível.

A primeira aula foi aceitável, o que quer dizer que nada horrível aconteceu. O mesmo sobre as outras aulas. Todas as correções de Mark para Evan foram bem-sucedidas. Eu estava me sentindo bem, até otimista.

Mas aí veio o almoço.

Nunca gostei muito da hora do almoço. Não é estruturada o suficiente. Todo mundo é livre para ir aonde quiser, e eles nunca querem ir para um lugar que está perto de mim. Geralmente sento em uma mesa em um canto isolado com alunos aleatórios e me obrigo a comer o sanduíche de manteiga de semente de girassol com geleia que há uma década levo todos os dias. (O que eu como é a única coisa na hora do almoço que consigo controlar.) Mas sentar em uma mesa no canto isolado agora me dá a sensação de que estou me escondendo, e prometi a mim mesmo que não iria me esconder. Não hoje.

Vejo Jared e sua bandeja na fila de comida. Ele normalmente almoça sozinho, programando no notebook. Espero por ele no caixa. Ele parece animado ao me ver.

— Você de novo? — Jared pergunta.

Meu instinto é deixá-lo se afastar de mim, mas, pela primeira vez, mando meu instinto à merda.

— Pensei que talvez eu pudesse almoçar com você hoje?

Parece que Jared vai vomitar. Antes de negar, ele desaparece atrás de uma capa preta. Passando entre nós dois está um ser misterioso, conhecido como Connor Murphy. Connor corta nossa conversa, de cabeça baixa, sem prestar atenção ao redor. Eu e Jared o observamos se afastar.

— Adorei o cabelo novo — Jared murmura para mim. — Só falta uma arma para completar o look psicopata.

Sinto um calafrio.

Connor para, seus coturnos fazendo um barulho alto. Seus olhos — o pouco que consigo ver por trás do cabelo comprido — são dois raios mortais metálicos e azuis. Ele com certeza ouviu o que Jared disse. Acho que não é tão distraído quanto parece.

Connor não se mexe, não fala, só encara. Tudo nesse menino me causa arrepios. Ele é puro gelo. Talvez seja por isso que use todas aquelas camadas de roupa, embora tecnicamente ainda estejamos no verão.

Jared pode ser desaforado, mas não é idiota.

— Estava brincando — ele diz a Connor. — Foi uma piada.

— Foi engraçada — Connor diz. — Estou rindo. Não dá pra ver?

Jared não parece mais tão cheio de si.

— Não estou rindo o suficiente pra você? — Connor pergunta.

Jared começa a rir de nervoso, o que me faz rir de nervoso também. Não consigo evitar.

— Você é bizarro — Jared diz a Connor, se afastando. Eu deveria fazer o mesmo, mas não consigo sair do lugar.

Connor dá um passo em minha direção.

— Está rindo do quê, porra?

Sei lá. Faço coisas idiotas quando estou nervoso, o que significa que vivo fazendo coisas idiotas.

— Para de rir da minha cara, porra — Connor diz.

— Não estou rindo — digo, o que é verdade. Paro de rir. Estou oficialmente petrificado.

— Você me acha bizarro?

— Não. Eu não...

— Eu não sou bizarro.

— Eu não...

— Você que é bizarro.

Uma explosão.

Estou no chão. Connor continua parado, em pé.

Não foi uma explosão de verdade. Os dois braços de Connor, mais o peso de todos aqueles braceletes pretos, me acertaram no peito e me fizeram perder o equilíbrio.

Antes de ele sair andando, tenho a impressão de que ele está tão abalado quanto eu.

Sento e tiro as mãos do chão, a sujeira de várias solas de tênis está grudada nas minhas palmas úmidas.

As pessoas passam desviando de mim. Algumas fazem comentários que não ajudam em nada, mas não importa. Não consigo ouvir. Também não consigo me mexer. Não quero. Por que deveria? É igual a quando caí da árvore no parque Ellison. Só fiquei ali caído. Deveria ter ficado embaixo daquela árvore para sempre. Assim como deveria ter ficado em casa hoje. Qual é o problema de se esconder? É mais seguro, pelo menos. Por que eu insisto em fazer isso comigo mesmo?

— Você está bem?

Olho para cima. Choque. Choque duplo. Um choque porque é a segunda menina que fala comigo hoje. E outro porque é a Zoe Murphy. Sim, a própria.

— Estou bem — respondo.

— Desculpa pelo meu irmão — ela diz. — Ele é um psicopata.

— Sim. Não. A gente só estava brincando.

Ela assente, como a minha mãe faria ao lidar com um paciente delirante (eu, no caso).

— Então... — ela diz — Está confortável aí no chão ou...?

Ah, claro, estou no chão. Por que ainda estou no chão? Me levanto e limpo as mãos na calça.

— Evan, não é? — Zoe diz.

— Evan?

— É o seu nome?

— Ah, sim. Evan. É Evan. Desculpa.

— Desculpa pelo quê? — Zoe diz.

— Bom, porque você falou Evan, daí eu repeti. É muito irritante quando as pessoas fazem isso.

— Ah. — Ela estende a mão. — Bom, eu sou a Zoe.

Dou um tchauzinho em vez de apertar a mão dela por causa de toda a sujeira que está grudada na minha mão suada, e me arrependo na mesma hora de ter feito isso. Acabei conseguindo tornar essa interação ainda mais constrangedora do que já estava.

— Não, eu sei.

— Sabe? — Zoe pergunta.

— Não, quero dizer, conheço você. Sei quem você é. Vi você tocar violão na banda de jazz. Adoro bandas de jazz. Adoro jazz. Não todo tipo de jazz. Mas definitivamente adoro jazz de bandas de jazz. Isso é tão esquisito. Desculpa.

— Você pede muitas desculpas.

— Desculpa.

Caramba.

Ela ri.

Não sei por que estou tão nervoso, tirando o fato de que estou sempre nervoso e acabei de ser jogado no chão por um troglodita, que por acaso é parente da Zoe. Mas por que Zoe faz isso comigo? Ela não é exatamente uma menina maravilhosa e popular. É só normal. Não normal no sentido de ser sem graça. Normal no sentido de ser real.

Acho que é porque esperei muito por esse momento, por ter a chance de conversar com ela. Desde a primeira vez em que a vi se apresentar. Eu sabia que ela era um ano mais nova. Eu tinha visto Zoe na escola várias vezes. Mas nunca tinha prestado atenção nela *de verdade* até aquele show. Se você perguntasse a qualquer um que estava na plateia — e não éramos muitos — o que achou da apresentação da violonista, a pessoa teria dito: "Quem?". Os trompetistas eram os astros, seguidos pelo baixista superalto e pelo baterista exibicionista. Zoe, por sua vez, ficava de canto. Não teve um solo nem nada. Não se destacou de maneira óbvia. Talvez seja justamente porque ela estava no fundo que eu senti uma conexão tão forte com ela. Para mim, não havia mais ninguém no palco, só a luz do holofote caindo sobre Zoe. Não consigo explicar por que as coisas aconteceram dessa forma, mas foi assim.

Eu a vi se apresentar muitas vezes desde então. Estudei essa garota. Sei que o violão dela é azul-claro acinzentado. A correia dele tem estampa de raios, e a barra da calça jeans dela é decorada com estrelas desenhadas com canetinha. Ela bate o pé direito enquanto toca e mantém os olhos bem fechados, enquanto um sorriso se entreabre em seu rosto.

— Minha cara está suja? — Zoe pergunta.

— Não. Por quê?

— Você está olhando muito pra ela.

— Ah. Desculpa.

Falei de novo.

Zoe assente.

— Meu almoço vai esfriar.

Algo me diz que ela já chegou para arrumar uma das bagunças do irmão várias vezes antes. Agora que verificou que eu estou bem, pode seguir com seu dia. Mas não quero ser só mais uma bagunça para ela.

— Espera — digo.

Ela se vira.

— O quê?

Mostre-se, Evan. Diga alguma coisa. Qualquer coisa. Fala que gosta de Miles Davis ou Django Reinhardt ou um daqueles caras famosos do jazz. Pergunte se ela também gosta. Fala daquele documentário que você viu recentemente sobre música eletrônica e que até tentou compor sua própria música eletrônica depois e a música ficou péssima, óbvio, porque você não tem nenhum talento. Só dê alguma coisa para ela guardar, um pedaço de você para ficar com ela. Peça para ela assinar seu gesso. Não seja tímido. Não seja *méh*. Não faça o que você sabe muito bem que está quase fazendo.

Baixo os olhos para o chão.

— Nada — digo.

Ela espera mais um pouco, então seus dedos dos pés parecem dar tchau de dentro de seu All Star gasto enquanto ela se vira e sai andando. Eu a vejo se afastar, passo a passo.

Quando finalmente paro para comer meu almoço, descubro que o tombo que levei não só amassou meu ego, já fraco, mas também meu fiel sanduíche de manteiga de semente de girassol e geleia.

Minha mãe me manda uma mensagem quando estou no laboratório de informática, pedindo para eu ligar para ela. Fico grato pela interrupção. Estava olhando para uma tela em branco há vinte minutos.

Estou tentando terminar essa carta para o dr. Sherman. Quando comecei a me consultar com ele, em abril, eu escrevia uma carta todo dia antes da aula. Virou parte da minha rotina. Toda semana eu mostrava minhas cartas para o dr. Sherman e, embora nem sempre acreditasse no que tinha escrito, me sentia realizado só de vê-lo segurar aqueles papéis na mão. Aquilo era eu, bem ali. Meu trabalho. Minha escrita. Mas, depois de um tempo, o dr. Sherman parou de pedir para ver minhas cartas e, logo em seguida, parei de escrever. Afinal, as cartas não estavam funcionando muito. Não estavam mudando minha forma de pensar de verdade.

As férias deram início a uma nova rotina, e escrever essas cartas não fazia parte dela. O dr. Sherman percebeu que eu estava deixando minha tarefa de lado. Então voltou a pedir para ver minhas cartas e, se eu não terminar esta, vou chegar hoje de mãos abanando. Já passei por isso antes — chegar sem nenhuma carta quando ele estava esperando uma. Uma vez eu cheguei à consulta sem nada nas mãos (eu tinha esquecido a carta em casa), e nunca vou esquecer a expressão do dr. Sherman. Ele tentou parecer neutro, mas não conseguiu me enganar. Depois de todos esses anos, sou especialista em perceber até o menor sinal de decepção, e qualquer nível já é insuportável para mim.

Vou ter de mostrar alguma coisa para o dr. Sherman, e tudo que tenho até agora é "Querido Evan Hansen". Apaguei todas as coisas que escrevi de manhã. Toda aquela besteira sobre ser verdadeiro comigo mesmo. Só escrevi aquilo porque pensei que soava bem.

É claro que soava bem. Ficção sempre soa bem, mas não ajuda muito quando a realidade vem e joga você de cara no chão. Quando enrola sua língua, prendendo as palavras na sua cabeça. Quando deixa você almoçando sozinho.

Teve um ponto positivo no dia de hoje, porém. Zoe Murphy não apenas falou comigo, mas sabia quem eu era. Ela sabia o meu nome. Assim como buracos negros ou estereogramas, meu cérebro não consegue computar isso. Por mais esperançoso que eu tenha me sentido depois da nossa breve interação, tenho a impressão de que desperdicei o momento e que talvez nunca mais exista outro.

Ligo para a minha mãe. Depois de alguns toques, estou quase desligando, mas aí ela atende.

— Filho, oi — ela diz. — Escuta, sei que fiquei de levar você para a consulta, mas vou ter que ficar no hospital. A Erica não vem porque está gripada e sou a única técnica de enfermagem aqui hoje, então me ofereci para cobrir o turno dela. Hoje cedo anunciaram mais cortes de orçamento, então estou tentando mostrar que faço parte da equipe, sabe?

Claro que sei. Ela sempre faz parte da equipe. A questão é que era para ela fazer parte da *minha* equipe. Minha mãe é tipo um técnico que faz discursos impressionantes antes do jogo, mas, então, quando o juiz apita e chega a hora de eu entrar no campo, ela some.

— Tudo bem — digo. — Vou de ônibus.

— Perfeito.

Talvez eu falte à sessão com o dr. Sherman. Não queria ir mesmo. Cansei de aproveitar o dia.

— Vou daqui para a aula, só vou chegar mais tarde em casa, então come alguma coisa. Tem aqueles bolinhos congelados no congelador.

— Talvez.

— Já terminou de escrever a carta? O dr. Sherman espera que você leve uma hoje.

É oficial. Os dois definitivamente conversaram.

— Sim, já terminei. Estou imprimindo agora.

— Tomara que tenha sido um dia bom, meu amor.

— Sim, foi. Muito bom. — Só faltam duas aulas.

— Ótimo. Que ótimo. Tomara que seja o começo de um ano ótimo. Acho que faria bem para nós dois, um ano bom, né?

"Sim" é a resposta, mas mal tenho tempo de pensar nela, que dirá pronunciá-la.

— Puta merda, filho. Preciso ir. Tchau. Te amo.

A voz dela desaparece.

Sou deixado com uma solidão tão profunda que ela ameaça escorrer pelos meus olhos. Não tenho ninguém. Infelizmente, isso não é uma ficção. É uma realidade completamente natural, cem por cento orgânica e não processada. Tem o dr. Sherman, mas ele cobra por hora. Tem meu pai, mas, se ele realmente se importasse, não teria se mudado para o outro lado do país. Tem minha mãe, mas não hoje, nem ontem à noite, nem na noite anterior. Sério, quando realmente importa, *quem* está lá?

Na minha frente, na tela do computador, só tem um nome: Evan Hansen. Eu. É tudo que tenho.

Coloco os dedos no teclado. Chega de mentiras.

Querido Evan Hansen,

Na verdade, hoje não foi um dia incrível. Também não vai ser uma semana incrível ou um ano incrível. Afinal, por que seria?

Ah, eu sei, porque tem a Zoe. E toda a minha esperança está na Zoe. Que eu nem conheço e que nem me conhece. Mas talvez se eu tentasse... Talvez se eu conseguisse simplesmente falar com ela, falar de verdade, talvez... talvez nada mudasse no final.

Queria que tudo fosse diferente. Queria fazer parte de alguma coisa. Queria que alguma coisa que eu digo fosse importante, para quem quer que seja. Sério: alguém perceberia se eu desaparecesse amanhã?

Do fundo do coração, seu melhor e mais querido amigo,
Eu

Nem me dou ao trabalho de reler. Mando imprimir e levanto da cadeira, me sentindo energizado. Alguma coisa aconteceu agora, enquanto eu escrevia. Que ideia, dizer exatamente o que você sente sem parar para pensar duas vezes! Quer dizer, *agora* estou pensando duas vezes, mas, enquanto eu escrevia e mandava imprimir, não houve nenhuma hesitação, apenas movimento fluido.

Exceto que está na cara que é melhor rasgar a carta imediatamente e jogá-la no lixo. Não posso mostrar isso para o dr. Sherman. Ele vive me pedindo para buscar otimismo, e essa carta não tem nada além de desolação e desespero. Eu sei que *deveria* mostrar meus sentimentos para o dr. Sherman, e agradar minha mãe, mas eles não querem saber dos meus sentimentos de verdade. Só querem que eu fique bem, ou pelo menos que eu diga que estou bem.

Eu me viro, ansioso para chegar à impressora, mas, em vez disso, quase esbarro em Connor Murphy. Eu me encolho, me preparando para outro empurrão, mas ele mantém as mãos longe de mim.

— Então — Connor diz. — O que aconteceu?

— Como é?

Ele baixa os olhos.

— Seu braço.

Olho para baixo como se para ver do que ele está falando. *Ah, isso?*

— Então — começo. — Eu estava trabalhando como aprendiz de guarda-florestal durante o verão no parque Ellison e, uma manhã, estava fazendo a ronda, e vi um carvalho incrível de doze metros, e comecei a escalar, e aí... caí. Mas, na verdade, é uma história engraçada, porque teve uns dez minutos depois que caí em que só fiquei deitado no chão, esperando alguém me buscar. "A qualquer momento", eu ficava pensando. "A qualquer momento." Mas, bem, ninguém veio, então...

Connor me encara. Então, quando percebe que eu terminei,

começa a rir. É a reação que eu fingia querer da minha história "engraçada", mas agora que está acontecendo, devo admitir que não é como eu planejava. Talvez seja o troco por eu ter rido de Connor antes, mas não parece uma vingança.

— Você caiu de uma árvore? — Connor diz. — É a história mais triste que já ouvi.

Não tenho como discordar.

Talvez sejam os poucos fios de barba em seu queixo ou o cheiro de fumaça em seu moletom ou o esmalte preto ou o fato de que ouvi dizer que ele foi expulso da última escola por estar usando drogas, mas Connor parece muito mais velho do que eu, como se eu fosse uma criança e ele um homem. O que é meio esquisito, porque agora que o estou vendo de perto, percebo que ele é bem magrinho e que, se não estivesse usando aqueles coturnos, talvez eu fosse até mais alto do que ele.

— Um conselho — Connor diz. — Você precisa inventar uma história melhor.

— É, talvez — admito.

Connor baixa os olhos. Eu também.

— Inventa que você brigou com um cara racista. — Sua voz é muito baixa.

— Quê?

— *O sol é para todos* — ele diz.

— O sol... ah, você está falando do livro?

— Sim — Connor diz. — No fim, lembra? Jem e Scout estão fugindo daquele caipira. Ele quebra o braço de Jem. É tipo um ferimento de guerra.

Quase todo mundo lê *O sol é para todos* no primeiro ano. Só estou surpreso que Connor tenha lido de verdade, e também que queira falar desse livro agora e tão tranquilamente.

Depois de arrumar o cabelo atrás da orelha, ele nota algo.

— Ninguém assinou seu gesso.

Olho para o gesso duro: ainda em branco, ainda patético.

Connor dá de ombros.

— Eu assino.

— Ah. — Minha intuição me diz para fugir. — Não precisa.

— Você tem uma caneta?

Minha vontade é dizer que não, mas minha mão me trai, abrindo a minha mochila e entregando a ele a caneta permanente.

Connor arranca a tampa com a boca e ergue meu braço. Desvio o olhar, mas ainda assim consigo ouvir o rangido da caneta no gesso, sons individuais se estendendo por mais tempo do que eu imaginava. Connor parece tratar cada letra como seu Picasso em miniatura.

— *Voilà* — Connor diz, evidentemente finalizando a sua obra-prima.

Baixo os olhos. Ali, no lado do gesso que dá para o mundo, se estendendo por todo o comprimento e alcançando alturas absurdas, estão seis das maiores letras maiúsculas que já vi: **CONNOR**.

Connor assente, admirando sua criação. Eu é que não vou estragar a felicidade dele.

— Nossa. Obrigado. Mesmo.

Ele cospe a tampa na mão, fecha a caneta e me devolve.

— Agora nós dois podemos fingir que temos amigos.

Não sei exatamente como interpretar esse comentário. Como Connor sabe que não tenho amigos? Como *ele* não tem amigos, me reconhece como um igual? Ou está supondo isso apenas porque ninguém tinha escrito no meu gesso ainda? Ou será que sabe algo sobre mim? Significaria que causei uma impressão nele. Claro, causar uma impressão em Connor Murphy não é o ideal, e a impressão que causei não é exatamente lisonjeira, mas continua sendo uma impressão e, se alguém realmente estivesse tentando seguir o conselho de seu terapeuta e se concentrasse no lado positivo, essa reviravolta poderia ser vista como uma pequena vitória.

— Boa — digo.

— Aliás — Connor diz, pegando um papel de baixo do braço. — Isso é seu? Achei na impressora. "Querido Evan Hansen." É você, não é?

Estou gritando por dentro.

— Ah, isso? Não é nada. É só um negócio que eu estava escrevendo.

—Você é um escritor?

— Não, não de verdade. Não é, tipo, porque eu gosto.

Ele lê mais um pouco e sua expressão muda.

— "Porque tem a Zoe." — Ele ergue os olhos. Um olhar frio. — Isso é sobre a minha irmã?

Seus lábios ficam tensos e percebo que nossa conexão momentânea se rompeu. Dou um passo para trás.

— Sua irmã? Quem é sua irmã? Não, não é sobre ela.

Com um passo ameaçador, ele diminui o espaço entre nós.

— Não sou burro, caralho.

— Nunca disse que era.

— Mas pensou — Connor diz.

— Não.

— Não mente, porra. Já entendi. Você escreveu porque sabia que eu iria pegar.

— Quê?

—Você viu que eu era a única outra pessoa na sala, então escreveu e imprimiu para eu pegar.

Observo ao redor.

— Por que eu faria isso?

— Para que eu lesse um texto estranho que escreveu sobre minha irmã e tivesse um surto, não foi?

— Não. Espera. Quê?

— E aí você vai poder sair falando para todo mundo na escola que eu sou louco, né?

— Não. Eu não...

Ele ergue o dedo entre meus olhos.

— Vai se foder.

Eu esperava que essas palavras viessem seguidas de um ponto de exclamação vermelho, algo doloroso, mas, na verdade, acabam soando enfraquecidas. Ele dá meia-volta e sai. Não acha que valho o esforço. Eu concordo. De qualquer forma, sinto um alívio. Não sei se poderia sobreviver a mais um tombo hoje.

Solto o ar, meu corpo relaxa. Mas o alívio que sinto dura apenas um segundo. Ao ver Connor Murphy sair, chamo seu nome, mas ele é rápido demais. Amassado em sua mão há um tipo diferente de ponto de exclamação: ele ainda está com a minha carta.

4

Meu pé é um aparador de grama. Estou chutando uma parte do gramado que tomou conta da calçada no ponto de ônibus. Os calouros observam com cuidado e surpresa. Reconheço cuidado e surpresa quando vejo. Eles podem achar que sou alguém que odeia grama. Não é o caso. É que meus remédios não estão conseguindo me ajudar muito esta manhã. Não consigo me acalmar. Estou prestes a enfrentar o pelotão de fuzilamento, e não há nada que eu possa fazer a respeito.

Implorei para minha mãe me deixar faltar, mas convencer uma enfermeira de que você está doente exige poderes de persuasão que não tenho. A verdade é: me sinto doente. Olhei o relógio de hora em hora durante a noite toda. 1h11. 2h47. 3h26. Quando o despertador finalmente tocou de manhã, parecia que eu tinha acabado de pegar no sono.

Dr. Sherman não ajudou muito. Acabei indo à sessão ontem, peguei um ônibus até lá depois da aula. Digitei uma carta nova que parecia animada e inofensiva, e fiquei observando enquanto o dr. Sherman a lia no meu notebook, sem falar nada.

Tentei ser sincero. Falei vagamente sobre um determinado problema que estou passando.

— Alguém tirou uma coisa de mim — eu disse ao dr. Sherman.

— Uma coisa particular, e tenho medo do que pode acontecer se eu não pegar essa coisa de volta.

—Vamos analisar as possibilidades — o dr. Sherman disse. — Se esse objeto não for devolvido para você, o que é o pior que pode acontecer?

A resposta verdadeira: Connor publica minha carta na internet para toda a escola ver, incluindo a Zoe, e agora todos sabem que escrevo cartas vergonhosamente sinceras para mim mesmo, o que é totalmente bizarro e perturbador, e todos os dias que já eram difíceis de viver passam a exigir um trabalho ainda mais árduo, e me sinto ainda mais sozinho e maluco do que já me sentia, o que eu não pensava ser possível quando fui para a escola ontem.

A resposta que dei ao dr. Sherman:

— Sei lá.

Porém, até agora, pelo que vejo, o pior não aconteceu. Ainda. Não há sinal da minha carta na internet. Procurei meu nome e nada apareceu. Ninguém está falando sobre ela.

O último post de Jared Kleinman: O que é um peido pra quem tá cagado?

Alana Beck escreveu: Na África e na Ásia, as crianças precisam andar cerca de seis quilômetros por dia para buscar água.

Rox curtiu uma foto de uma modelo de biquíni e começou a seguir o cereal Frosted Flakes.

Outra comida me vem à mente: purê de batata. No ano passado, aconteceu uma briga entre Rita Martinez e Becky Wilson durante o almoço. Ninguém sabe como começou, mas todos se lembram do que Rita disse para a Becky antes de pular em cima dela: "Vou enfiar esse purê de batata...". Rita não terminou a frase, então não se sabe se ela estava se referindo à entrada da frente ou dos fundos de Becky. Isso deu início a um movimento. As pessoas começaram a mandar purê de batata para a casa de Becky. Faziam gestos imitando atos explícitos com purê de batata na hora do almoço. Na nossa escola, se você quer que alguém dê o fora, é só falar "purê de batata". Pode usar também o emoji de nuvem, que é o mais visualmente parecido. A carta que Connor roubou de mim é o meu purê de batata. Nunca vai desaparecer se for publicada. Vai me seguir aonde quer que eu vá.

O ônibus aparece na esquina. Dou uma folga para o meu pé e começo a me perguntar se meu conceito de "o pior que pode acontecer" é ingênuo e pouco criativo. Talvez eu não esteja pensando como um verdadeiro sociopata. E se Connor decidir agir à moda antiga? Ele pode, por exemplo, imprimir cópias da minha carta e as colocar dentro do armário dos alunos. Ou talvez esteja distribuindo pessoalmente na porta da escola agora mesmo. Faz sentido. Ele achou que minha carta era uma armação para que ele parecesse doido e, agora, para se vingar, vai deixar claro para todo mundo na escola que o *verdadeiro* doido é quem escreve cartas esquisitas para si mesmo. *Este* cara: o Evan Hansen.

Entro no ônibus, sem saber se é o motor que está roncando ou se são as minhas entranhas. Nenhum alarde enquanto vou até um banco. O garoto na fileira do outro lado de mim está deitado na horizontal, roncando. O ônibus avança ruidosamente. Falta pouco para a minha execução.

Ou talvez seja agora mesmo. Risos desviam minha atenção do celular. Duas fileiras à frente, um menino está gargalhando. Ele se debruça no corredor e mostra o celular para o amigo. O amigo pega o celular.

— Não acredito — ele diz para o amigo. Agora os dois estão rindo.

É isto: o pior que pode acontecer. Connor deve ter programado o ataque para este exato momento, quando eu já estivesse a caminho da escola. É um verdadeiro gênio do crime. A qualquer momento, essa galera vai se virar e ficar encarando o fracassado mais deprimente da face da Terra.

Fecho os olhos e me preparo para encontrar um novo pesadelo quando os reabrir, mas tudo que vejo é o amigo devolvendo o celular para o outro, e o ônibus retomando o silêncio de antes.

Mais tarde, quando saio do ônibus, não vejo papéis com meu nome sendo distribuídos. Nenhum panfleto mostrando meu rosto. Ainda assim, não consigo soltar o ar enquanto avanço no caminho de concreto e atravesso as portas de metal da escola. Que tipo de surpresa tenebrosa me aguarda do outro lado?

Literatura: sem tragédias. Matemática: sem problemas. Química: sem explosões.

Chego ao almoço ileso. Era para eu estar aliviado, mas não, a expectativa está me matando. Só quero que isso acabe logo.

O refeitório é onde aconteceu meu primeiro confronto com Connor. Acabar comigo nesse mesmo lugar daria uma simetria conveniente à nossa saga. Além disso, um artista de verdade saberia aproveitar essa grande plateia sedenta de sangue.

O que leva à pergunta: por que estou aqui? A única resposta é: não sei. As opções sempre parecem ser vazar ou lutar, mas eu normalmente não escolho nenhuma delas e não faço absolutamente nada. Fico *e* levo uma surra.

Eu caminho devagar colado à parede dos fundos, procurando uma mesa segura, mas, principalmente, em busca de Connor. Sem sinal dele. Sento e como. Tento comer. Meus dentes mordem uma cenourinha e o som ecoa na minha cabeça feito um disparo. Engulo esse pedaço de cenoura e minha fome acaba, porque, enquanto estou sentado, uma ideia passa pela minha cabeça. Uma ideia perturbadora. Não foi só o Connor que não vi hoje, também não vi a Zoe.

A ausência de Connor por si só não é nenhuma novidade. Mas Zoe faltar no mesmíssimo dia? Duvido que a família Murphy planejaria uma viagem de férias no meio da primeira semana de aulas. Zoe nem parece se dar bem com Connor, então não mataria aula com ele. E, além do mais, não lembro da última vez em que Zoe faltou e, sim, isso é algo em que presto atenção. Algumas pessoas tomam energéticos ou café, mas, para mim, alguns vislumbres de Zoe são o impulso de que preciso para energizar o meu dia. Normalmente recebo *pelo menos* duas doses diárias, uma antes da primeira aula (o armário dela é no mesmo corredor que o meu), e uma no horário de almoço. Eu adoraria pensar na falta dela como uma coincidência. Em qualquer outro dia, talvez fosse possível. Mas não depois do que aconteceu ontem. Connor e Zoe faltarem logo hoje deve significar alguma coisa, e não quero ser um narcisista total, mas tenho a terrível impressão de que alguma coisa remete a mim.

Tomara que eu esteja enganado. Talvez os dois estejam na escola e eu só não os tenha visto ainda. Ou talvez os dois ficaram gripados e faltaram por causa disso. A algumas mesas de distância, Jared está comendo e olhando para o computador ao mesmo tempo. Dou um tapinha no ombro dele.

— Quê? — ele diz sem tirar os olhos da tela.

— Posso falar com você?

— Melhor não.

Recado dado, mas não tenho mais a quem recorrer e esse assunto é sério.

— Você viu o Connor Murphy hoje? Ou a Zoe Murphy?

— Ora, ora, ora. Vi você falando com a Zoe ontem. Finalmente tomou a iniciativa, é?

— Não é bem assim.

— Precisa de ajuda para saber onde fica a vagina dela? — Jared diz. — Com certeza tem um aplicativo pra isso.

Ele ri da própria piada. Ainda não olhou para mim (nem para nenhuma vagina, imagino). Observo o refeitório em busca do meu arqui-inimigo ou de sua irmã simpática e legal. É difícil dizer. Eles poderiam estar aqui em algum lugar. Viro em direção a Jared.

— Não, não vi — Jared diz. — Mas com certeza vou avisar que você está procurando por ela.

— Não, por favor, não faça isso.

Ele finalmente olha para mim.

— Deixa pra lá. Não comenta nada.

Enquanto estou me afastando, ele pergunta:

— Or?

— Quê?

Ele aponta para meu gesso. Vesti uma blusa de manga comprida, embora esteja fazendo, tipo, trinta e dois graus lá fora. Só as duas últimas letras do nome de Connor estão visíveis, o O e o R. Connor ocupou tanto espaço com sua assinatura que não consegui cobrir ela inteira.

— *Death* — respondo. — *Life or death*, vida ou morte.

Não sei por que digo isso, ou o que isso quer dizer, mas parece verdade, não apenas hoje, mas sempre.

Meu gesso está completamente exposto na aula de educação física. Hoje é nossa avaliação de aptidão física. Sempre fazemos o teste uma vez no começo do ano e uma ao final. Provavelmente os dois dias de aula que eu menos gosto.

A sra. Bortel nos fez formar uma fila na linha de base da quadra de basquete. Maggie Wendell, capitã do time de futebol da escola, demonstra cada exercício enquanto a sra. Bortel dá as instruções.

Olho para o meu braço. Como vou fazer barra? Mal consigo fazer barra quando estou com meus dois braços intactos. Que dirá com um gesso cobrindo metade de uma das minhas mãos. Na verdade, o mesmo vale para flexão. Já sei como vou me livrar dessa avaliação. Finalmente esse gesso parece ter um lado positivo.

Quando a sra. Bortel termina de falar, vou até ela e mostro o meu gesso. Ela parece sentir repulsão ao me ver, como se o simples fato de estar perto do meu corpo frágil e quebradiço pudesse infectar os músculos dela. Devo admitir: é impressionante o trabalho que a sra. Bortel deve ter com o físico dela, ainda mais para alguém da sua idade, provavelmente mais velha que a minha mãe. Ainda assim, acho um pouco injusto que ela esteja me julgando sem nem saber como me machuquei. E se escorreguei de um telhado enquanto construía um abrigo para um sem-teto? Ou se fui ferido enquanto brigava com um cara racista?

A sra. Bortel pergunta:

— Você tem um atestado para isso? — Para *isso*.

— Atestado? — pergunto.

— Um atestado médico.

— Acho que minha mãe mandou por e-mail para a secretaria.

Ela murmura alguma coisa que não entendo. Ouço, porém, seu suspiro enquanto ela me manda para a arquibancada. Alguns alunos de certo tipo físico me olham com inveja.

Consigo desviar de uma bala, mas o verdadeiro atirador ainda está solto por aí. Tá, eu não deveria fazer piada sobre atiradores, nem mesmo em pensamento, mas como evitar? Temos treinos de confinamento para nos preparar caso realmente aconteça um atentado na escola. Segundo as estatísticas, quase nunca é alguém de fora, mas, sim, de dentro. Às vezes fico imaginando qual de nós atravessaria aquelas portas. É um simples processo de eliminação. No passado, quando levei em consideração todas as possibilidades, devo admitir que minha roda do infortúnio parou, sim, algumas vezes, no nome de Connor Murphy.

Para ser sincero, não acho que Connor seja esse tipo. Ele não é um cara violento *de verdade*. Claro, ele me empurrou ontem no almoço, mas foi um mal-entendido, assim como a história da carta. Mas, enfim, é o que as pessoas sempre pensam antes de algo terrível acontecer. Depois do fato, elas dizem: "Ah, sempre tive uma intuição". Mas, sério, como vou saber do que os outros são capazes? Não faço nem ideia do que *eu* sou capaz. Posso acabar surpreendendo a mim mesmo.

Eu e Connor estávamos na mesma turma no primeiro ano do fundamental. Lembro que ele chorava muito. Nunca soube por quê. Só sabia que nunca ficava surpreso quando acontecia. Era o que o Connor mais fazia: chorar. Isso foi há muito tempo, e Connor está bem diferente agora, mas talvez eu consiga encontrá-lo e conversar com ele. Ele é imprevisível, mas não irracional. Acho. Se eu explicar o que realmente era aquela carta, talvez ele aceite não contar para ninguém sobre ela.

Olho para o relógio atrás da cesta de basquete. O dia está quase acabando e o pior ainda não aconteceu. Talvez dessa vez eu devesse seguir o conselho do dr. Sherman e ser otimista. Connor pode ter jogado a carta fora logo depois que a levou embora. Por que se importaria comigo? Ele deve estar fumando maconha em algum lugar e esqueceu que eu existo.

Tudo isso parece ótimo. Mas ainda não explica uma coisa: onde está a Zoe?

Está muito claro o que (provavelmente) aconteceu: Connor mostrou a carta para ela e a convenceu de que sou um maluco bizarro, e os dois passaram o dia no centro da cidade tentando conseguir uma ordem de restrição contra mim. Eles me veem como uma ameaça. Logo eu! Que engraçado.

Se não foi isso, foi algo tão desastroso quanto. Quando o sinal toca, resolvo voltar a pé para casa, tentando desviar de todos os medos absurdos na minha cabeça. Chego em casa sem lembrar do trajeto.

O dia seguinte é quase igual, mas pior em um sentido cumulativo. De novo, nem sinal do Connor Murphy. Uma hora tenho certeza de que ele está prestes a aparecer e quase me matar de humilhação e, na seguinte, estou convencido de que exagerei nessa história da carta. Em um só dia preenchido com tantos momentos, o mundo acaba e segue em frente.

Estou em casa de novo e nenhum dos meus costumeiros métodos de fuga está funcionando. Assisto a muitos filmes. De preferência documentários sobre pessoas solitárias, excluídas, pioneiras. Podem ser líderes de seitas, personalidades históricas obscuras, músicos mortos. Quero pessoas com doenças raras e talentos incomuns. Quero ver um ser incompreendido que alguém está finalmente se dedicando a entender. Um dos meus documentários favoritos é sobre uma babá chamada Vivian Maier, que também é uma das fotógrafas mais importantes da história, mas só descobriram seu talento depois que ela morreu.

Hoje tentei assistir a um filme sobre Edward Snowden, o informante que teve de fugir dos Estados Unidos e pedir asilo em outro país. Ver esse cara tendo de viver todos os dias de sua vida com medo só me deixou mais ansioso.

Se ao menos eu tivesse alguém com quem conversar. Faz dois dias que estou nessa espiral de pensamentos. O dr. Sherman não ajudou muito e, mesmo se minha mãe estivesse em casa, não poderia contar isso para ela. Repasso mentalmente a lista (muito curta) de pessoas a quem eu poderia recorrer em um momento de aflição. Só um nome realmente serve.

Jared Kleinman pode rir do Holocausto, mas pelo menos nunca

preciso adivinhar o que ele está sentindo de verdade. Seria bom ter uma dose de sinceridade sem filtro. Mando uma mensagem para ele e explico o que aconteceu com Connor.

Uma carta para você mesmo?
Mas que tipo de merda é essa?
Tem alguma coisa a ver com sexo?

Não, não tem a ver com sexo.
Era só uma tarefa.

De quê?

Uma matéria optativa.

Por que está falando disso comigo?

Não sei com quem mais falar.
Você é meu único amigo da família.

Ai meu Deus.

Não sei o que fazer.
Ele roubou a minha carta e agora faz dois dias que não vai pra aula.

Não é um bom sinal pra você.

Zoe também não.

???

O que ele vai fazer com a carta?

Sei lá!
Connor é doido da cabeça.
Lembra no segundo ano?
Ele jogou uma impressora na dona G. porque não foi o líder da fila naquele dia.

Tinha esquecido dessa.
Só não queria que ele mostrasse a carta pra ninguém.
Acha que ele vai mostrar?

Ele vai destruir sua vida.
Certeza. Tipo, é o que eu faria.

Pensando bem, talvez tivesse sido melhor uma dose de sinceridade *com* filtro.

Tenho a impressão de que eu estava tendo uma conversa civilizada com Connor antes de ele ler a minha carta. Ele parecia arrependido por ter me empurrado antes. Quer dizer, ele não precisava vir até mim e me entregar a carta. Nem assinar meu gesso. Foi legal da parte dele.

Uma imagem surge na tela, mandada por Jared: uma menina linda, supermagra, encostada em uma parede de tijolos, o cabelo soprado pelo vento caindo sobre um olho, um olhar provocante para a lente da câmera.

Quem é?

A mina israelense que eu falei.

Aquela que dei uns pegas.

A única vez que vi uma garota segurar a barra da saia desse jeito foi em uma propaganda de roupas. Essa foto deve ser de um catálogo ou coisa do tipo.

É linda. Parece uma modelo.

Pois é, já trabalhou como modelo.
Bem melhor do que passar as férias subindo em árvores.
Quem quer ser guarda-florestal?

Aprendiz de guarda-florestal.

Pior ainda.

A orientadora da escola sugeriu isso. Quer dizer, mais ou menos. Tive uma reunião com ela no ano passado para avaliar meus planos para a faculdade e ela me deu uma lista de atividades de férias que ficariam bem nas inscrições. Aprendiz de guarda-florestal foi a única opção que achei que tinha a ver comigo.

Quando contei ao dr. Sherman com o que escolhi trabalhar no verão, ele não teve a reação que eu esperava. Ficou preocupado que eu estivesse retomando velhos hábitos, me isolando do mundo, em vez de me envolver com ele. Admito que a ideia de ficar sozinho com a natureza foi uma das coisas que me atraiu em ser guarda-florestal. Acabou sendo bem mais do que isso, mas o dr. Sherman estava certo. Passar o verão longe da minha vida cotidiana tornou muito mais estressante voltar a ela. No meio de agosto já comecei a entrar em pânico com o fim do verão e a volta às aulas.

Além disso, percebi que evitar pessoas, na verdade, não aliviou nenhuma das minhas ansiedades. No meio da mata eu ainda tinha de conviver comigo mesmo.

Fecho o notebook e volto a observar o nome de Connor no gesso. Parece que ele está me provocando de longe. Tento descascar as letras com as unhas. É óbvio que não funciona.

Vou até a janela. Está completamente escuro lá fora. Normalmente, prefiro a noite ao dia. À noite, é normal se recolher dentro de casa. Durante o dia, as pessoas esperam que você saia por aí. Dá para sentir muita culpa por gastar tanto tempo fechado em casa.

Mas, agora, enquanto observo a escuridão, não sinto nenhum conforto. Percebo algo lá fora: um vulto. O que é aquilo?

O que eu tinha imaginado ser o arbusto do vizinho agora parece uma pessoa. Ela está ali, parada, olhando diretamente para mim através da janela. Apago o abajur para enxergar com mais clareza, mas, quando volto com o coração a mil, a pessoa, se é que foi o que realmente vi, não está mais lá. Sumiu completamente.

5

Na manhã seguinte, na aula de inglês avançado, enquanto a sra. Kiczek está tagarelando sobre as imagens, os personagens e os temas em que quer que prestemos atenção em *Bartleby, o escrivão*, começa um anúncio no alto-falante. Todos, ao mesmo tempo, se viram para mim.

Tenho estado bem nervoso, mais do que de costume, porque, pelo terceiro dia seguido, minha carta ainda não voltou para as minhas mãos, tampouco foi divulgada, e a pessoa que a roubou não deu as caras, nem a irmã dele. Eu chamaria isso, este estado em que me encontro agora, de pânico absoluto, mas, na verdade, não sei ao certo se já estive tão alarmado a este ponto. É quase alucinante.

Até a sra. Kiczek está me olhando. Levo pouco mais do que alguns segundos para entender por que, de repente, me tornei o centro das atenções da turma: foi o *meu* nome que acabou de ser chamado pelo alto-falante.

Eu? Evan Hansen? Não sou o tipo de aluno que é chamado para ir para a diretoria. Isso costuma ser reservado aos delinquentes, aos engraçadinhos e aos bagunceiros. Pessoas cujas ações afetam os outros. Eu não afeto ninguém. Sou inexistente.

— Evan? — a sra. Kiczek me chama, confirmando que, sim, meus ouvidos estão funcionando perfeitamente. O diretor quer me ver. Agora.

Quanto mais pessoas me observam, mais desajeitado fico. Com cerca de vinte e cinco pares de olhos vidrados em mim, levanto rangendo a cadeira, que bate na carteira atrás de mim, chuto a minha mochila aberta no chão, e quase tropeço no pé de uma pessoa antes de sair da sala.

Enquanto atravesso os corredores vazios a caminho da diretoria, uma apresentação de slides dos piores cenários possíveis passa na minha cabeça. *Imagem*, *personagem* e *tema* percorrem minha mente: carta, Connor, humilhação. Em três anos, só tive uma interação com o diretor. Quando estava no segundo ano, fiquei em terceiro lugar em um concurso idiota de contos e o sr. Howard me entregou um prêmio em uma de nossas assembleias gerais. Minha história era baseada em uma viagem de pesca que fiz com meu pai quando eu era pequeno e era basicamente uma imitação de "O grande rio de dois corações", do Hemingway. Eu não ficaria surpreso se o sr. Howard não se lembrasse desse dia porque, na verdade, o concurso foi irrelevante e o terceiro lugar é praticamente o mesmo que nada. Mas por que o sr. Howard quer me ver *hoje*?

Chegando à diretoria, tento secar as mãos na blusa, mas elas não param de suar. Digo meu nome para a secretária e ela aponta para a porta aberta atrás dela. Vou andando devagar até ali, como um policial que se aproxima de uma esquina escura. Só que não sou o policial nessa cena. O diretor Howard é o policial, o que faz de mim o criminoso. O dr. Sherman diz que tenho tendência a tratar tudo como uma grande catástrofe, e que nada é tão ruim quanto imagino que será, mas essa situação é a prova definitiva de que eu estava certo em me preocupar durante os últimos dias. Todas as partes dessa equação — zero Connor mais zero Zoe mais a carta idiota mais ser chamado à diretoria — equivalem a um total de humilhação e desgraça que não sou capaz nem mesmo de estimar.

Coloco a cabeça para dentro da sala. Não vejo o sr. Howard,

mas tem um homem e uma mulher sentados à frente da mesa dele. Eles parecem confusos com a minha chegada. Não há nada de importante ou oficial na sala, definitivamente não é o que eu imaginava como centro de operações de um diretor. Mas tem a cara do sr. Howard em todos retratos, então devo estar no lugar certo.

O homem está curvado na cadeira, os cotovelos apoiados nos joelhos, os ombros largos preenchendo todo seu paletó. A mulher está atordoada, com os olhos vermelhos voltados em minha direção, mas não parece me ver.

— Desculpa — digo, porque parece que estou interrompendo alguma coisa. — Me chamaram no alto-falante?

—Você é o Evan — o homem diz. Não foi uma pergunta, mas também não deixava de ser, então faço que sim com a cabeça.

Ele se empertiga e finalmente me olha com atenção.

— O sr. Howard saiu. Queríamos conversar com você sozinhos.

Ele aponta para uma cadeira livre. Quer que eu me sente. Não entendo o que está acontecendo. Quem são essas pessoas? Parecem um pouco tristes demais para serem de alguma universidade. Não que eu tenha alguma ideia de como seja alguém que trabalha em uma universidade. É só que ouvi dizer que Troy Montgomery, o astro do nosso time de futebol americano, recebeu a visita de alguns representantes de universidades que queriam conversar com ele na escola. Mas ele é atleta, e muito talentoso, pelo que dizem, e eu não passo de um aluno que ficou em terceiro lugar em um concurso de contos de segunda categoria. Então, quem são essas pessoas e o que elas querem comigo?

Eu me sento, embora a voz na minha cabeça diga para eu continuar em pé.

O homem ajeita a ponta da gravata para que caia diretamente entre as pernas.

— Somos os pais do Connor.

A hora é agora: *o pior que poderia acontecer.* Esperei, esperei e finalmente chegou. Mas ainda não sei o que é. Por que os pais de Connor Murphy querem conversar comigo? *Sozinhos?*

Não consigo acreditar que foram essas duas pessoas que fizeram Connor Murphy. E Zoe Murphy, por sinal. Já é difícil imaginar que Connor e Zoe tenham a mesma origem. De quem Zoe puxou o tom avermelhado do cabelo? E por que Connor é tão magrelo se seu pai tem a constituição física de um tanque de guerra? Quando se olha para a minha mãe e o meu pai, acho que fica bem claro como aquela combinação gerou alguém como eu.

O sr. Murphy coloca a mão sobre a da esposa.

— Pode começar, amor.

— Estou tentando — ela sussurra, irritada.

Achava que já era constrangedor, quando eu era pequeno, ver meus pais discutindo. A verdade é que ver os pais de outras pessoas discutirem é ainda mais desconcertante. Suponho que estou prestes a descobrir por que Connor e Zoe faltaram na escola nos últimos dias. E, se eles estão interessados em contar para *mim*, isso só pode ter a ver com a minha carta. Não existe mais nada que nos conecte.

Mas é interessante que o sr. Murphy tenha apresentado a si mesmo e a esposa como pais de *Connor*, e não como pais de *Connor e Zoe*. Está claro que isso é sobre Connor. Óbvio. A pergunta é: o que ele aprontou dessa vez?

Depois de um silêncio demorado, a sra. Murphy tira algo da bolsa e aperta nas mãos.

— Isto é do Connor. Ele queria que você ficasse com isto.

Antes mesmo de olhar, sei o que é. Posso sentir. Minha carta — está de volta, finalmente. Mas não consigo respirar ainda. Vai saber que caminho ela tomou para chegar até aqui e por quais olhos passou ao longo do trajeto. Se Connor "queria" que eu ficasse com ela, por que ele mesmo não me devolveu a carta? *Onde ele está?*

— Nunca tínhamos ouvido seu nome antes — o sr. Murphy diz. — Connor nunca falou sobre você. Mas vimos "Querido Evan Hansen".

A ideia de o sr. e a sra. Hansen terem lido minha carta é vergonhosa, claro, mas não é o mesmo tipo de vergonha de Connor a ler. Ou Zoe. É isso o que realmente quero saber. Quem mais viu a carta? E como foi parar dentro da bolsa da sra. Murphy?

— Não sabíamos que vocês eram amigos — o sr. Murphy diz.

Minha vontade é dar risada. Se esses dois soubessem a tortura por que passei nas últimas quarenta e oito horas por causa do filho deles, definitivamente não se refeririam a nós como amigos.

— Achávamos que Connor não tinha amigos — ele diz.

Essa é uma observação mais pertinente. Até onde eu sei, sim, Connor é realmente solitário. Temos isso em comum.

— Mas essa carta — o sr. Murphy diz — parece sugerir que você e o Connor eram amigos, ou pelo menos que Connor considerava você como...

Ele para de falar de novo. Pensei que eu tinha dificuldades para me expressar, mas os pais de Connor estão com muita dificuldade de chegar ao ponto.

Ele aponta para a carta.

— Quer dizer, está bem aí: "Querido Evan Hansen".

Fico agradecido por eles devolverem o que é meu, mas preferiria não ter de conversar sobre o que está escrito na carta. Já é humilhante demais ficar sentado aqui. Talvez seja humilhante para eles também. Talvez por isso pareçam tão agitados. Assim como Zoe, eles devem ter pedido desculpas pelo Connor milhares de vezes e estão cansados disso.

A essa altura, gostaria muito de pegar a carta e dar o fora daqui. Infelizmente, a sra. Murphy tem algo mais a dizer.

— Vá em frente, Evan. Leia.

Não preciso. Conheço todas as palavras de cor. Já imaginei como ficariam no mural de avisos na frente da escola. Ou reproduzidas no jornal escolar. Ou escritas em fumaça no céu azul. Imaginei todas as possibilidades de como Connor Murphy poderia usá-las contra mim.

Abro a boca pela primeira vez desde que entrei na sala. Mas não sei o que dizer.

— Tudo bem. Pode abrir. É para *você*, afinal — o sr. Murphy diz. — Connor escreveu para você.

Pensei que era eu quem estava confuso. A verdade é que eles estão muito mais perdidos do que eu.

— Vocês acham que Connor... — Exatamente quando pensei que isso não poderia ficar mais constrangedor, tenho de explicar que sou meu próprio remetente. — Não — digo. — Vocês não entenderam.

— Sim — a sra. Murphy diz. — Essas são as palavras que ele queria compartilhar com você.

— As últimas palavras dele — o sr. Murphy acrescenta.

De novo, não capto a mensagem na hora. Olho para ele. Para ela. O que entendi como humilhação em seus rostos um momento atrás parece algo muito diferente agora.

— Desculpa. Como assim, últimas palavras?

O sr. Murphy limpa a garganta.

— Connor se foi.

Não sei o que isso significa. Mandaram o garoto para um internato? Ele fugiu e entrou para uma seita?

— Ele tirou a própria vida — o sr. Murphy diz.

Ele cerra o maxilar. Ela seca o olho. Não é humilhação. É desolação.

— Ele... o quê? — digo. — Mas eu o vi ontem à noite.

— Do que você está falando? — a sra. Murphy diz com uma energia renovada na voz.

— Não tenho certeza — digo. — Pensei que era ele. Estava escuro.

— Aconteceu duas noites atrás — o sr. Murphy diz, parecendo se dirigir mais à esposa do que a mim. — Sei que é muita coisa para absorver.

Não consegui dormir ontem à noite. Pensei que tinha sido Connor que estava parado no quintal do meu vizinho, olhando para a minha janela. Mas acho que foi minha imaginação. Meu medo.

Preciso de um minuto. Preciso de horas. Isso não é de verdade. Não pode ser.

— A carta era tudo que tinha com ele — o sr. Murphy diz. — Estava guardada no bolso.

Finalmente olho para a carta.

— Pode ler — o sr. Murphy diz. — Ele queria explicar. Está tudo aí.

Leio as palavras na página. São as minhas palavras, as palavras que escrevi, as palavras que passei a saber de cor, mas agora elas me parecem estranhas. É como se alguém as tivesse embaralhado e tentado colocá-las de volta na ordem, pensando que nenhum mal poderia ser causado, que seria a mesma mensagem, mas não é. São duas mensagens, dependendo de como você a lê, e os pais de Connor não a estão lendo como foi a minha intenção ao escrevê-la. Esta carta, a minha carta... Eles acham que Connor a escreveu. Para mim.

O sr. Murphy recita minhas palavras de cor.

— "Queria que tudo fosse diferente. Queria fazer parte de alguma coisa."

— Deixe o menino ler, Larry.

— "Queria que alguma coisa que eu digo fosse importante..."

— Larry, por favor.

— "… para quem quer que seja."

Cai um silêncio.

Observo ao redor em busca de, não sei direito… ajuda. Não tem ninguém. Nem sinal do sr. Howard.

Tento falar. Não consigo. Aquele sentimento familiar — pânico. Ele me encontra todos os dias, às vezes não tão intenso, mas dessa vez é o bastante para dominar todas as minhas capacidades.

— Esta carta. Ela não é…

— Não é o quê? — o sr. Murphy pergunta.

Prendo a respiração.

— Não é do Connor.

O sr. Murphy olha para mim.

— Do que você está falando?

— O Connor…

— Sim?

— O Connor não…

— Não o quê?

— Escreveu isto.

— Do que ele está falando, Larry?

— Ele está claramente em choque.

— Não, eu só… ele não. — Estou tentando falar a verdade para eles, mas os meus pensamentos estão saindo em pedaços.

— Está bem aí — a sra. Murphy diz, apontando para a carta.

Escuto uma voz. Ela estava falando comigo todo aquele tempo, mas só agora presto atenção nela. Vem de dentro, mais e mais alto. *Vai*, ela diz. *Vai embora.*

— Desculpa, mas acho melhor eu…

A sra. Murphy segura minhas mãos, a carta ainda nelas.

— Se isso não é… se Connor não escreveu isso, então…

— Cynthia. Por favor. Se acalme.

Desvio o olhar.

— Preciso ir.

— Ele falou alguma coisa para você? — a sra. Murphy implora. —Você *viu* alguma coisa?

— Cynthia, querida. Agora não é a hora.

Abro a mão e a carta agora está nas mãos dela.

— Isso é tudo que temos — ela diz. — É a única coisa que restou.

— Eu realmente preciso ir embora.

O sr. Murphy se vira para mim.

— Claro — ele diz. — Nós entendemos. Só queríamos que você fosse um dos primeiros a saber.

A sra. Murphy esconde o rosto. Ela fez o possível para se controlar até agora. Eu também, mas não há nada que eu possa fazer por essa mulher; ela está completamente devastada, e eu me importo, de verdade. Eu entendo, o tanto quanto posso, mas não sei como ficar aqui com ela, com eles, comigo mesmo. Preciso ir embora.

Começo a me mexer para isso, mas eles me seguram.

— Antes de ir. — O sr. Murphy tira um cartão do bolso do paletó e começa a escrever no verso dele com uma das canetas do sr. Howard. Ele devolve a caneta e, com os olhos fixos nos meus, me entrega o cartão. Estendo a mão para pegar antes de saber do que se trata. — O enterro é só para a família — o sr. Murphy diz —, mas aqui estão as informações para o velório, hoje à noite.

Não sei como reagir, nem tenho tempo para isso. A sra. Murphy se levanta com um salto da cadeira e pega meu braço estendido.

— Larry. Olha.

Acontece tão rápido que não consigo impedir.

— Olha o gesso dele.

Ele dá a volta para ver o que ela vê. Ali, em tinta permanente, está o nome do filho deles.

A sra. Murphy vira para o marido, um sorriso de espanto se formando nos lábios.

— É verdade. É verdade mesmo. "Seu melhor e mais querido amigo."

Da diretoria para o banheiro. Eu me debruço no vaso, mas não sai nada. Minhas entranhas estão girando, de um lado para o outro, como se eu tivesse sentado no banco de passageiro de um carro desgovernado, o volante indo para lá e para cá. Quero superar essa tontura, obrigá-la a sair de mim, mas ela se recusa a sair.

Volto para a aula de inglês, mas não consigo voltar *de verdade*. Não é possível voltar aonde eu estava antes de sair. Ouço a voz da sra. Kiczek, mas não as suas palavras. O sinal toca e me levanto da cadeira. Vou para a próxima aula como se meus tênis não encostassem no chão.

Meu transe dura até o fim da última aula. Então, uma voz surge pelo alto-falante, anunciando a notícia que fiquei sabendo horas atrás, mas passei o dia todo sem acreditar.

— É com grande tristeza... um de nossos queridos alunos... cerimônia hoje das cinco às sete da noite... todos os alunos que quiserem conversar com alguém... a sra. Alvarez estará à disposição no auditório a partir de agora.

As pessoas ao meu redor começam a reagir à notícia. O choque em seus rostos me tira da indiferença. É verdade. É verdade mesmo. Connor Murphy está morto.

i

Pensei que fosse um sonho. Como eu poderia saber? Ninguém avisa: "Ei, só para você saber, você morreu".

O dia começou como outro qualquer. A família completa e feliz sentada à mesa da cozinha. Tomando café da manhã. Eu nem estava comendo de verdade. Larry também não: ocupado demais ao celular. Nem Cynthia: ocupada demais servindo o café. (Meus pais adoram quando os chamo pelo nome.) Zoe era a única que realmente estava comendo.

Eu não queria ir à escola. Minha mãe não me ouviu. Disse que era o primeiro dia e que eu não tinha escolha. A escola me faria bem, ela disse. Ela me viu dormindo o verão inteiro. Estava louca para me tirar de casa.

Mas, sério, de que adiantava ir para a escola? Eles nunca sabiam o que fazer comigo. Se você não se encaixa em um dos grupos deles, é deixado de lado. Eu poderia aprender muito mais em casa. Lendo meus livros e assistindo à *Vice*. Pelo menos, quando estava na escola Hanover, podia citar Nietzsche sem que os professores ficassem me encarando sem saber do que eu estava falando.

(Infelizmente, todo o experimento de escola particular foi um fracasso. Ao que parece, Adderall para sobreviver aos exames finais

— ou ao dia — é completamente aceitável. Mas um pouquinho de erva no armário é imperdoável. Hipócritas. Talvez agora eles vejam como são retrógrados. Ei, gênios, ninguém morre por fumar maconha. Mas comprimidos? Pois é, acertaram em cheio.)

Então Cynthia tentou fazer Larry se envolver. Chega a ser engraçado. "Você vai para a escola, Connor" foi tudo que ele disse. Minha mãe sempre fica irritada porque meu pai não se importa. Eles discutiram sobre isso por um tempo, como se eu não estivesse no mesmo cômodo. Bem-vindo à família Murphy. Se seu nome for Zoe, aperte os cintos. Se for Connor, bom, é melhor se anestesiar direitinho.

Acabei indo para a escola. Certas batalhas não valem a pena. Peguei uma carona com Zoe. Outra vantagem de ser eu. Sua irmã mais nova leva você de carro. Tudo porque o Subaru que Larry Luxo deu para você como um tratado de paz está em uma pilha de reciclagem em algum lugar.

(Não tinha nenhum cervo na estrada naquela noite. Agora posso mandar a real. Bati naquela árvore porque quis. Minhas piores decisões sempre foram assim. Tomadas em uma fração de segundo. Nove das dez vezes saí com ferimentos leves. Até que, na décima...)

Acontece que eu estava certo em querer faltar. Levei bronca na primeira aula (mesmo não sendo o único no celular). Mexeram comigo no refeitório. Mexeram comigo de novo no laboratório de informática. Porra, eu só estou tentando cuidar da minha vida. Nem isso me deixam fazer.

E esse foi só o primeiro dia. Como vai ser o resto do ano? Faltam cento e setenta e tantos dias. Como vou conseguir passar por isso?

Não consegui.

Matei as duas últimas aulas. Saí andando do prédio. Não conseguia deixar para trás a sensação de queda livre. Como se não tivesse onde me segurar. Fui atrás da única pessoa que pensei que poderia me ajudar. E então, como isso não deu certo...

Acordei no hospital. Minha família estava lá. Todos eles, olhando para o chão, para o celular, para o nada — para qualquer lugar menos um para o outro ou para mim. Eu sabia o que estava por vir. Já passei por isso antes, eu sei. Me poupe. Saí da cama antes que pudessem dizer uma palavra. Simplesmente saí do quarto. Ninguém veio atrás de mim.

Tinha duas enfermeiras na recepção. Uma disse: "Quarto 124. Tão triste. Tem a idade do Evan".

"Pois é", a outra enfermeira concordou, suspirando.

A primeira fez uma ligação, deixou uma mensagem: "Oi, filho, só queria saber como você está. Como foi o resto do dia. Conseguiu alguma assinatura legal no gesso? Você provavelmente vai estar dormindo quando eu chegar, mas vejo você de manhã. Te amo muito. Só queria que você soubesse disso".

Ela guardou o celular. As mãos na testa. Massageando as têmporas. Mal consegui acreditar. Em quem era essa mulher.

"Acho que conheço seu filho", eu disse. "Assinei o gesso dele hoje."

Ela não me respondeu, só saiu andando. Outra das minhas fãs, pelo visto. Vai ver Evan já contou para ela o que aconteceu entre nós. Deve ter contado de um jeito que o fez parecer inocente. Parado ali, feito um santo, atacado pelo malvado Connor Murphy. Mas foi ele quem me provocou.

(Não queria empurrá-lo. Mais uma daquelas decisões de fração de segundo. Para ser sincero, são mais reações por reflexo. Ou algo mais profundo. Parte da minha natureza. É o que faço. Estrago as coisas. Sempre. Querendo ou não. O que estou estragando pode ser a melhor coisa da minha vida. E eu vou saber disso. E ainda assim não vou conseguir evitar. Talvez por medo.)

Voltei para o corredor, prometendo ser mais paciente com a minha família. Cheguei ao meu quarto. Quarto 124. Olhei para dentro. Foi então que vi. O menino na cama. Era eu.

Eu me debrucei sobre ele — o outro eu. A pele cinza. A boca aberta.

Consegui o que queria, acho.

Agora estou livre. Ninguém no meu caminho. Ninguém esperando na esquina, preparando uma armadilha. Ninguém para ver se meus olhos estão vermelhos. Perguntando onde passei a noite. Fazendo promessas.

Passei o dia no hospital. Estão todos machucados e destruídos, assim como eu. Até os funcionários. Eles só escondem melhor do que os pacientes.

Especialmente aquela enfermeira. A mãe do Evan. Ela é meio atrapalhada, sempre com pressa nos corredores. Mas parece uma boa pessoa. Hoje, no intervalo, mal encostou no sanduíche. Ficou pesquisando coisas de universidade para Evan. Não consigo imaginar Cynthia fazendo o mesmo. Embora eu seja a obra da vida dela.

Minha mãe preferia delegar. Ela me tratava como um de seus projetos de reforma. Contratar ajuda. Chamar especialistas. Os melhores da área. Vamos dar um jeito nele. Faça o que tiver de fazer. Leve-o para passar uma noite ou semanas inteiras. Encha o garoto de remédios. Sessões particulares. Sessões em grupo. Temos dinheiro, o quanto for preciso. Não poupe esforços. Só dá um jeito nesse nosso probleminha. E rápido. Meu marido está ficando impaciente. Perdendo a confiança. Perguntando: "Por que gastar tanto dinheiro no que não presta?". Não funcionou até agora, depois de todos esses anos. Talvez seja melhor abandonar o projeto. Interromper o trabalho. Pelo menos por enquanto. Vamos esperar um tempo. Ver o que acontece.

E aqui estamos nós.

6

Quando chego em casa, mando mensagem para Jared contando em um furacão de palavras o que aconteceu com a minha carta, como ela finalmente voltou para mim (por pouco tempo) através dos pais de Connor, que achavam que era uma carta escrita *pelo* Connor *para* mim e que agora pensam que eu e o Connor éramos melhores amigos, e como essa ideia absurda foi corroborada quando perceberam a assinatura no meu gesso no último minuto. Depois que vejo tudo isso digitado na tela, a resposta de Jared parece a única possível:

Puta merda.

Pois é.

Puta merda do caralho.

Pois é.
Tentei falar a verdade pra eles.
Tentei.
Mesmo.

Puta merda do caralho. Porra.

Não acredito que isso aconteceu.

Tipo, o Connor.

Ele morreu mesmo.

Falei com ele há poucos dias. Agora nunca mais vou falar. Ou passar por ele. Ou ouvir boatos de que ele vandalizou a propriedade da escola. Nunca. Conheço aquele garoto desde que estávamos no fundamental. Ele desaparecia de tempos em tempos, e nunca fomos amigos nem nada, mas ele ainda fazia parte do nosso grupo como um todo, da nossa turma, do nosso ano.

Nunca conheci ninguém que tivesse morrido antes. Todos os meus avós ainda estão vivos. Não perdi sequer um animal de estimação. Acho que a coisa mais próxima com que consigo me identificar é quando uma pessoa famosa morre. Você tem a impressão de que passou tanto tempo com ela, assistindo a seus filmes, ouvindo suas músicas e aí, quando ela morre, você sente uma perda de ar repentina e essa tristeza forte no corpo todo, mas então, logo depois, em poucos minutos, a sensação passa e você segue a vida. Mas faz horas que falei com os pais do Connor e ainda não consigo amenizar o frio na barriga.

Claro, a morte de Connor é apenas metade do motivo. A outra metade é a que está realmente me inquietando. Todo esse mal-entendido sobre sermos amigos. Preciso dar um jeito nisso logo.

Você vai ao velório?

Não. Por que eu iria?

Sei lá. Não é a coisa certa a fazer?

Acho que eu deveria ir.

Você sabe que não era amigo dele de verdade, não sabe?

Eu sei.
Mas você deveria ter visto a cara deles. A mãe...
E o pai me olhou de um jeito quando eu estava saindo...
Acho que eles esperam que eu vá.
O que eu devo fazer?

Ficar em casa.
É isso que você deve fazer.

Mas e se eu encontrar com eles depois e eles me perguntarem
por que não fui ao velório do Connor?

Com que frequência você encontra os Murphy?

O que as pessoas vestem pra um velório?

Porra, eu vou lá saber?
Meu povo não faz essas coisas.
A gente vai pra casa da pessoa e enche a pança de pastrami e bagel.

Começa daqui a duas horas.
Pode me encontrar lá?

Fico esperando a resposta de Jared, mas nunca chega.

Quem estou querendo enganar? Eu não vou ao velório do Connor. Vou ficar em casa. Não tem problema. É o velório do filho deles; eles nem vão notar que eu não fui. Além disso, não tenho obrigação de estar lá. Como Jared disse, não éramos amigos de verdade.

Tiro os tênis e abro o notebook. A intenção é tirar Connor da cabeça, mas isso é impossível. Todos na escola estão falando dele.

Rox: Descanse em paz mano!

Kristen Caballero: Tão triste agora 💔

Kayla Mitchell: Nunca pensei que CM morreria dessa forma.

Alana Beck: Ainda não consigo acreditar nessa notícia horrível sobre Connor Murphy. Ele parece tão feliz nesta foto. Mostra bem quem ele era. É assim que devemos nos lembrar dele. Compartilhe esse post se você concorda.

Todos parecem compartilhar a mesma foto de Connor. Deve ser de alguns anos atrás, porque o cabelo de Connor está curto, o que deixa suas orelhas mais pronunciadas. Ele está usando uma camisa azul-clara, uma cor que não estou acostumado a ver nele e, ainda mais estranho, está com um grande sorriso no rosto. Seu braço está nos ombros de alguém, outro garoto, parece, mas ele foi cortado da foto e só dá para ver seu ombro. A coisa toda é simplesmente esquisita porque, quando fecho os olhos e penso em Connor, a imagem que me vem à mente é basicamente o oposto dessa foto.

Por que ele faria isso? Tipo, sei bem como dá para alguém ficar mal. Também entendo que, quando não estamos com a cabeça no lugar, qualquer besteira pode se transformar em algo insuportável e, de repente, você pega um caminho sombrio e não consegue achar mais o caminho de volta. Mas e se *eu* for a coisa que aconteceu a Connor? E se ele fez o que fez por causa de mim e da minha carta? Aquela carta sem sentido. Para começar, eu nunca deveria tê-la escrito. Finalmente disse a verdade e olha só o que aconteceu: foi transformada numa mentira.

Olho para baixo, para o meu gesso. Se eu pudesse arrancá-lo, é o que eu faria. Não me importo se meu braço ainda não está completamente cicatrizado. Quero tirar o gesso. Quero tirar *Connor*.

Enquanto observo a assinatura desajeitada de Connor, me lembro do que ainda está no meu bolso. Tiro o cartão que o pai de Connor me deu e o viro para ler seu recado escrito à mão:

Casa Funerária McDougal
Bowers + Franklin
das 17h às 19h

Não só escrito à mão, mas também entregue em mãos. O olhar que ele me lançou quando me deu o cartão foi tão primitivo. Mais profundo do que palavras. Ele parecia me lembrar de que ao comparecer ao velório de Connor eu estaria cumprindo um dever de honra.

Olhei de novo para o endereço. Dava para ir a pé até o velório.

Como eu poderia *não* ir? Os pais dele estavam me esperando. Eu não queria decepcioná-los. Nem decepcionar Connor. Eu devia isso a ele, não devia? Não o conhecia muito bem, mas sentia algum tipo de conexão com ele depois de tudo isso, e é a coisa certa a se fazer, prestar condolências quando alguém morre. Gostaria que fizessem isso por mim. Na verdade, parando para pensar, fico me perguntando quem iria ao meu funeral. Minha mãe, óbvio. Meus avós. Mas quem mais? Será que meu pai pegaria o avião ou só mandaria flores?

Levanto da cama e abro a porta do guarda-roupa. Tenho um par de sapatos sociais pretos esquecido em algum lugar ali. Não lembro a última vez em que os calcei. Nem sei se ainda servem.

Vou ficar só uns minutinhos, aparecer. Posso esclarecer esse mal-entendido rapidamente e cair fora. Não é nada, na verdade. E é a coisa certa a fazer. E talvez seja a única coisa que finalmente exorcize esse maldito frio na barriga.

De acordo com o mapa do meu celular, cheguei. É uma casa de um andar no fim da rua, sem letreiro, com um estacionamento nos fundos. Devo ter passado milhares de vezes por aqui no caminho para a escola sem nunca prestar atenção. Agora tenho quase certeza de que nunca mais *não* vou prestar atenção.

Enquanto ando até a entrada, baixo as mangas da camisa e cubro o máximo possível dos antebraços. Depois de tanto pensar no que vestir, acabei escolhendo uma calça cáqui, minha melhor camisa social e os sapatos pretos do guarda-roupa, que tive de limpar com uma esponja da cozinha (foi mal, mãe).

Antes de chegar, a porta de entrada se abre e um homem de terno dá um passo para o lado, esperando minha chegada. Eu tinha planejado enrolar mais um pouco, esperar até poder seguir alguém (qualquer pessoa) para dentro, mas agora é tarde. Me viram. Aperto o passo. O homem de terno me cumprimenta com um aceno de cabeça enquanto passo e fecha a porta atrás de mim.

Dentro do corredor iluminado, escuto conversas baixas e sinto um leve cheiro de perfume. Em uma mesa lateral está uma foto da família. Nela, Connor é apenas um garoto pálido e magro, talvez com uns dez anos. Zoe está parada ao lado do irmão, se escondendo atrás de seu ombro. Sinto falta de ver o rosto dela. Talvez esse pensamento não seja apropriado para o momento, mas é verdade. Me pergunto como ela está lidando com tudo isso. Tomara que esteja bem.

Perto da foto tem um livro de visitas assinado por umas dez pessoas. Não reconheço nenhum dos nomes. Volto a observar o homem de terno, que está ocupado olhando pela janela. Escrevo meu nome no livro. Caso os Murphy não me vejam na multidão, pelo menos haverá provas de que vim.

Quando chego ao fim do corredor, com as pernas trêmulas, percebo que não existe nenhuma chance da minha presença passar despercebida. Enquanto me aproximava do salão dos fundos, estava achando surpreendente que meus colegas, mesmo em um evento tão sério, conseguissem falar tão baixo. Agora entendo o motivo. Eles não estão conversando porque não estão aqui. Nenhum deles.

Saia. Agora. É claro que é isso que eu deveria fazer. É óbvio. Mas não dá tempo. Minha aparição repentina na porta é percebida por todos. A sra. Murphy, no meio de uma conversa, faz contato visual comigo. Não tenho mais saída.

Ordeno que minha perna dê um passo à frente, depois a outra perna, e em pouco tempo estou andando de uma ponta da sala à outra como uma pessoa comum e funcional. No caminho para encontrar um lugar, avisto um rosto conhecido que interrompe todo o ímpeto que eu havia conquistado.

— Sra. G? O que *a senhora*... — me contenho. Não queria dizer nada disso em voz alta. Saiu como uma surpresa, e agora tenho de desfazer a confusão. — É bom ver a senhora. Quer dizer, sabe, é bom que a senhora... que... esteja aqui. — Não faço ideia do que estou falando.

Ela não parece se abalar, perdida em seus próprios pensamentos. Por um segundo, me pergunto se seu olhar demorado indica que está tentando me reconhecer como um de seus ex-alunos. Mas, quando finalmente fala, não tem nada a ver comigo ou com as palavras atrapalhadas que acabei de murmurar.

Com um sorriso conformado, diz:

— Connor era um menino especial.

Concordo com a cabeça e saio às pressas. Escolho um lugar na última fileira. Fico encarando a nuca da sra. G, as veias em seu corpo, seu cabelo grisalho e curto. Ela é a última pessoa que eu pensaria encontrar aqui. Nunca foi minha professora, e sou grato por isso, porque ela metia medo e tinha fama de exigente. Se visse você no corredor, mesmo se você mal estivesse se mexendo, ela mandava você andar mais devagar. Não é surpresa que ela e Connor fossem um combo explosivo. E, no entanto, mesmo depois de ele ter jogado uma impressora nela, ela está aqui.

O que já é muito, porque não deve ter mais de vinte pessoas. Quase todos adultos. Todos os homens estão de terno. Sou o único idiota que está parecendo um garçom. Observo ao redor em busca de um cabelo ruivo. Zoe não está aqui, e não consigo imaginar o porquê.

A maioria das pessoas está em volta dos pais de Connor, na frente do salão florido. Atrás deles está o caixão. Eu não achava que veria o caixão. Pensava que caixões eram reservados para o enterro. Felizmente, está fechado. Ainda assim, é difícil ignorar a presença dele. A presença de Connor.

Cadê todo mundo? Connor Murphy não era popular ou muito querido, mas imaginei que *algumas* pessoas estariam aqui. Todos nós conhecíamos o garoto, crescemos com ele, encontrávamos com ele nos corredores. Isso não significa alguma coisa? Onde estão Rox e Kristen Caballero e Alana Beck? Na internet eles escreveram sobre Connor, mas não se dão ao trabalho de homenageá-lo pessoalmente?

Eu deveria ter ouvido Jared e ter ficado em casa. Vou escapar pela porta dos fundos assim que ninguém estiver vendo. Fingir que vou ao banheiro e continuar andando. Mando esse recado mental para as minhas pernas, precisando que elas entrem no plano.

Mas não tenho tempo de desenvolver minha estratégia de fuga. A mão da sra. Murphy se levanta e começa a balançar no ar. Olho para trás. Não tem ninguém além de mim. Ela arregala os olhos para deixar suas intenções mais claras. Sim, sou eu que ela quer. Queria que ela tivesse vindo até mim, em vez de me fazer ir até ela — e todas aquelas pessoas.

Devagar, com cuidado e com dificuldade, fico em pé e me obrigo a seguir o corredor, passando pela sra. G e chegando à frente do salão. Pratico o roteiro que inventei no caminho: *Eu escrevi a carta. Não éramos amigos, mas eu gostava muito dele. Sinto muito pela sua perda.*

Estou esquecendo algumas frases. Algumas palavras importantes. Meu cérebro está superaquecido. Minhas meias parecem encharcadas.

A sra. Murphy abre espaço e me chama para a rodinha.

O sr. Murphy estende a mão.

— Que bom ver você, Evan. Obrigado por vir. — Seu aperto de mão assusta de tão forte. Peço desculpas pelas mãos suadas, mas ele não parece ouvir.

A sra. Murphy me abraça, me apertando com mais força do que minha mãe me apertaria. Seu colar pontiagudo espeta meu peito.

Sinto muito pela sua perda.

— Ah, você está tremendo, coitadinho.

Eu escrevi a carta, não o Connor.

Ela se afasta um pouco, mas continua me segurando de uma forma que não tenho como não encará-la nos olhos. Ela força um sorriso, depois me vira pelos ombros para eu ficar de frente para os outros.

— Pessoal, esse é o Evan.

— Oi, Evan.

— Evan era o melhor amigo de Connor — a sra. Murphy diz.

Não éramos amigos, mas eu gostava muito dele.

— Sentimos muito pela sua perda.

Dizem isso para *mim*. É por *mim* que eles sentem muito.

A sra. Murphy me leva para longe dos outros e me coloca na frente do caixão de Connor. Desvio os olhos e fico observando o salão.

— Estou muito feliz por você ter vindo — a sra. Murphy diz, embora absolutamente nada nela ou neste lugar pareça feliz.

Eu escrevi a carta para o meu terapeuta. Connor a pegou de mim.

As palavras estão bem ali, mas se recusam a sair.

— Eu e Larry estávamos conversando — ela diz, parando para respirar fundo, a mão quase ajudando o peito a inspirar oxigênio. — Adoraríamos que você fosse jantar em casa. Temos tantas perguntas sobre... — Ela para novamente, inspirando mais ar. Está claro que não sou o único com dificuldades para respirar agora. — Sobre tudo. Sobre você e Connor. A amizade de vocês. Se tiver uma noite livre para passar com a gente, ficaríamos gratos. *Muito* gratos. Só sentar com você já significaria muita coisa.

— Eu...

— Pense a respeito. Sem pressa.

Ela expira e me abraça de novo antes de voltar para o grupo de pessoas. Agora posso escapar. Viro para a porta e, na pressa, quase trombo em uma pessoa: Zoe. Recupero o equilíbrio enquanto ela tenta entender o que está acontecendo.

— O que você está fazendo aqui? — ela pergunta.

Boa pergunta. Se ao menos eu tivesse uma boa resposta.

Ela estava chorando. Dá para perceber pelos seus olhos inchados e avermelhados.

— Sinto muito — digo. — Pelo seu irmão.

Braços cruzados, cruzados tão firmemente, se abraçando. Ela assente apenas uma vez e se afasta.

Lanço mais um olhar para... para ele, ou para a caixa em que ele está, antes de sair.

ii

A sra. Gorblinski. Ela se importava de verdade. Os outros achavam que ela era minha inimiga. Por causa da história, eu acho. Da lenda. É o que acontece com as lendas. Os fatos são deixados de lado e substituídos por uma versão mais dramática.

Também tenho minha parcela de culpa. Ouvi essa história várias vezes, até a repeti para mim mesmo. Comecei a acreditar na versão resumida: *Connor Murphy jogou uma impressora na sra. G.* Bom, sim, mas...

Faz muito tempo que isso aconteceu. Foi no segundo ano do fundamental. Só lembro de alguns momentos. Todos tínhamos tarefas. Ficavam em um mural na parede: ajudante no almoço, informante de grade horária, apagador de lousa, auxiliar de enfermagem, reciclador. A tarefa mais valorizada por todos, a única que realmente importava, era a de líder da fila. *Todo mundo* queria ser o líder da fila. Para mim, era por causa da sensação de estar no comando. Controlar as coisas. (Não estávamos curando o câncer nem nada, mas pode acreditar, tudo parecia muito sério naquela época.)

Todo dia, a sra. G mudava nossos nomes de um quadrinho para o outro. Esperei a minha vez, vendo meu nome avançar. Finalmente eu estava a um quadrinho de distância. No dia seguinte, cheguei à sala todo bem-vestido, provavelmente, de tão animado que estava.

Mas tinha algo errado. Eu não era o líder da fila. Tinha uma tarefa diferente. Era para ser o meu dia.

A turma estava formando fila atrás de outra pessoa. Chamei a sra. G.

"Connor, agora não é hora de perguntas."

Ela era muito objetiva, toda certinha. Havia um jeito certo de fazer as coisas. Uma ordem. E essa ordem tinha sido quebrada. Tinha sido um descuido. A sra. G resolveria isso imediatamente. Compreenderia o que estava em jogo.

Falei para ela: "A senhora me pulou".

"Entre na fila, Connor."

"Mas é a minha vez de ser..."

"Você me ouviu."

"Não. Não é justo."

Entrei na frente da fila. Uma das crianças me empurrou. Tentei explicar. Senti que estava ficando mais nervoso. A sala estava rodando em volta de mim. Lágrimas brotando.

"Connor, por favor, volte ao seu lugar na fila."

"Mas..."

"Connor, não vou falar de novo."

"Mas é a minha vez de ser o primeiro da fila!"

Peguei a primeira coisa que achei. Segurei a impressora com as duas mãos e a joguei da mesa. Escorregou pelo chão, parando aos pés da sra. G. A bandeja se quebrou, voou para o outro lado da sala.

A classe ficou em silêncio. Todos os olhares voltados para mim.

A sra. Emerson guiou a turma para fora. A sra. G ficou comigo, tentou me acalmar. Eu nem conseguia olhar na cara dela. Foi isso. Até onde todos sabem, é onde acaba nossa história. Tive um surto e joguei uma impressora na sra. G.

Mas não parou por aí.

No dia seguinte, a impressora estava de volta no lugar. De volta à mesa, mesmo sem a bandeja. E no quadro de tarefas eu era o líder da fila.

E a sra. G tinha mudado minha carteira para perto da mesa dela. Ela me deu um caderno. Se eu tivesse alguma dificuldade ou dúvida, poderia arrancar uma página do caderno, amassar e colocar a bolinha de papel no pote de vidro na mesa dela. Ela não pararia a aula por minha causa. "Não vou tolerar mais nenhuma interrupção", ela disse. Mas prometeu que, se eu colocasse uma bolinha no pote, ela leria. E, na hora certa, viria falar comigo. Mas eu precisava ser paciente. Se eu fosse, ela me ouviria. Me escutaria. Eu seria escutado.

Todos na escola sabiam sobre a impressora. Virou aquela história que me seguia por toda parte. A sinopse do meu filme, avisando para as pessoas o que esperar de mim. Falando para mim mesmo o que esperar de mim. Eu era o vilão. Esse era meu papel. E a sra. G era a vítima. E, por anos, essa foi a nossa história. Mas precisa ter uma correção. Ela cometeu um erro. E eu também.

7

No caminho de volta para casa depois do velório de Connor, mandei uma mensagem para Jared, digitando mais rápido do que conseguia andar.

Por que eu fui?

Falei para você não ir.

Só estava tentando fazer a coisa certa.

Quem disse que era a coisa certa?

Eles me convidaram pra jantar.
Querem saber mais sobre eu e Connor.
Sobre nossa "amizade".

Está ficando divertido agora.
Quando você vai?

Acho que não vou conseguir fazer isso.

Tira fotos.

Quero saber como é a casa deles.

Paro em um cruzamento movimentado, os carros passando em alta velocidade. Já passou das sete da noite. Minha camisa parece estar me sufocando. Tudo que quero fazer é deitar na cama e me esconder embaixo das cobertas. Ultimamente, toda vez que saio de casa, acabo me metendo em mais e mais confusão.

O semáforo abre para mim e volto a andar (e digitar).

Então você acha que devo ir pro jantar?

Agora você tem de ir.

O que vai falar pra eles?

A verdade.

Preciso falar a verdade de uma vez por todas.

A verdade? Sério mesmo?

Por que não?

Você acha que vai pra casa dos Murphy e vai só explicar para eles que a única coisa que restou do filho é uma carta sexual bizarra que você escreveu pra você mesmo?

Você percebe que pode ir pra cadeia por causa disso se for pego, certo?

Mas eu não fiz nada.

É, odeio dizer isso, Evan, mas você deve ter cometido perjúrio.

Isso não é só sob juramento?
Tipo, num tribunal?

Bom, você não estava sob juramento?
De certa forma?

Hum, não.

Faça um favor para você mesmo e me escuta dessa vez. Você quer ter outro surto como no ano passado na aula de inglês em que tinha de apresentar aquele seminário sobre Daisy Buchanan, mas em vez disso ficou olhando suas anotações e dizendo "hum, hum, hum" várias vezes como se estivesse tendo um derrame?

O que você espera que eu faça?
Continue mentindo?

Não falei pra mentir.
Só concordar com a cabeça.
O que quer que eles digam sobre Connor, você concorda.
Só não se contradiz e não inventa porra nenhuma.
Não falha nunca.
Literalmente nada que falo pros meus pais é verdade e eles nem desconfiam.

Absorvo as instruções do Jared. Estou tentando aceitar o que ele diz que devo fazer ao mesmo tempo que penso em maneiras de não fazer isso. No momento, a única casa em que quero estar é a minha.

Está escurecendo quando chego. A entrada está vazia e as luzes apagadas. Ignoro os envelopes e panfletos abarrotados na caixa de correio. Nenhum deles é para mim.

A porta da frente resmunga quando empurro para abri-la. Entro, finalmente, mas não sinto o alívio que achei que sentiria.

Tem um bilhete na porta do meu quarto: "*Sit tight. Take hold. Thunder Road!*". Quando não é uma previsão astrológica, minha mãe cita letras de músicas do Bruce Springsteen. Parece que ela não tem a menor ideia de como se comunicar comigo.

Amasso o bilhete e fico observando no espelho meu reflexo malvestido. Mesmo se eu soubesse que a roupa adequada para a ocasião era um terno, eu não tenho nenhum. A última vez em que vesti um foi no casamento do meu pai, e era alugado. Eu e minha mãe viajamos de avião para o Colorado. Ela não queria ir ao casamento, mas eu sim. Não sei se ela foi só por minha causa ou se queria provar para o meu pai que tinha superado. Para mim, ela com certeza não conseguiu provar nada. Quando voltamos para o hotel depois da festa, ela tirou a sandália e começou a bater com o salto no porta-retratos de lembrancinha do casamento até o carpete do quarto ficar coberto de cacos de vidro. Na época, pensei que ela só detestasse porta-retratos. Eu tinha dez anos.

Agora são quase seis da tarde no Colorado. Meu pai deve ter acabado de chegar do seu trabalho como contador. Ele pendura o paletó no cabide. Theresa já serviu o jantar na mesa, lasanha ou uma costela suculenta. Todos se sentam, e Haley, a filha mais velha de Theresa, faz a oração, embora antes dela meu pai fosse ateu. A irmã caçula de Haley, Dixie, se senta toda fofinha com seu bigodinho de leite. Meu pai dá uma piscadela para a sua segunda esposa e abre um sorriso afetuoso para a segunda e a terceira filha e, enquanto devoram a comida caseira que Theresa passou a tarde toda cozinhando, cada membro da família tem sua vez para contar como foi o dia.

— Ei, pai — digo para o corredor vazio enquanto sigo para o meu quarto. — Quer saber como foi o meu dia?

Interrompendo essa excelente conversa com meu pai, ouço o

rangido da porta de entrada. Esse barulho faz um calafrio percorrer minha espinha, daqueles de filme de terror. Quando ouço a voz da minha mãe, já estou arrancando os sapatos sociais e os enfiando dentro do guarda-roupa. Um dos botões da camisa se recusa a abrir antes de finalmente me fazer esse favor. Deito embaixo das cobertas, ainda de calça cáqui, na mesma hora em que minha mãe aparece no batente do quarto.

— Oi, filho.

— Chegou cedo — digo.

— Não exatamente. Já são oito horas.

— Ah, nossa, nem percebi. Estava muito ocupado.

— Ah, é? Fazendo o quê?

Não sei ao certo o que estou tentando esconder. Não tive tempo de pensar direito. Só parece mais prudente falar o mínimo que puder.

— Só pensando — respondo.

A expressão dela muda.

— No que aconteceu? — Ela entra no meu quarto e senta sem jeito na beirada da cama.

— Do que você está falando? — Lanço um olhar para a minha camisa amarrotada no chão. É só uma questão de tempo até ela começar a examinar o quarto e perguntar por que desenterrei essa peça do guarda-roupa.

— Recebi um e-mail da escola — ela diz. — Sobre o menino que se matou. Connor Murphy?

Algo muda em mim ao ouvir minha mãe falar sobre o assunto em voz alta.

— Sei, claro.

— Você conhecia ele?

— Não — respondo rápido, de maneira clara e categórica. Se ao menos eu tivesse sido decisivo assim com os pais de Connor.

— Bom, se um dia quiser conversar sobre qualquer coisa, estou aqui. E, se eu não estiver, é só ligar. Ou mandar mensagem. E-mail. O que você quiser.

Estava agora mesmo pensando em como o Colorado parecia longe, e aqui está minha mãe, morando comigo, na mesma casa, e sinceramente não consigo dizer que ela parece próxima.

Ela baixa a cabeça e começa a mexer no cordão da calça. Consigo ver a raiz castanho-escura no topo da cabeça dela. Parece estar crescendo e negando a última ida dela ao cabeleireiro. Não sei exatamente quando foi ao salão, mas ela vive dizendo que já passou da hora de ela voltar.

— Seu gesso — ela diz.

Tento enfiá-lo embaixo da coberta, mas demoro demais. Ela pega meu braço. A droga desse gesso deveria estar no meu pé — se tornou meu calcanhar de Aquiles.

— Está escrito "Connor". — Ela semicerra os olhos. — Você disse que não o conhecia.

— É, não conheço. Não conhecia. Esse é outro Connor. — Para alguém que sempre mentiu mal, posso dizer com sinceridade que nunca se torna mais fácil. — Ele entrou este ano, então, hum, deixei que assinasse meu gesso. Me abrindo para as possibilidades, sabe?

Ela expira e leva a mão ao peito.

— Nossa, por um instante eu fiquei preocupada.

Eu ainda estou.

— Ei, quer saber? — ela diz. — Por que não vamos ao Bell House amanhã?

Tomar café da manhã no Bell House costumava ser nosso ritual matinal de sábado, mas, com os horários sempre cheios da minha mãe, já faz um tempo que não vamos. Sempre que fazemos planos, surge alguma coisa. Por mais que eu adore as panquecas do Bell

House, sinto que o mais inteligente a fazer é ficar em casa e recarregar as energias.

— Acho que tenho muita lição de casa — digo.

— Ah, vamos lá — ela diz. — Faz uma semana que suas aulas voltaram e quase não te vejo mais.

Um suicídio e de repente minha mãe está prestando atenção em mim. Mas, sério, considerando o que ela vê no trabalho — facadas, queimaduras, overdoses, ferimentos a bala, comas induzidos, sem mencionar os incontáveis penicos sujos —, eu achava que, a essa altura, ela já tivesse ficado insensível a tragédias. Mas esta em particular foi perto demais. Mais do que ela imagina.

Acho que um pouco de companhia em um sábado livre não seria tão ruim assim. E eu realmente gosto de panquecas.

— Tá. Pode ser.

— Combinado, então — ela diz, tamborilando os dedos animadamente na minha perna. — Mal posso esperar.

Acho que vou guardar minha animação para quando estivermos no carro e eu realmente puder acreditar que estamos indo.

Ela se levanta e pega meu Lorazepam da mesa de cabeceira.

— Precisa de mais?

Ela pergunta isso com tanta frequência que quase virou um substituto para "tchau!".

— Não — digo, o que é minha resposta típica. Embora, pelo decorrer do dia, talvez eu precise de um refil antes do que eu imaginava.

— Ótimo. Bom, não fique acordado até tarde.

— Não vou — digo, ansioso para a conversa acabar logo.

Ela para no batente.

— Te amo.

Olho para ela.

— Também.

Depois de um sorriso hesitante, ela fecha a porta, finalmente. Pulo da cama e penduro a camisa social de volta no cabide, dentro do guarda-roupa. Enquanto estou em pé, paro, tomado por um pressentimento. Vou até a janela, levanto a cortina e olho para fora. A rua parece vazia. A vizinhança está completamente silenciosa. Não tem ninguém ali. É claro que não.

A recepcionista do Bell House nos diz que podemos sentar onde quisermos. Minha mãe olha para mim esperando que eu escolha uma mesa, mas "onde quiser" é demais para uma mente como a minha, e fico paralisado. Então, com um sinal quase imperceptível de cabeça, minha mãe guia o caminho.

O café da manhã não é a única refeição que está na minha cabeça hoje. Desde que acordei, não paro de pensar nesse tal jantar com a família Murphy. Jared diz que eu não tenho escolha além de ir e, sinceramente, não consigo encontrar um motivo para ele estar errado.

— Você está tão longe — minha mãe diz quando nos sentamos. — Queria sentar aí do seu lado.

— Não — imploro. Já sinto como se estivéssemos em um encontro, com minha mãe de calça jeans justa e uma blusa decotada no lugar do jaleco (largo) de sempre. Se ela se sentar ao meu lado nesse banquinho, talvez eu tenha de entrar com um processo de emancipação.

Não consigo me lembrar da última vez em que minha mãe esteve em um encontro de verdade. Tinha um cara de jaqueta de couro chamado Andreas há muito tempo, mas não sei direito o que aconteceu com ele. Gosto de pensar que morreu enquanto arriscava alguma manobra de moto.

A garçonete aparece e faço meu pedido sem abrir o cardápio: panquecas, batatas *hash browns* e suco de laranja. (Sou mais eficiente quando não preciso pensar e quase não tenho noção do que está acontecendo.) Minha mãe pede uma omelete.

Depois que anotam nossos pedidos, minha mãe coloca a mão dentro da bolsa e pega um envelope.

— Ei. Lembra aquele concurso de contos que você ganhou uns anos atrás?

— Eu não ganhei. Fiquei em terceiro lugar. — Por que ela está falando disso agora? Ela realmente não tem mais assunto comigo?

— Terceiro lugar no país inteiro.

— Na verdade, só no nosso estado e só na minha faixa etária.

— Bom, achei impressionante mesmo assim. — Ela coloca o envelope na mesa e o abre. — Achei isso na internet: concursos de redação para bolsas de estudo. Já ouviu falar? Passou uma matéria na TV esses dias. Tem um milhão de opções em que dá pra se inscrever. Passei a hora do almoço toda pesquisando. — Ela me entrega um papel e começa a ler os outros. — O Concurso de Escrita John F. Kennedy, dez mil dólares, universidade que você escolher. Bolsa Henry David Thoreau, cinco mil dólares. — Ela me passa a pilha toda. — Pela forma que você escreve, tem grandes chances de conseguir.

Agora sei por que ela foi contra minhas expectativas e manteve nossos planos de café da manhã. Não era só para passar mais tempo comigo, mas também para me dar mais uma tarefa.

— Nossa. — É a única resposta que consigo dar.

Ela pega o envelope e o guarda de volta na bolsa. Acho que magoei os sentimentos dela. Isso sempre acontece.

— Só achei que poderia ser uma ideia — ela diz. — Você sempre foi um ótimo escritor. E vamos precisar de toda ajuda possível para a universidade. A não ser que sua madrasta tenha uma poupança para você que eu desconheça, com todas as gorjetas incríveis que ela deve ter ganhado como garçonete de luxo.

Ela nunca vai superar o fato de Theresa ter passado de garçonete a alguém cujo único trabalho é ser mãe. E fez isso roubando o marido da minha mãe. Às vezes acho que minha mãe trabalha tanto só para poder levantar um dedo do meio invisível para sua substituta mais nova do outro lado do país.

Consigo entender seu ressentimento, ainda mais levando em conta o quanto ela precisa trabalhar para ganhar tão pouco. É um trabalho ingrato; ela corre para o hospital sempre que é chamada, nunca pode dizer não. Se disser, arranjam outra pessoa. E ela não tem mais nada a que recorrer. A graduação que está fazendo à noite parece estar muito longe de gerar frutos.

Uma pilha de panquecas surge diante de mim. São as coberturas que tornam as panquecas do Bell House memoráveis. O melado da casa, a geleia de morango, o açúcar polvilhado. As panquecas em si não têm nada de mais.

— A universidade vai fazer muito bem para você, filho. Quantas vezes na vida a gente tem a chance de começar tudo do zero?

Parece tentador mesmo. Posso começar agora?

— As únicas pessoas que gostam do ensino médio são as líderes de torcida e os jogadores de futebol americano, e essas pessoas sempre acabam infelizes.

— Você não foi líder de torcida? — pergunto.

— Só por uma semana. Isso não conta.

Com o passar do tempo, a fase da minha mãe como líder de torcida foi ficando cada vez menor. Ela costumava dizer que torceu durante uma temporada inteira e, agora, só por uma semana. Sei que ela ficou por tempo suficiente para ser fotografada com o resto da equipe. Acho que eu poderia perguntar a verdade para o meu pai — já que eles se conheceram no ensino médio — mas, quando eu finalmente tiver a oportunidade de conversar com ele, a última pessoa sobre quem vamos querer falar é minha mãe.

Ela segura minhas mãos antes que eu possa começar a comer.

— O que estou dizendo é que você ainda tem muitas coisas maravilhosas pela frente. Lembre disso. É um longo caminho para chegar lá, mas a jornada vale muito a pena.

Assinto e puxo as minhas mãos para conseguir comer. Minha mãe, porém, está paralisada, olhando fixamente para a comida. Demora tanto que fico incomodado.

— Mãe.

Ela desperta, surpresa.

— Desculpa. — Ela desdobra um guardanapo de papel e o coloca no colo. — Só estava pensando.

— Sobre?

— Sobre aquele menino que...

A panqueca na minha boca de repente fica sem gosto. Me pergunto como ele fez. Lâmina de barbear? Comprimidos? Se enforcou? Monóxido de carbono? O caixão estava fechado no velório, então será que ele usou um revólver? Sei que ele não pulou de uma ponte, já que a carta estava em boa condição. Não consegui saber nenhum detalhe sobre a morte dele. As pessoas na internet só dizem que deve ter sido de overdose, o que faz sentido. E seria tranquilo. Mas talvez não. Fico pensando se em alguma hora ele se arrependeu. Se houve algum momento entre a decisão e a morte em que ele mudou de ideia.

Ela ergue o garfo.

— Coitados daqueles pais. Nem consigo imaginar.

Eu consigo. Vi com meus próprios olhos. A tristeza neles, nos pais de Connor, era maior do que qualquer coisa que já senti ou imaginei, absoluta e infinita. A mãe dele estava completamente arrasada, destruída. E agora os dois devem estar sentados sozinhos e confusos, se fazendo o mesmo tipo de perguntas que eu. O pior é saber que algumas nunca vão ter respostas. Deve ser insuportável saber isso.

Então tem a minha carta. Dando respostas erradas, mas que, mesmo assim, são respostas. Já é alguma coisa.

— Se um dia eu perdesse você — minha mãe diz, dando a primeira mordida. — Não sei o que faria. — Ela abre um sorriso desolado.

Para minha mãe, não passa de uma hipótese. Mas e para a mãe de Connor?

Um jantar. Duas horas, no máximo. A mensagem de Jared se repete na minha mente — é só concordar com a cabeça.

8

O caminho de ônibus para a casa dos Murphy demora quarenta minutos. De carro, levaria metade do tempo, mas eu não dirijo.

No começo, mal podia esperar para tirar minha carteira de motorista. Estava ansioso para ter o poder de ir aonde eu quisesse. Porém, qualquer noção idealizada que eu tinha de dirigir logo foi arruinada. Na autoescola, mostram vídeos horrorosos de acidentes de carro e estatísticas assustadoras sobre taxas de mortalidade, depois entregam uma carteira de aprendiz e botam você atrás do volante. Claro, tem um "especialista" ensinando no banco do passageiro, mas quem está no comando é você, sofrendo para lembrar todas as regras que aprendeu, e então, exatamente quando está pegando o jeito, você percebe que, por mais que dirija de maneira impecável, ainda precisa confiar que os outros vão dirigir assim também.

Mas não dirigem. A rua é um caos. Parece que ninguém usa as setas nem chega a frear direito, tampouco dá preferência aos pedestres. O sinal mal ficou verde e a pessoa do carro de trás já buzina. Depois, tem animais soltos na estrada, policiais esperando em toda curva e motoristas dando uma olhada no celular. É um milagre que as pessoas cheguem a qualquer lugar sem se ferir ou ferir os outros, porque muitas das piores coisas que podem acontecer — paralisia, desfiguração, lesão cerebral, homicídio culposo, afogamento, decapitação, pulverização, incineração, hemorragia enquanto a ambulância não chega — acontecem dentro de um carro.

No dia da minha prova prática de direção, me tranquei no banheiro. Do outro lado da porta, ouvi minha mãe falar não tão baixo ao celular: "Que tipo de adolescente não fica feliz em tirar a carteira de motorista?". Em algum momento, ela tentou me passar o telefone. "Seu pai quer falar com você." Senti ódio dela por ter ligado para ele.

Quando finalmente abri a porta, minha mãe chorava. "A gente não pode continuar desse jeito", ela disse. "Você não precisa se sentir assim. Não quer se sentir melhor?" Devo ter dito que sim, porque, uma semana depois, tive minha primeira consulta com o dr. Sherman. Alguns meses depois, com a ajuda do meu querido Lexapro, consegui tirar a carteira de motorista. Mas nunca a uso. Felizmente, não temos dinheiro para um segundo carro.

Os Murphy moram na parte mais nova da cidade, onde as casas e os gramados são maiores e as entradas de carro mais largas. Quando o ônibus passa pela entrada do parque Ellison, vejo a placa iluminada de BEM-VINDO que passei boa parte do meu verão arrumando. Sempre soube que Zoe morava perto do parque, mas não sabia exatamente onde. Devo ter passado pela rua dela todos os dias a caminho para o trabalho sem saber.

É uma caminhada curta do ponto de ônibus até a casa, mas, ainda assim, quando chego, minhas axilas estão encharcadas e o papel em volta do meu buquê de flores está empapado com o suor das minhas mãos. Na entrada, arranco o papel das flores e o enfio no bolso da calça.

A casa da família Murphy fica em um lugar tranquilo entre duas árvores majestosas, no fim de uma rua larga e sem saída. A porta da frente é pintada de vermelho, como nos contos de fadas. Está na hora de tocar a campainha, mas, por algum motivo, não consigo levantar o braço. Essas flores deveriam ser para Zoe, como um gesto do meu afeto ou algo parecido, mas, em vez disso, vou entregá-las para a mãe dela por ter perdido o filho. O único motivo para eu estar aqui é porque Connor não está. Como deveria me sentir em relação a isso?

Estou tão ocupado não tocando a campainha que mal noto quando a porta se abre e revela a mãe de Connor com um sorriso confuso no rosto.

— O que você está fazendo aí fora? — ela diz.

— Boa noite. Quer dizer, boa tarde, sra. Murphy.

— Entra. E, por favor, me chama de Cynthia.

Estendo as flores.

— Ah. Que gentil, Evan. Obrigada.

Ela me dá um abraço que dura um pouco mais do que eu gostaria. Fico com medo que ela consiga sentir meu coração agitado no peito. Então, por sobre o ombro, vejo Zoe descendo a escada. Ao contrário da mãe, ela não parece nada feliz em me ver. Seus olhos parecem saber o que sou, um grande mentiroso, e também um idiota por ter aceitado vir aqui hoje.

No centro da mesa, tem uma fruteira com maçãs. São tão perfeitas e reluzentes que achei que eram falsas. Mas, agora, depois de ficar encarando-as durante uns dez minutos, estou convencido de que são comestíveis.

A comida em meu prato também, mas já estou achando difícil respirar, que dirá engolir. Tento prender grãos de arroz entre os dentes do garfo, um joguinho para passar o tempo.

— Está tão quente aqui dentro — a sra. Murphy diz, se abanando. — Mais alguém está com calor?

Estou derretendo, mas fico de boca fechada.

— Está bem abafado para setembro — o sr. Murphy concorda. — Posso diminuir a temperatura do ar-condicionado, se quiser.

— Não, tudo bem. — Ela seca a testa com o guardanapo.

Zoe não abriu a boca desde que cheguei. Na última semana, finalmente nos falamos (duas vezes!) depois de tantos anos e agora parece que as primeiras duas vezes podem ter sido as últimas. Pensei que ela estaria de volta à escola hoje, já que é segunda-feira, mas ela faltou de novo. Fico me perguntando se ela vai voltar algum dia.

O sr. Murphy ergue uma bandeja.

— Alguém mais quer frango?

— Acho que você é o único com apetite, Larry — a sra. Murphy diz.

Ele hesita por um momento, depois espeta um pedaço de frango e o coloca no prato.

— Bom, não vou desperdiçar. Foi muito gentil da família Harris nos trazer.

Corto um pedaço de frango, mas não chego a comer.

— Connor contou para você sobre os Harris? — a sra. Murphy me pergunta.

Parte do meu treinamento como aprendiz no parque incluía aprender o código de ética dos guardas-florestais. Existe uma parte no manual sobre "ser sincero em pensamentos e palavras". Infelizmente o manual do guarda-florestal não faz nenhuma menção a como sobreviver à selva do ensino médio, nem como piorar uma situação que já está péssima. Para isso, recorri ao conselho de Jared. Por mais terrível que essa decisão possa se revelar, se eu simplesmente tivesse dado ouvidos a ele no começo, não teria ido ao velório de Connor e não teria sido convidado para o jantar de hoje.

Em resposta à pergunta dela, faço que sim com a cabeça e tomo um gole d'água. Dessa vez, vou seguir o conselho de Jared — não é o mesmo que mentir. Não estou pronunciando nenhuma palavra.

— São nossos velhos amigos — ela continua.

Posso ver que ela está esperando que eu diga alguma coisa. Eu não deveria — esse é o plano —, mas agora que estou cara a cara com essa mulher e seu olhar carente, parece impossível, e até mesmo mal-educado, passar a noite toda sem dizer uma palavra.

— Hum — digo, o que tecnicamente não é uma palavra. Mesmo se for, quase não é e, além disso, poderia estar me referindo à comida que finjo comer.

— Nossas famílias esquiavam juntas — a sra. Murphy diz. — Passamos dias ótimos com eles nas montanhas.

Concordo e concordo e concordo com a cabeça até que, antes de conseguir me conter, abro a boca.

— Connor adorava esquiar.

— Connor odiava esquiar — Zoe diz.

Consigo sentir os olhos de Zoe cravados em mim, mas não me atrevo a erguer os meus. Por que fui achar que eu conseguiria lidar com isso? Se percebo qualquer sinal de pressão, cedo no mesmo instante. Pressão é minha criptonita. Connor odeia esquiar assim como eu odeio pressão.

— Certo, ele *odiava*. Foi isso o que eu quis dizer. Era, sim, muito ódio sempre que o assunto era esquiar. Ele *adorava* falar do quanto detestava esquiar.

— E vocês passavam muito tempo juntos? Você e o Connor? — a sra. Murphy pergunta.

É um erro tirar os olhos da fruteira, mas os tiro mesmo assim. O rosto da sra. Murphy está suplicando por qualquer informação. Alguma coisa. Qualquer coisa.

O que ofereço, finalmente, é:

— Até que sim. — Chego a ficar orgulhoso dessa resposta, porque não é um *sim* e também porque "muito" significa algo diferente para diferentes pessoas. Eu falo *muito* com meu pai? Comparado com a frequência com que os soldados no Afeganistão devem falar com seus pais, sim, provavelmente, acho que faz sentido dizer que sim.

Mas Zoe quer mais detalhes.

— Onde?

— Quer saber onde a gente passava tempo juntos?

— Sim, onde?

Jared não deixou claro o que eu deveria fazer com perguntas que exigissem mais do que um simples sim ou não. Não é uma prova de verdadeiro ou falso. É uma prova com questões dissertativas.

— Bom — digo, fingindo uma tosse rápida —, a gente se encontrava mais na minha casa. Assim, às vezes a gente ia pra casa dele, quero dizer, pra cá, quando não tinha ninguém. — Ela está prestes a me chamar de mentiroso e impostor, sei disso. Vão me botar para fora desta casa e então não vou ser apenas invisível, mas um pária. Vou estudar em casa e minha única ligação com o mundo exterior vão ser as redes sociais e o e-mail. Ah! — E-mail — digo. — A gente trocava vários e-mails. Às vezes ele não queria sair de casa. O que eu entendia. Acho que tínhamos isso em comum.

— A gente olhou os e-mails dele — Zoe diz. — Não tinha nenhum seu.

Talvez eu só esteja empolgado por ela estar falando comigo de novo. Talvez seja por isso que, contra meu bom senso, eu continue juntando uma palavra atrás da outra.

— Bom, sim, quero dizer, é porque ele tinha outro e-mail. Secreto. Eu deveria ter falado isso antes. Deve ser muito confuso. Desculpa.

— Por que secreto? — Zoe pergunta.

— Por que secreto? — repito. Agora parece um bom momento para começar a comer. Enfio um pouco de arroz na boca e faço sinal de que estarei pronto para responder à pergunta perfeitamente lógica de Zoe depois que tiver engolido toda a comida, porque é falta de educação falar de boca cheia, como todos sabem, claro. Engulo e bebo um pouco d'água para ajudar a comida a descer. — Era secreto porque... ele achava que seria mais pessoal assim.

A sra. Murphy balança a cabeça.

— Falei para você, Larry. Ele sabia que você lia os e-mails dele.

— E não me arrependo — o sr. Murphy diz, pegando sua taça de vinho. — Alguém tinha de ser o vilão.

Eles se encaram, e continuam a conversa de uma maneira dura e silenciosa. Desvio o olhar para lhes dar um pouco de privacidade.

— É estranho — Zoe diz. — A única vez em que vi você e meu irmão juntos foi quando ele empurrou você semana passada na escola.

Merda. Ela lembra. É claro que ela lembra.

A sra. Murphy se inclina para a frente.

— Connor empurrou você?

— Não foi bem assim, sra. Murphy. Não exatamente. Eu tropecei, foi o que aconteceu.

— Por favor, Evan, me chame de Cynthia.

— Ah, certo, desculpa. — Um alívio com a mudança de assunto. — Cynthia. — Sorrio para ela.

— Eu estava lá — Zoe diz. — Vi tudo. Ele te empurrou. Com força.

Uma gota de suor escorre da minha axila por todo o meu tronco até o cós da minha calça jeans. Não vai ser uma simples mudança de assunto que vai me tirar dessa.

— Ah, agora me lembro — digo. — O que aconteceu. Foi um mal-entendido. Porque o lance era que ele não queria que a gente se falasse na escola, e foi exatamente o que eu fiz. Quis falar com ele na escola. Não foi nada de mais, sério. Foi culpa minha.

— Por que ele não queria que vocês se falassem na escola? — Zoe pergunta.

Isso não acaba nunca. Quanto mais respondo, mais eles perguntam. Tenho de terminar logo com isso. Mas como?

— Ele não queria que ninguém soubesse que a gente era amigos — digo. — Acho que ficava constrangido.

— Por que ele ficaria constrangido? — pergunta a sra. Murphy, digo, *Cynthia*.

Seco a testa com o guardanapo, nada sofisticado, mas muito necessário.

— Acho que porque ele me achava meio...

— Nerd? — Zoe diz.

— Zoe! — Seu pai olha feio para ela, mas Zoe o ignora, sem querer desistir de mim.

— Não foi isso que você quis dizer? — ela pergunta.

— Fracassado, eu ia dizer, na verdade. Mas pode ser nerd também.

Cynthia coloca a mão no meu braço.

— Isso não foi muito legal.

— Bom — Zoe diz —, Connor não era muito legal, então faz sentido.

Cynthia suspira.

— Connor era... uma pessoa complicada.

— Não, Connor era uma pessoa ruim. Existe uma diferença.

— Zoe, por favor — o sr. Murphy diz.

— Pai, não finge que você não concorda comigo.

— Está quente demais aqui dentro — Cynthia diz, que é exatamente o que estou pensando.

— Vou diminuir a temperatura do ar-condicionado — o sr. Murphy diz, mas não sai da mesa.

Agora posso ver pelo menos um lado positivo em ter pais separados e nunca me sentar para jantar com minha mãe — não ter de aturar esse tipo de situação.

Cynthia seca a testa.

— Você se recusa a lembrar qualquer coisa boa. Vocês dois. Vocês se recusam a ver qualquer coisa de maneira positiva.

— Porque não tinha nada de bom — Zoe diz. — Quais eram as coisas boas?

— Não quero ter essa conversa na frente do nosso convidado — Cynthia diz.

Bebo mais água e continuo fingindo que estou bebendo até muito depois de meu copo estar vazio.

— Quais eram as coisas boas, mãe?

— Tinha coisas boas, sim — Cynthia insiste.

— Certo, então quais? Me diz.

— Tinha coisas boas.

— Sim, você não para de repetir isso. *Quais*?

Cynthia não responde. O sr. Murphy baixa os olhos para o prato.

A pergunta paira na sala, uma fumaça densa e quente da qual ninguém consegue se livrar. Vejo todos eles, sofrendo para respirar, sofrendo para viver. Sofrendo.

— Lembro de muitas coisas boas sobre o Connor.

Todos os olhos se voltam para mim. Fui eu quem acabou de falar. Eu disse isso. Por que fui dizer isso? Como essas palavras saíram da minha boca?

— Como o quê? — Zoe quer saber.

— Deixa pra lá — digo. — Eu não deveria... desculpa.

— Olha só você pedindo desculpas de novo — Zoe diz, desprezando toda a minha existência.

— Continue, Evan. Você ia falar alguma coisa — Cynthia diz.

— Não importa. Sério.

— Queremos ouvir o que você tem a dizer. Por favor, Evan.

Não sei como fazer isso, como decepcionar essa mulher depois de tudo pelo que ela passou. O coração dela está nas minhas mãos. Essa é a sensação. Embora seu marido esteja ali, completamente alerta, o garfo no prato, à espera. Olho para a última pessoa à mesa: Zoe. A expressão dela é mais suave agora, como se, por um breve momento, sua curiosidade superasse sua desconfiança. Eles precisam de alguma coisa, essa família. Precisam que eu diga *alguma coisa* que os faça se sentirem melhor.

— Bom — começo —, eu e o Connor nos divertimos muito um dia, faz pouco tempo. É uma coisa boa que me lembro do Connor. Sempre fico lembrando. Daquele dia.

Já sei que o que acabei de dizer não vai ser suficiente. Eles querem mais. Eu mesmo me encurralei. Eles querem detalhes. *Precisam* disso. Estou caçando qualquer coisa, o tempo todo olhando para a fruteira no meio da mesa.

— Maçãs — digo, antes de pensar direito. — Fomos ao lugar das... maçãs. — Ergo os olhos. — Enfim, sei que é bobagem. Não deveria nem ter comentado. — Preciso sair. Imediatamente. Cerro os punhos no colo, as unhas se cravando na palma das mãos. Como posso escapar daqui sem ser mal-educado?

— Ele levou você para o pomar? — Cynthia pergunta.

Sondo a expressão dela. Parece que toquei em algum ponto. Há um novo brilho no olhar de todos. Seus rostos me incentivam. Não posso sair agora.

— Sim, levou.

— Quando? — Cynthia pergunta.

— Uma vez. Foi só uma vez.

— Pensei que aquele lugar tinha sido fechado — o sr. Murphy diz. — Há anos.

— Exato, foi por isso que ficamos chateados quando chegamos

lá, porque estava fechado, e Connor disse que as maçãs de lá eram muito boas.

Cynthia está sorrindo, mas com os olhos lacrimejantes.

— A gente sempre ia ao pomar. Fazíamos piqueniques lá. Lembra, Zoe?

— Sim — Zoe diz, a expressão dela é algo entre surpresa melancólica e indiferença fingida.

Cynthia olha para o marido do outro lado da mesa.

— Você e o Connor tinham aquele aviãozinho de brinquedo que pilotavam juntos. Até que você deixou o avião cair no riacho.

O sr. Murphy quase sorri.

— Foi um pouso de emergência.

— Ah, Evan, não acredito que Connor levou você lá — Cynthia diz. — Aposto que foi divertido. Aposto que se divertiram muito.

— Sim. O dia inteiro foi... incrível. Foi na primavera, acho.

— Larry, qual era o nome daquela sorveteria que a gente adorava? — Cynthia pergunta.

— À La Mode — ele responde.

— Isso — ela diz com uma alegria sincera. — À La Mode.

— Foi lá que fomos, na verdade — digo, o entusiasmo subindo à cabeça. — Tomamos sorvete nesse À La Mode.

— Eles tinham uma calda de chocolate quente caseira — o sr. Murphy lembra.

— A gente se sentava no campo cheio de plátanos — Cynthia diz, sorrindo para Zoe. — E você e seu irmão ficavam procurando trevos de quatro folhas.

— Tinha esquecido completamente daquele lugar — o sr. Murphy diz.

— Bom, acho que Connor não — Cynthia diz. — Não é verdade, Evan?

Olho para ela e depois para o sr. Murphy e para Zoe, soltando todo o ar do peito, e digo exatamente o que estão querendo ouvir.

— É verdade.

Eles soltam o ar do peito também. É a sensação que dá. Na sala, há alívio, alívio de verdade, pouco, mas tangível. O que estou fazendo, o que estou dizendo, está surtindo efeito, está ajudando, e isso é tudo que quero: ajudar.

— Sempre fazíamos esse tipo de coisa, na verdade — digo, sem saber como parar. — Ir para algum lugar e conversar. — Como parceiros. Como amigos. — A gente falava sobre filmes e pessoas da escola. Falava de meninas. Coisas normais, sabe. Era fácil conversar com Connor.

Vejo como minhas palavras são importantes para eles. Faz bem proporcionar esse bem. É a coisa certa, fazer a dor deles passar, ainda que por pouco tempo.

— Naquele dia — continuo —, no pomar, encontramos um campo e ficamos deitados na grama, olhando para o céu e só... conversando.

Sobre nossas vidas. O lugar onde estávamos. Aonde iríamos. O que aconteceria depois que a escola acabasse. Não sabíamos exatamente. Só sabíamos que daríamos um jeito. A gente cuidaria um do outro. Não importava o que acontecesse...

— ... tudo parecia possível.

Paro, pensando que os perdi, que me perdi, mas é tarde demais agora. Minha boca continua falando sem minha mente acompanhar, as palavras vindo como se tivessem esperado uma eternidade para serem ditas.

— E o sol naquele dia, lembro muito bem, estava muito forte. E a gente ficou deitado lá, olhando para o céu. Parecia infinito, como se fosse durar para sempre.

E a árvore.

— A gente viu uma árvore. Um carvalho incrivelmente alto. Maior que todos os outros. Levantamos, corremos até ele e começamos a subir. A gente nem pensou.

Os Murphy sobem comigo, segurando-se em cada palavra minha.

— Continuamos subindo. Cada vez mais alto. — Subindo até o topo, mas aí... — O galho se quebrou.

Eu caí.

— Fui parar no chão. Meu braço ficou dormente. Fiquei esperando.

A qualquer momento. *A qualquer momento.*

— E quando eu olho, eu encontro...

Encontro...

— ... Connor. Ele foi me buscar.

Paro de falar, finalmente. Estão todos olhando para mim, como se esperassem que eu falasse mais. Mas mal consigo entender o que eu já falei. É como se eu estivesse acordando de um sonho. Eu estava sentado aqui, descrevendo aquele dia, aquele dia horrível, mas não foi esse dia, não exatamente. Dessa vez, Connor estava lá. Quero dizer, ele não estava lá de verdade, mas, na minha cabeça, era como se estivesse e, de repente, aquele mesmo dia não era mais horrível. Era outra coisa.

Pelo canto do olho, vejo Cynthia se aproximando e então sinto seus braços em volta de mim.

— Obrigada, Evan — ela diz. — Obrigada.

É a melhor sensação. E também a pior.

Zoe me segue para fora da casa.

—Vou te dar uma carona — ela diz.

Nunca pensei que chegaria um momento em que eu diria "não" para Zoe Murphy, mas tudo que quero agora é ficar sozinho.

— Não precisa.

— Quero dar uma volta. Entra aí.

Ela dá a volta na entrada de carros e sai para a rua. Pensei que finalmente ficaria livre para respirar pela primeira vez em horas, mas não. Agora estou sentado no banco de passageiro do Volvo azul de Zoe Murphy.

Literalmente sonhei com esse momento, com a chance de ficar sozinho com ela desse jeito, a poucos centímetros de distância. Mas agora não estou em condições de ficar *ligado*. Alguém, por favor, me desligue.

O silêncio está implorando para ser quebrado.

— É um carro legal. É o quê, alemão?

— É um lixo — Zoe diz. — Vive dando problema.

O motor ronca enquanto Zoe acelera. Ela não me dirige mais a palavra durante todo o trajeto para casa, nem quando digo quais ruas pegar. O caminho em silêncio me dá a oportunidade de rever a noite e chegar à conclusão de que foi um completo e inequívoco fracasso. Em um momento, quando o velocímetro está a quase cem por hora, me imagino tirando o cinto, abrindo a porta e me atirando na rua movimentada. Que tragédia.

Quando paramos em frente à minha casa escura, Zoe finalmente se vira e olha para mim.

— Você deve estar achando que só porque sou mais nova eu sou ingênua, mas eu sei o que está rolando.

Uma dureza assustadora na expressão dela.

— Não sei do que você está falando.

— Você e o Connor não estavam trocando e-mails secretos porque eram amigos.

Eu deveria ter feito aquilo, pulado do carro em movimento quando tive a chance.

— Como assim?

— Passei a noite toda tentando entender o que vocês dois poderiam ter para conversar um com o outro — Zoe diz. — Deixa eu adivinhar. Era sobre drogas?

— *Drogas?*

— Era por isso que ele estava bravo com você no outro dia, não era? Quando te empurrou? Seja sincero comigo, por favor. Só quero saber a verdade.

— Não. Você está doida? Eu? Nunca... Não estou envolvido em nada desse tipo. Juro. — Finalmente, uma verdade real.

— Ah, é? Você jura?

A mãe de Zoe me enche de abraços, mas Zoe só me atira desconfianças.

— Juro.

Ela me observa por mais um momento, depois vira o rosto, deixando claro que estou dispensado.

Tento abrir a porta, mas está travada. Ela aperta um botão, mas estou puxando a maçaneta ao mesmo tempo. Solto a maçaneta para que ela consiga destravar a porta sem que minha mão idiota atrapalhe. Quando finalmente escuto o clique mágico, abro a porta com tudo e encho os pulmões de ar fresco. Fecho a porta com delicadeza atrás de mim e a vejo acelerar noite adentro. Como eu poderia estar tão enganado desde o começo. *O pior que pode acontecer.* Ainda está acontecendo.

9

Não sei por que continuo dando satisfações a Jared depois de cada novo desastre. Nunca me sinto melhor depois de nossas conversas. Jared tem um jeito de destacar meus erros que os faz parecer ainda piores do que eu imaginava.

Mas estou tão perdido agora, sentado sozinho no sofá da minha sala escura. Jared é a única pessoa em todo o mundo que tem a mínima noção do que estou passando. Estou flutuando pelo espaço e ele é a voz da central de comando no meu fone. Posso não concordar com suas táticas, mas, sem ele, há uma boa chance de eu nunca voltar para casa.

Atualizo Jared sobre o que aconteceu na casa da família Murphy. Como sempre, não consigo prever onde ele vai focar sua próxima crítica.

Os pais dele acham que vocês se pegavam.
Você sabe disso, não sabe?

Como assim? Por que pensariam isso?

Hum. Vocês eram melhores amigos, mas ele não queria que você falasse com ele na escola?

E, quando falou, ele te encheu de porrada?

Essa é a fórmula para namoro gay secreto no ensino médio.

Ai meu Deus.

Eu te falei o que fazer.

O que eu disse?

Concorde com a cabeça. E só.

Eu tentei. Você não entende.

É diferente quando encaram seus olhos.

Fiquei nervoso. Só comecei a falar e depois que comecei

Não conseguia parar.

Eles não queriam que eu parasse!

É verdade. Acho que eu não tinha me dado conta até então, mas parece que eles estavam me ajudando no processo, preenchendo as lacunas quando eu não sabia aonde a história deveria ir em seguida. Não quero botar a culpa neles. Óbvio. Sei que é tudo culpa minha, mas também sei, pela cara que fizeram, que queriam que eu continuasse. *Precisavam* que eu continuasse.

A questão é que tentei contar a verdade a eles. Até *contei*, na verdade. Falei para os pais de Connor que não foi ele quem escreveu a carta. Falei isso para eles, diretamente, mas eles não me deram ouvidos.

Então, o que mais você cagou?

Tenho quase certeza que Zoe me odeia.

Ela acha que eu e o Connor estávamos nos drogando juntos.

Você é ótimo.
Sério mesmo.
Que mais?

Nada.

Nada?

Assim, eu disse que trocávamos e-mails.

E-mails.

É. Falei que eu e o Connor trocávamos e-mails.
E que ele tinha uma conta de e-mail secreta.

Ah, claro, uma daquelas contas de e-mail secretas. Claro. Pra mandar fotos de pênis.

Para Jared, tudo não passa de uma grande piada. Realmente não sei por que continuo recorrendo aos conselhos dele.

Não, só disse que ele tinha um e-mail secreto e que a gente se falava por lá.

Tipo, sério mesmo?
Você não tinha como piorar ainda mais as coisas?

É muito ruim?

Eles vão querer ver os e-mails.

Ah, não.

Ah, sim.

Ah, merda.

É claro que vão querer ver nossos e-mails. Qual é o meu problema? Sério. Por que me iludo pensando que o pior que pode acontecer já aconteceu? As coisas *sempre* podem piorar. Essa é uma certeza. É assim que a vida funciona. Você nasce e vai envelhecendo e ficando grisalho e doente e, não importa o esforço que faça para reverter o processo, você vai morrer todas as vezes. Repito: pior, pior, pior e, então, a morte. Tenho um longo caminho pela frente para chegar ao pior de tudo. Esse é só o começo.

Estou ferrado.
O que vou fazer?

Posso escrever os e-mails.

Como assim?

Posso fazer os e-mails.

Pode? Como?

É fácil. Só criar uma conta e mudar as datas dos e-mails. Tem um motivo por eu ter sido o único orientador com senha de acesso ao sistema de computadores do acampamento: tenho meus talentos, meu caro.

Eu estaria dando a eles o que querem — o que *precisam*. Estaria ajudando aquela família.

É tentador. Mesmo. Mas também um pouco... doentio? Não posso continuar fazendo isso, enganando essas pobres pessoas. Não fui feito para isso. Em algum momento dessa noite eu sentia que estava suando pelos olhos de tão nervoso que estava. Se eu transpirasse mais uma gota, poderia ter virado uma múmia. Não posso continuar fazendo isso. Estou exausto.

Viro o celular para que fique com a tela para baixo. A luz dela ilumina meu gesso. A lembrança da história que inventei para os Murphy me atinge de novo. Eles estavam falando sobre o pomar, e acho que o jeito como estavam falando me fez pensar no parque Ellison. E não consigo mais pensar no parque sem pensar na árvore e na minha queda. Connor não estava lá naquele dia, claro. Mas acho que... ele poderia estar.

Saio da sala escura e subo a escada. Depois que me deito, coloco os fones e ponho uma playlist chamada "Jazz para iniciantes". Não entendo muito de jazz, mas estou tentando aprender. Fico esperando que a música me leve a algum lugar, mas isso nunca acontece. Fico concentrado demais no que estou ouvindo para que os meus pensamentos consigam voar para longe. Para ser sincero, apenas um dos instrumentos me interessa. Fico esperando para ouvir o que o violão vai fazer.

Minha mãe aparece na porta, me fazendo levantar a cabeça do travesseiro. Tiro os fones para ouvir o que ela está falando.

— Já comeu? — ela pergunta.

— Hum. Sim. — Já sei o que ela vai perguntar em seguida, então repasso todas as respostas possíveis: fiz um sanduíche, esquentei uma pizza congelada, pedi comida chinesa.

Mas, em vez disso, ela diz:

— Droga. — Parece que ela estava torcendo para eu *não* ter

comido. — Foi divertido no outro dia, não foi? — ela pergunta. — Sair para tomar café?

Tanta coisa aconteceu desde o nosso café da manhã que parece que ele aconteceu há séculos.

— Sim. Claro. Foi.

— Estava pensando, que tal eu faltar em um dos meus turnos esta semana? Quando foi a última vez em que fizemos uma noite de tacos?

Não lembro, mas tenho quase certeza de que aquelas tortilhas no congelador já passaram da validade.

— Ah. Não precisa.

— Não, eu quero. Talvez a gente possa até começar a pensar em ideias para aquela redação juntos.

As redações. Claro. O rosto dela aguarda com expectativa.

— Claro — digo. — Seria ótimo.

— Ah, demais — ela diz, parecendo vitoriosa. — Agora fiquei animada. Vou esperar ansiosamente.

— Que bom.

No dia seguinte, vejo Zoe atravessando o refeitório e se juntando aos amigos em uma mesa. Se eu já não estivesse sentado, precisaria sentar. Tamanho é o choque no meu corpo. Não a vejo na escola desde o primeiro dia.

Tanta coisa aconteceu em uma semana. Já interagi com Zoe mais do que nunca — no velório, na casa dela, no carro dela —, mas todos esses momentos foram nas piores circunstâncias. Vê-la agora, sentada a uma mesa no refeitório da escola, parece certo e normal. É assim que estou acostumado a vê-la. Isso sim faz sentido.

Zoe deve ter sentido meu olhar fixo do outro lado do refeitório, porque agora também está olhando para mim. Está me encarando com tanta intensidade que é quase como se estivesse me desafiando a desviar o olhar. Não consigo. Não quero. Não sei o que deveria fazer. Sorrio, na esperança de que ela faça o mesmo. Ela não sorri. É como se não fosse capaz nem de tentar.

Ela ergue a bandeja e deixa os amigos. Joga a comida no lixo e, sem nem olhar na minha direção, sai do refeitório.

Sou muito melhor em interpretar livros e contos do que em entender as decisões que pessoas de carne e osso tomam. Mas, nesse caso, posso aplicar facilmente as estratégias de análise crítica da sra. Kiczek à atitude real que acabo de testemunhar. A ação de nossa bela e virtuosa heroína Zoe Murphy jogando comida no lixo na verdade é uma metáfora para como ela se sente em relação ao nosso narrador. Aos olhos de Zoe Murphy, Evan Hansen é um lixo.

Lá vou eu de novo, superestimando minha importância. Como posso esquecer tão facilmente que sou *méh*. Por que eu deveria pensar que isso tem a ver comigo? O irmão dela *morreu*. Talvez seja por isso que ela está sem apetite. Isso eu entendo. É apenas difícil vê-la tão angustiada, ainda mais depois da maneira como começou a ficar mais calma durante o jantar. O humor dela mudou quando estávamos falando sobre Connor. Quando eu estava falando para ela e seus pais sobre coisas que eles não sabiam. Preenchendo lacunas. É como se eu tivesse conseguido fazê-los esquecer o peso de sua infelicidade. Trazido um pouco de alívio.

Lanço um olhar para o outro lado do refeitório, para onde Jared está sentado. Deixando meu estômago sem nada além do remédio que tomei de manhã, guardo meu almoço e sigo para a mesa dele.

— Como funcionam os e-mails? — pergunto.

— Bom, e-mail vem de *electronic mail*, "correio eletrônico" — Jared diz. — Ray Tomlinson é considerado o inventor da tecnologia em 1971, mas todos sabemos que a ideia original é de Shiva Ayyadurai.

— Estou falando sério. — Mantenho a voz o mais baixa possível.

Jared se recosta na cadeira com um tom de conspiração.

— Vai ter um preço.

— Quanto?

— Dois paus — Jared diz.

— Dois mil? Você está maluco?

— Quinhentos dólares.

— Posso te dar vinte.

— Beleza. Mas você é um escroto — Jared diz. — Me encontra às quatro depois da aula. Te mando o endereço por mensagem.

10

A SUV de Jared entra com tudo no estacionamento da academia Paraíso dos Músculos e freia ruidosamente em uma vaga. Ele passa andando por mim e entra pela porta giratória.

Entro atrás dele.

— Por que estamos aqui?

Jared mostra um cartão de associado para um cara musculoso na recepção e me identifica como seu convidado. Depois de preencher alguns papéis, sigo Jared por uma sala barulhenta e cavernosa.

Tudo na Paraíso dos Músculos me dá ansiedade. As luzes fortes e fluorescentes. Sons altos. A quantidade de pele exposta. Ainda não sei o que estamos fazendo em um lugar como este.

— Você treina aqui? — pergunto.

— Não, mas meus pais acreditam que sim — Jared responde. — Confie em mim, é um ótimo lugar para fazer os trabalhos da escola. Já viu uma mulher correndo na esteira?

— Não é isso... não acho que...

— Escuta, não posso usar a internet da minha casa para esse tipo de trabalho. Pense nisso como uma precaução extra. Estar em um wi-fi aberto vai tornar mais difícil que associem isso a nós.

Ele realmente faz o nosso plano soar ainda mais errado.

— Não tenho certeza sobre isso. E se alguém da escola nos vir?

— Eu nunca permitiria que isso acontecesse. Tenho uma reputação a zelar. Além do mais, ninguém da escola vem aqui. Dá uma olhada. É só um monte de mãe e tal.

Observo a academia. Por mais barulhenta que seja, está bem vazia, na verdade. Acho que é só a música agitada e o pé-direito alto.

— Mesmo assim, talvez não devêssemos fazer isso. Deve ter outra maneira. Se os Murphy me perguntarem sobre os e-mails, é só eu não responder. Eles não vão vir atrás de mim, certo?

— Se você desistir agora, vai continuar me devendo os vinte dólares — Jared diz, sentando-se em um banco de exercício.

Lembro do rosto de Zoe, a expressão dela no almoço. Seus pais devem estar com a mesma cara agora, tristes e arrasados.

— Vamos só tentar com um e-mail e ver o que acontece — digo.

Jared abre um documento em branco no notebook e começa a digitar.

Fala Evan,

Foi mal a demora. Andei zoado e tal. Tá ligado?

— Por que está escrevendo desse jeito?

— Que jeito? — Jared pergunta.

— Desse jeito. Só escreve de um jeito normal.

Jared apaga tudo e começa de novo.

Caríssimo sr. Hansen,

Sinto muito por não ter mantido contato. A vida tem me exigido grandes esforços nos últimos tempos.

— Tá, agora parece um príncipe ou algo do tipo. Só faz com que ele fale como eu e você. E tem que combinar exatamente com a minha carta. Escreve "Querido Evan Hansen".

— Por que vocês chamariam um ao outro pelo nome completo?

— Não sei. Só tem de ser assim, beleza?

— Fique à vontade.

Querido Evan Hansen,

Desculpa a demora. Está tudo meio corrido.

— Assim está perfeito — digo.

Quero que você saiba que não paro de pensar em você. Massageio meus mamilos toda noite lembrando do seu rostinho lindo.

— Por que escreveu isso? — pergunto.

— Só estou tentando falar a verdade.

— Sabe, se você não vai levar isso a sério, é melhor deixar pra lá. Esses e-mails têm que provar que éramos amigos de verdade. Têm que ser completamente realistas.

— O amor entre dois homens é bem realista.

— Só escreve exatamente o que eu disser. "A vida anda dura sem você."

Jared ri baixo.

— "Dura"?

— Tá, muda pra "difícil".

— Safado.

— Dá aqui, deixa que eu digito.

A vida anda muito dificil sem você. Sinto falta de conversar sobre a vida e tudo mais.

— Que específico — Jared diz.
— Cala a boca.

Eu gosto dos meus pais.

— Quem fala esse tipo de coisa? — Jared pergunta.

Eu amo meus pais, mas odeio o quanto a gente briga. Preciso parar de fumar drogas.

— "Fumar drogas"? — Jared balança a cabeça, desapontado.
— Só arruma.
— *Isso* não é nada realista.
— Como você sabe? Você mal conhecia Connor.
Ele me lança outro olhar.
— A intenção aqui é mostrar que eu era um bom amigo. Que estava tentando ajudar.
— Ai meu Deus. — Jared pega o notebook de volta.

Eu devia seguir o seu conselho e parar de fumar crack.

— Crack? — digo. — Não é meio pesado? Alguém na nossa escola fuma crack?

Eu devia seguir o seu conselho e parar de fumar maconha. Talvez assim tudo ficasse bem. E vou tentar ser mais legal. Me deseje sorte.

— Não está tão ruim assim — digo. — Agora assina como "Do fundo do coração, Eu".

— Não vou nem perguntar — Jared diz. — Já acabou?

— Não posso mostrar só um e-mail para eles. Precisamos de uma resposta minha para o Connor.

Ouvimos um barulho quando um homem tatuado deixa seus pesos caírem no chão. Mesmo com o revestimento grosso do piso, conseguimos sentir o impacto sob nossos pés. O homem, que agora está andando em círculos, parece um lutador raivoso de MMA, pronto para uma luta. Um cara desses poderia arrancar a cabeça de alguém se quisesse.

Eu consigo me identificar. Não com a parte da agressão raivosa ou com a força para executar uma decapitação manual, mas com a sensação de estar prestes a explodir. Na verdade, estou até com inveja desse homem por ter encontrado uma válvula de escape para toda a sua energia. Não me exercito nem pratico esportes e também não tenho nenhum hobby que exija um grande esforço físico. Fiz muitas caminhadas no verão, mas nada além disso. Acho que o dr. Sherman esperava que, ao escrever as cartas, eu sentisse esse mesmo tipo de alívio profundo. Mas não surtiu muito efeito.

— Tá — digo. — Pronto?

Jared está olhando para o outro lado da sala.

— Dá uma olhada no para-choque daquela ali.

Resisto a tentação de olhar.

— Certo. Escreve o que eu disser. "Querido Connor Murphy, acabei de voltar da academia."

— Academia? — Jared questiona. — Sério mesmo?

— "Acabei de voltar de uma trilha."

— Mais convincente — Jared diz.

— "Tirei fotos de umas árvores incríveis."

— Não — Jared diz.
— Mas isso aconteceu de verdade.
— Às vezes você realmente parte o meu coração.

Querido Connor Murphy,

Estou muito orgulhoso de você por superar esse momento tão difícil. Realmente parece que você está conseguindo dar um jeito nas coisas. Você sabe que estou aqui para quando precisar de mim.

Do fundo do coração,
Eu

— Devo dizer que essa amizade entre vocês era muito especial — Jared diz.
— É, parece boa mesmo, não parece?
Posso ver pelo sorriso irônico de Jared que ele não estava falando sério. Eu só quis dizer que teria sido bom ter uma amizade como essa. Ter alguém com quem conversar, alguém que escutasse.

P.S.: Sua irmã é gostosa.

— Mas que droga é essa?
— Foi mal — Jared diz, apagando a última frase.
— Tá, vamos fazer outra.
Entramos no ritmo. *Querido Evan Hansen, tenho muita sorte de ter você como amigo. Querido Connor Murphy, estou sempre do seu lado, irmão. Querido Evan Hansen, devo muito a você. Querido Connor Murphy, não diga isso. Querido Evan Hansen, você sabe que estou aqui para você.*
Ao todo, criamos uma dúzia de e-mails, seis de Connor e seis

meus. Me sinto tão eufórico e sem fôlego quanto o homem careca hiperventilando perto do bebedouro. Criamos um endereço de e-mail falso para Connor e então Jared usa sua magia tecnológica para trocar a data dos e-mails como se tivessem sido enviados no meio da primavera.

— Preciso imprimir isso — digo.

Jared fecha o notebook.

— Tem uma loja de materiais de escritório numa galeria aqui perto.

— Perfeito — digo, me levantando. — Depois, preciso de mais um favor.

— Desculpa, seus vinte dólares já estão esgotados.

— Tem certeza? Pensei que você queria ver onde os Murphy moram.

No fim dessa mesma tarde, Jared entra na garagem da família Murphy. Abaixo a janela e deixo os e-mails impressos na caixa de correio de tijolos. Saindo com o carro, Jared me oferece o punho e espera que eu bata. Ele quer comemorar o que acabamos de fazer, mas eu o deixo no vácuo. Enquanto observo a casa dos Murphy diminuindo pelo retrovisor, não estou no clima de comemorar.

— Para o carro — digo.

— Por quê?

— Sério, para. Acho que vou vomitar.

Minha família está reunida na sala de estar, parecendo uma ilustração do Norman Rockwell. (Eu não estava planejando vir para casa. Fui embora por um motivo, não? Mas descobri que não conseguia ficar longe.)

Larry está bebendo um uísque devagar. Cynthia e Zoe estão lendo a mesma pilha de papéis.

"Nunca soube que Connor se interessava tanto por árvores", Cynthia diz.

Falando no diabo. Não posso dizer que estou surpreso por ser o tema da conversa. Eles já adoravam falar de mim pelas minhas costas quando eu estava vivo.

"Tenho quase certeza de que estão falando sobre maconha", Zoe diz.

"Onde? Não estou vendo isso", Cynthia diz.

"Quando eles falam árvores?"

"Ah", Cynthia diz. "Ah."

Olho por sobre o ombro da minha mãe e vejo meu nome no papel. Também vejo o nome Evan Hansen.

"Você precisa ler isso, Larry."

Larry assente, dá um gole de seu Laphroaig. (Beber uísque não conta como vício, sabe. Faz parte do trabalho. Afinal, a firma do velho dá uma garrafa nova para ele todo Natal. Eu experimentei a coleção do meu pai. Não é para mim. Álcool sempre foi a brisa que menos curti.)

"Ele parece só, não sei, diferente", Cynthia diz.

Eles estão lendo e-mails. De mim para Evan. De Evan para mim. O que é isso? "Adorei aquele documentário de que você me falou. Foi encantador." Quem fala desse jeito? "Estou ansioso para fazer longas caminhadas com você no verão." É uma verdadeira história de terror. "Pensei bem no que você falou. Família é muito importante mesmo."

Já passei muitas noites chapado. Fiquei acordado até tarde muito louco escrevendo um monte de besteira. Mas nunca criei nada tão bobo.

Querido Evan Hansen, você é o cara.

Incrível.

A vida está melhorando. De verdade.

Retiro o que eu disse. Esse lance é genial.

Estou disposto a mudar. Graças a você.

Por que Evan está fazendo isso? Primeiro planta uma carta para eu achar. Agora envolve minha família no meio, enchendo-os de mentiras? Adivinha só, mãe. O motivo por que pareço "diferente" é porque não sou *eu*, porra.

Minha mãe tira os óculos de leitura, aqueles com que nunca queria sair nas fotos. "Nunca soube que nossos passeios ao pomar de macieiras eram tão importantes para ele."

O pomar de macieiras. Faz anos que não penso naquele lugar. Na verdade, devo dizer que nada de ruim me vem à mente em relação ao pomar. Nenhuma briga feia, nenhum episódio traumático. É o que normalmente acontece quando mergulho longe demais nas minhas próprias memórias. O pior sempre aparece primeiro. Mas aqueles passeios até o pomar eram bem monótonos. Em um bom sentido. Agíamos como uma família normal. Minha mãe preparava alguma comida para levarmos. Eu e Zoe rolávamos pela colina esburacada. Meu pai deixava o trabalho de lado. Prestava atenção em nós. Por que isso não acontecia com mais frequência? Por que não levávamos esse sentimento para casa?

"Ele fala aqui que, quando fechou, sentiu que a infância dele tinha chegado ao fim. Faz sentido se você parar para pensar. Foi mais ou menos na época em que o comportamento dele começou a mudar."

Hum, não. Se essa é a resposta que você quer, mãe, está procurando no lugar errado. A minha mãe é assim mesmo. Veja só, meu pai está convencido de que só existe uma resposta para cada pergunta. Mas minha mãe vai continuar procurando eternamente. Vai tentar de tudo. Parece nobre — e talvez até seja — mas até essa filosofia pode começar a parecer tortura. Especialmente se a cobaia for você.

"Não aguento mais", Zoe diz. Ela solta os papéis e se levanta do sofá. Felizmente, alguém na minha família parece ter um detector de mentiras funcionando.

Mas ela não consegue escapar. Larry lança uma de suas perguntas vazias: "Como vai a escola?".

"Incrível", Zoe diz. "De repente, todo mundo quer ser meu amigo. Sou a irmã do garoto morto."

O garoto morto. Eu.

"Tenho certeza de que o sr. Contrell está feliz de ter você de volta na aula", minha mãe diz.

"Não precisam fazer isso", Zoe diz.

"Isso o quê?"

"Só porque Connor não está aqui, tentando arrebentar a minha porta, gritando que vai me matar sem motivo nenhum, não quer dizer que de repente viramos uma família feliz de novela."

Não é a coisa mais agradável de ouvir da sua irmã mais nova. Mas, na verdade, acho que existe um elogio aí, em algum lugar. Alguma justiça, pelo menos. Porque eu sempre disse: talvez não seja eu quem esteja contaminando o lago da nossa família, mas, sim, o contrário.

Ela sai violentamente. Nem tão violentamente assim, na verdade. Se fosse eu, teria quebrado alguma coisa. (Depois, ficaria arrependido. Mas não o suficiente para pedir desculpas. Nem para não fazer de novo.)

"Ela vai ficar bem", minha mãe diz. "Estamos sofrendo cada um à sua maneira."

Larry volta para seu uísque.

Minha mãe volta para os e-mails. "Parece que estou vendo um novo lado dele. Ele parece muito mais leve aqui. Não lembro da última vez em que o vi rir."

Eu rio muito. Quero dizer, *ria* muito. Ria de como tudo era absurdamente fodido. Ria porque não tinha mais nada que pudesse ser feito. Dava para rir ou chorar. Eu fazia muito dos dois. Mas, sabe, sempre que minha mãe tinha um vislumbre do meu verdadeiro eu, ela não aguentava. Era tanto medo nos olhos dela. Havia amor, também — dava para ver. Mas o medo... era o que me pegava. Você nota aquele olhar e não fica nem um pouco a fim de se abrir. Não, você se fecha rapidinho.

"Vou para a cama", meu pai anuncia.

"Vem sentar comigo."

"Estou exausto."

"Sabe, Larry, alguma hora você vai ter que começar..."

"Hoje não. Por favor."

Acho que é isso que mereço por ter construído muros tão altos. Minha família nunca soube nada de verdade sobre a minha vida. Às vezes, eu fazia referência a *um amigo* (sair com *um amigo*; ganhei de *um amigo*). Mas acho que eles não acreditavam em mim. Até porque nunca citei um nome.

(Mesmo agora, não gosto de dizer o nome dele. Fico me perguntando: será que ele percebeu que eu morri?)

Subo a escada até o quarto de Zoe. Eu a encontro dedilhando sua guitarra desplugada. O que ela disse sobre mim é apenas parcialmente verdade. Eu gritei com ela algumas vezes. Bati na porta dela. Mas nunca a ameacei de morte. Será que ela realmente pensa isso de mim? É claro que eu nunca a machucaria. É como aquela citação: "cheio de som e fúria, significando nada". Esse era eu. (Era Shakespeare também. Só porque não entreguei o trabalho sobre *Macbeth* não quer dizer que eu não tenha prestado atenção. Talvez eu tenha prestado atenção até demais.)

Ela está sentada no chão agora, as costas na cama. Parou de dedilhar. Coloca a palheta na boca e anota alguma coisa em um caderno.

Não consigo lembrar da última vez em que estive em seu quarto. Fomos vizinhos de porta que pararam de se cumprimentar. Pensei que ela era a irmã organizada, mas está um caos aqui dentro. Roupas jogadas. Fotos polaroid borradas de natureza morta. Uma pilha de cordas de violão. Torrada velha em um prato, perto de uma faca suja.

(Lady Macbeth é outra suicida famosa. Tem uma fala dela que grifei. Algo sobre a satisfação por ter provocado o caos não durar. No fim, a única solução é se autodestruir.)

Uma música nova. Zoe está falando. Não falando, na verdade. Cantando baixo:

Eu poderia me deitar e me esconder no escuro
Aqui na minha cama chorando até amanhã

Ela silencia as cordas. Anota mais no caderno. Canta a cappella:

Poderia me entregar ao abatimento puro
Mas me diga, me diga por quê?

Ela murmura enquanto escreve. É uma melodia em composição. Pega a palheta. Embala a guitarra junto ao peito como aquele ursinho esfarrapado que ela carregava para tudo quanto é canto.

A gente se dava bem no início. Passageiros do banco traseiro na mesma viagem. Dividíamos a cama nas férias. (Antes de Larry ter papel timbrado com seu nome, ficávamos todos amontoados em um único quarto de hotel.) Dávamos comida para os gatos embaixo da varanda. (Isso era na casa antiga. Cynthia não queria que os deixássemos entrar. "Doenças", ela dizia.) Trocávamos doces de Halloween. (Zoe gostava de chocolate. Eu preferia os mais azedinhos.) Ela queria participar de tudo que eu estivesse fazendo. Brincar com meus carrinhos e bonecos do X-Men. Fingir que era uma soldada no meu exército.

Em algum momento, porém, ela parou de brigar por mim. Cadê a lealdade? No outro dia, no almoço, quando eu e Evan tivemos aquela discussão, ela foi ver se *ele* estava bem. E eu? Quem estava vendo se *eu* estava bem?

Por que eu deveria estar com o coração pesado?
Por que deveria me partir em pedaços?
Por que deveria desmoronar por você?

Nunca soube que ela cantava aqui. Agora que estou ouvindo, não tenho como não prestar atenção. Ela enuncia cada sílaba, demandando minha atenção. Um momento particular revelado sem querer. Há tanta dor em sua voz. Ainda mais em suas palavras.

Por que eu deveria fingir sofrimento e mentir?
Dizer que sinto sua falta e que
Meu mundo deixou de brilhar
Esta noite não vou lamentar

Não é bem uma canção de ninar.

11

O sr. Lansky recolhe nossas provas e promete que os resultados do teste que acabamos de fazer não vão contar para a nota final. É um alívio, considerando que mal consegui me concentrar. O sr. Lansky quer ver o que cada um de nós sabe ou não sobre os diferentes estados da matéria. Estou mais concentrado no que sei ou não sobre a minha própria vida.

O que sei: eu e Jared deixamos um envelope com e-mails na casa dos Murphy na terça. Hoje é quinta.

O que não sei: se os Murphy receberam os e-mails. Se os leram. O que acharam do que leram. Se os e-mails ajudaram ou não. O que vão querer de mim agora.

Nem lembro o que eu e Jared escrevemos. As palavras chegaram em uma torrente confusa de inspiração. Deixei minha única cópia física na casa deles. Eu ia pedir para Jared me enviar os arquivos, caso já não os tivesse deletado, mas achei melhor não. Estou tentando esquecer que eles existem. Que fizemos aquilo.

O sinal toca e chega a hora do almoço. Deixo meus colegas irem na frente. Para que a pressa? Antes de tudo isso acontecer, eu era sozinho, mas ainda tinha um tantinho de esperança. Connor Murphy não fazia parte do meu cotidiano. Assim como eu, ele existia em segundo plano. Nossos caminhos não se cruzavam e, caso tenham se cruzado, nenhum de nós chegou a notar. Eu podia me sentar no fundo do refeitório, lançando olhares furtivos para Zoe e imaginando a possibilidade, ainda que irracional, de que um dia poderíamos ficar juntos. Agora nem levanto mais a cabeça durante o almoço. Fico com muito medo de receber mais um daqueles seus olhares frios do outro lado do refeitório.

Entro pelas portas duplas abertas do refeitório e me deparo com um atentado de sons e aromas. Sou o último a chegar, parece, mas não importa, porque não preciso de muito tempo para comer, se é que vou conseguir engolir alguma coisa. Não faltam lugares vazios na minha mesa de sempre. Sento em um deles. Enquanto sento, alguém diz:

— E aí, Evan.

O garoto à minha frente me parece familiar, mas não sei o nome dele.

— Sam — ele diz. — Estamos na mesma turma de inglês.

— Ah. Claro. E aí.

Sam volta a comer. Fico olhando sua mata densa de cabelo. De onde esse garoto surgiu? Ele sempre esteve aqui? Passei quase todo o ensino médio invisível. Ser reconhecido de repente me enche de um medo estranho e perturbador.

Como meus olhos já estão erguidos, continuo assim e observo ao redor. Como eu temia, tem pessoas me encarando. Não Zoe. Os olhares vêm de todo o refeitório, mas não ao mesmo tempo. Não estão exatamente me encarando, e sim lançando olhares. Uma virada de cabeça aqui. Uma espiadinha ali.

Baixo a cabeça e começo a tirar o sanduíche da embalagem. A essa altura, basta olhar para a manteiga de semente de girassol que me encho de pavor. Quando eu trabalhava no parque Ellison durante o verão, eu e meu chefe, o guarda Gus, comprávamos almoço em um dos food trucks que tinha por perto. O meu favorito era o dos tacos coreanos. Estou praticamente salivando agora só de pensar naqueles tacos. Aquilo sim era vida. Até fico animado para o jantar. Hoje vai ser a noite de tacos com a minha mãe.

Dou uma mordida no isopor sem gosto nas minhas mãos. O banco treme quando alguém se senta ao meu lado.

— Ai meu Deus, como você está? — Alana Beck pergunta. — Como vão as coisas?

Meu tempo de reação em situações sociais é sempre lento, mas com Alana é ainda mais demorado. O sorriso radiante dela é como o sol refletido na neve.

Não sei direito por que ela está tão interessada no meu bem-estar, mas é bom que alguém tenha perguntado.

— Estou bem, acho.

Ela estremece, como se sentisse uma dor.

— Você é incrível.

— Eu?

— Jared contou para todo mundo sobre sua amizade com Connor, como vocês eram próximos e que eram, tipo, melhores amigos.

Agora sou eu quem estremece de tanta dor. Dá para desenvolver uma úlcera instantaneamente?

— Está todo mundo comentando sobre como você tem sido forte nessa semana — Alana diz, as mãos entrelaçadas, uma freira consolando um paciente de cama.

— Está? — Minha voz embarga e quase me quebro em pedaços.

Olho ao redor. É por isso que estão todos me encarando? Sam acena como se respondesse minha dúvida.

— Tipo, qualquer outra pessoa no seu lugar estaria destruída — Alana diz. — Dana P. estava chorando tanto ontem no almoço que distendeu um músculo do rosto. Foi parar no hospital.

— Dana P. não entrou esse ano? Ela nem conheceu o Connor.

— Era por isso que ela estava chorando. Porque agora ela nunca vai poder conhecer. Connor está realmente unindo a escola. É incrível. Pessoas com quem nunca conversei antes querem falar comigo agora porque sabem o que o Connor significava para mim. É muito emocionante. Até abri um blog sobre ele, meio que uma página memorial.

Abro a boca para falar mas não consigo dizer nada. Minha frequência cardíaca triplicou. Um demorado gole de água ajuda um pouco.

— Não sabia que o Connor era seu amigo.

— Não amigo, na verdade. Mais um conhecido. Mas um conhecido *próximo*.

Minha frequência cardíaca cai para apenas o dobro da velocidade normal.

— Ele nem deve ter comentado de mim nem nada — ela acrescenta.

Não sei dizer se ela está fazendo uma pergunta ou uma afirmação. De qualquer maneira, meus lábios estão selados.

— Sinceramente? — ela diz. — Acho que parte de mim sempre soube que vocês eram amigos. Vocês escondiam bem, mas eu super sabia. — Ela se inclina à frente. — Me conta uma coisa.

— O quê?

— A foto que está todo mundo postando do Connor? Aquela em que o outro cara está cortado? O outro cara é você, não é?

Ela fica me encarando. Estou com medo demais até para respirar.

Ela sorri.

— Sabia.

Sam também sorri.

Não falei nada. Não fiz nada. Nem um aceno, nem uma piscada nem uma contração.

— Aguenta firme, Evan — ela diz antes de sair.

Quero estar em outro lugar, qualquer lugar. Pego meu almoço e vou em direção à porta.

Jared aparece no meu caminho, de braços abertos, me recebendo. Vou abraçá-lo.

— Está maluco, é? — ele diz, me dando um empurrão.

— Desculpa. Pensei que...

— Estou tentando mostrar um negócio pra você, idiota. — Ele aponta para o peito. No seu coração, há um bóton com o rosto sorridente de Connor Murphy. É aquela mesma foto de Connor. Jared coloca a mão dentro de uma sacola de lona pendurada no ombro e tira um bóton idêntico, que prende na minha camiseta. — Estou vendendo cada um por cinco contos, mas para você eu faço por quatro.

— Você está ganhando dinheiro com isso? Com o... — Nem consigo falar.

— Não sou o único — Jared diz. — Não viu as pulseiras com as iniciais do Connor que a Sabrina Patel começou a vender durante o intervalo? Ou as camisetas que a mãe do Matt Holtzer fez?

— Não, não vi. Não acredito que estão fazendo isso.

— É uma simples questão de oferta e demanda, meu amigo. Agora estamos no auge. — Ele dá uns tapinhas na sacola de lona. — Tenho que vender esses bótons antes que o mercado perca o interesse por recordações do Connor Murphy.

Ele sai andando. Grito para as costas dele.

— Não vou usar esse troço. — Arranco o bóton o mais rápido possível. Jogo nele. Enquanto faço isso, vejo, por sobre seu ombro, o olhar de Zoe Murphy. Ela acabou de me ver tirar o bóton de Connor da camiseta e jogá-lo do outro lado do corredor com desdém.

Jared sai andando e Zoe assume o lugar dele, parando à minha frente.

— Qual é o problema? — ela pergunta. — Não está a fim de usar o rosto do meu irmão no peito?

E se eu pegasse um dos bóton e espetasse a ponta do alfinete no meu olho? A justiça estaria feita?

Zoe observa o refeitório.

— Ele teria odiado isso. — E então, se voltando para mim: — Você não acha?

Parece uma pergunta sincera, como se ela realmente quisesse minha opinião. Mas, enfim, talvez seja um teste.

— Provavelmente — digo.

Há tanto peso dentro do olhar dela. Não consigo decifrar o que esse peso significa ou que forma em particular ele assume, mas, no geral, como um todo, é colossal, e estou olhando diretamente para ele.

Ela está prestes a sair, mas sua retirada é interrompida. Baixo os olhos para ver o que ela vê. É meu gesso, o que está escrito nele. Quando vou conferir a reação dela, é tarde demais. Ela já está no meio do refeitório, engolida pela multidão.

É estranho voltar ao laboratório de informática. Faz apenas uma semana que Connor Murphy roubou minha carta. Eu nem sabia que ele estava lá naquela hora. Agora olho por sobre o ombro, vendo quem está aqui. Alguns alunos. Não vejo Connor. É óbvio que não. Ele não está vivo. Não dá para ver pessoas mortas.

Talvez ele pudesse estar vivo agora se eu não tivesse imprimido a droga daquela carta. Assim que apertei o *enter* no teclado, foi como se tivesse dado início a uma trágica reação em cadeia. Se a conexão wi-fi tivesse falhado e o comando não tivesse chegado à impressora, Connor poderia estar vivo. Se minha mãe não tivesse agendado a consulta com o dr. Sherman para aquele dia específico,

Connor poderia estar vivo. Além disso, se eu nunca tivesse quebrado o braço, não haveria gesso para Connor assinar, e talvez eu pudesse ter acabado com esse mito antes que ele ganhasse força.

Considerando a altura de que caí daquela árvore, poderia ter quebrado muito mais do que apenas o braço. Tive sorte. É o que todos dizem. Eu não me sentia com sorte, deitado ali com a pior dor física da minha vida. Mas acho que é verdade. Eu poderia ter quebrado as costas. Rachado a cabeça. Ou coisa pior.

O guarda Gus me levou para o hospital. Ficava perguntando o que eu estava fazendo no alto daquela árvore. Eu não sabia como falar para ele que senti uma vontade súbita de subir na árvore quando deveria estar trabalhando. Inventei uma história na hora que achei que poderia soar melhor, algo sobre ter encontrado um cachorro perdido durante a ronda. Que o cachorro fugiu antes que eu conseguisse pegá-lo e que corri atrás dele. Pensei que poderia ter uma visão melhor de tudo se estivesse no alto da árvore.

"Me chama no rádio", o guarda Gus disse. "Quantas vezes preciso falar isso? Qualquer coisa fora do comum, você me chama no rádio." Ele estava bravo.

Houve vários casos ao longo do verão em que fui pego de surpresa pela mudança súbita no tom de voz do guarda Gus e precisei me lembrar de que, por mais que ele parecesse meu amigo, ele era meu chefe. Um desses casos foi quando tentei chamá-lo de Gus, sem o *guarda*, e ele me corrigiu imediatamente.

"As regras existem para a sua segurança", o guarda Gus disse do banco do motorista de uma das caminhonetes do parque. "Para a segurança de todos, inclusive do parque. Parece que você jogou tudo isso pela janela."

Ele estava certo. Na verdade, eu não ligava nem um pouco para segurança naquele momento. Era a última coisa em que estava pensando.

"Olha, sei que você está com dor", o guarda Gus disse. "Mas, se não aprender nada com isso, toda essa dor vai ter sido em vão."

Não me importei que o guarda Gus estivesse sendo duro comigo. Até que fiquei um pouco agradecido.

"Você ligou para sua família?", ele perguntou.

A reação do guarda Gus foi melhor que a do meu pai. Quando contei a ele no dia seguinte, meu pai começou a falar que sua enteada mais velha, Haley, tinha quebrado o punho no ano passado. Descreveu como cicatrizou rápido e que não demorou para que ela voltasse a praticar esportes. Se a intenção dele era me fazer me sentir melhor, não deu muito certo. Eu teria preferido qualquer resposta à que ele me deu. Ele poderia ter rido de mim por ser desajeitado, ou se solidarizado com um simples "Puxa vida!", ou ter contado uma história sobre um osso que *ele* quebrou na juventude. Haley era a última pessoa de quem eu queria saber naquela hora.

"Mandei uma mensagem para a minha mãe", respondi ao guarda Gus. "Acho que ela está na aula." Por coincidência, ela não estava no hospital naquele dia quando chegamos. Lembro de me sentir aliviado quando me dei conta disso.

Não falo com o guarda Gus desde o fim do meu período como aprendiz. Passei cinco dias por semana durante dois meses com ele, e agora não temos mais nada em comum. Sei lá. Parece estranho. Em um minuto, somos uma equipe ou coisa do tipo e, agora, ele deve estar ocupado ensinando um novo recruta.

Ligo o computador. Eu poderia mandar um e-mail para o guarda Gus e perguntar como ele está. Mas, considerando a frequência com que ele usa a internet, é provável que demore semanas para ver meu e-mail. Tentei convencê-lo a criar um perfil nas redes sociais para ele e o parque, mas não deu certo. O guarda Gus é um daqueles tipos desconectados que acha que a tecnologia está arruinando a sociedade. Além disso, se eu mandasse um e-mail perguntando da vida dele, acabaria tendo de falar da minha.

À noite, estou ocupado tentando terminar alguns dos trabalhos da escola antes do jantar quando vejo que tenho um novo e-mail na caixa de entrada. O assunto diz: "Obrigada". Abro e descubro que é de Cynthia Murphy. Ver o nome dela deixa minha visão turva. Por que fui deixar meu verdadeiro e-mail naquelas mensagens que dei para ela? Deveria ter inventado uma conta falsa para mim também.

Começo a ler.

Querido Evan,

Recebemos o pacote que você deixou. Não sabemos como agradecer por nos confiar essas conversas particulares. Elas definitivamente nos dão uma visão nova sobre o Connor, uma que nunca tivemos, uma que quase não conseguimos relacionar com o garoto que conhecemos.

Você mencionou que havia mais e-mails. Ficaríamos gratos por tudo que você decidir nos mostrar no ritmo em que achar melhor. Ler esses e-mails é quase como poder ver Connor ainda vivo, e parte de mim quer estender essa experiência para sempre.

Mas gostaria de pedir um favor. Queria saber se você tem algum e-mail relativo à triste luta de Connor contra o abuso de substâncias. Especificamente, ele diz o nome de alguém que vendia drogas para ele? Você poderia dar uma olhada? Claro, meu marido acha uma perda de tempo, mas eu dormiria melhor à noite sabendo que você olhou tudo e pode confirmar que não encontrou nada.

Por fim, quando veremos você novamente? Está livre amanhã à noite? Adoraríamos receber você para jantar de novo.

Com todo o carinho,
Cynthia

Aqueles e-mails não foram suficientes para ela. Ela quer mais. Isso nunca vai ter fim.

Nomes? Por que ela está me pedindo nomes? Para ela poder entregar para a polícia? Com certeza não é para mandar cestas de presentes. Não, ela quer justiça. É a minha interpretação dessa leitura, e me sinto confiante ao menos em relação às minhas habilidades de interpretação de texto. Me sinto confiante em relação a outra ideia também: Cynthia Murphy ir à polícia é, oficialmente, *o pior que pode acontecer.*

No meu criado-mudo, perto da pilha de papéis sobre redações para bolsa universitária, estão dois recipientes. Uma garrafa d'água e um frasco de Lorazepam. Tomo um comprimido com um gole d'água. Fecho os olhos, desejando que as substâncias percorram meu corpo. Meus ombros relaxam e minha respiração se acalma enquanto espero a restauração.

Certo. Isso precisa acabar. Preciso *fazer* isso acabar. É só falar para a Cynthia que não tem nenhum nome. É a verdade. (Começo a seguir as verdades como se fossem migalhas que podem me tirar dessa situação.) Mas e se ainda não for o suficiente para ela? E se ela não aceitar um não como resposta? Estamos falando de uma mãe em luto. Essa mulher perdeu o filho. Isso não é brincadeira para ela. Para mim também não.

É isso. Não posso continuar assim. Está na hora de contar a verdade. *Toda* a verdade. É o que tentei fazer desde o começo, mas não falei alto nem claro o bastante. Vou resolver isso. Vou voltar para a casa deles e encará-los nos olhos e simplesmente confessar.

— Está tudo bem?

É minha mãe na porta do quarto. Juro que ela tem algum tipo de superpoder para aparecer de maneira súbita e inconveniente.

— Sim. Está. Claro. — Esse Lorazepam age bem rápido.

—Você está com uma cara de concentrado. — Ela semicerra os olhos, me imitando. — Me deixa adivinhar. — Ela se aproxima. — É matemática? Sempre foi minha pior matéria.

Fecho o notebook antes que ela possa ver. Ela para no meio do caminho e trocamos um olhar.

— Só estava... escrevendo um e-mail pro Jared — digo, as mãos tremendo. — Ele estava com uma dúvida.

Evito o olhar dela e noto que ela está de uniforme.

— Parece que você e o Jared estão ficando mais tempo juntos. — Ela parece aliviada. — Sempre disse que ele seria um bom amigo para você.

— Sim, muito bom. — Ela está com a bolsa no ombro e as chaves do carro na mão.

— Estou orgulhosa de você. Interagindo com as pessoas.

— Claro — digo, sem entusiasmo.

— Bom, estou saindo, mas deixei dinheiro na mesa. — Ela se vira para ir. — Pede o que quiser, tá?

Um enjoo cresce e se mistura ao que já está aqui dentro. Queria não me importar.

— Pensei que a gente faria tacos hoje. Olharia os formulários dos concursos de redação.

Ela arregala os olhos.

— Era hoje. Ai meu Deus. Ai, filho. Esqueci completamente. Saco. — Ela bate com as chaves na testa.

—Tudo bem — digo. Afinal, o que mais eu poderia dizer?

Ela senta na minha cama e olha para a pilha na minha mesa de cabeceira.

— Quer saber? Você deveria se adiantar e dar uma olhada sem mim. Depois, se tiver alguma ideia, me manda por e-mail e posso responder com alguma ideia que eu tiver. É melhor, não é? Assim você não precisa ter pressa?

Concordo com a cabeça, querendo acabar logo com essa conversa.

— Sim. Claro.

— Podemos fazer tacos outra noite, Evan. Podemos fazer amanhã. Que tal amanhã à noite?

— Amanhã eu não posso. Tenho... Estou ocupado.

Minha mãe não me ouve. Está olhando a hora no celular.

— Merda. Estou atrasada.

Saio da cama.

— Pode ir. — Aqueles penicos não vão se limpar sozinhos.

— Não, vamos pensar em alguma coisa.

— Tudo bem.

— Evan...

Vou em direção à porta.

— Vou fazer o jantar para mim — digo, deixando-a sozinha e atrasada no meu quarto.

12

Esta é a cama de casal em que Connor Murphy dormia. O piso de madeira que suas botas arranharam. As paredes brancas que ele fez de tudo para encher de coisas. Estar em meio a pôsteres de filmes e bandas, artesanatos, e uma medalha de brincadeira que diz VESTI CALÇAS HOJE é como uma foto de perto de uma mão com o dedo do meio levantado. O dedo do meio está pintado de preto com letrinhas brancas desenhadas. Só quando você coloca o rosto bem pertinho da foto consegue ler o que as letras brancas dizem: BU!

Estou assustado, sim. Mas já estava antes de entrar no quarto de Connor. Cynthia me disse para subir enquanto ela termina de preparar o jantar. Pelo jeito, de tanto pânico, cheguei uma hora antes do combinado. Eu me ofereci para ficar lá embaixo e ajudar a servir a mesa, já que ela parecia estar fazendo tudo sozinha, mas ela insistiu para eu subir e passar "um tempo a sós com Connor".

Está quase vinte e sete graus lá fora, mas, dentro da casa dos Murphy, estou tremendo. Essa mulher está prestes a ter o coração partido pela segunda vez, e agora sou eu quem vai parti-lo. Ela me disse de novo sobre como as mensagens entre mim e Connor foram importantes para ela, como estão ajudando a mantê-lo vivo. Posso ver uma nova leveza nela hoje e, no entanto, aqui estou eu, prestes a tirar Connor dela outra vez e me revelar uma péssima pessoa. Detesto fazer isso com ela, mas que escolha eu tenho? É pior continuar contando um monte de mentiras sobre mim e seu filho.

Por mais torturante que possa ser estar aqui no espaço privado de Connor, talvez seja o mais próximo que já estive de quem ele realmente era. Além das diferenças óbvias entre o quarto dele e o meu — minha cama tem metade do tamanho da dele, meu piso é coberto por um carpete e minhas paredes são pintadas de verde-claro —, há algumas semelhanças impressionantes. Em nenhum lugar deste quarto há sequer uma alusão a algo relacionado a esportes. Sempre me senti diferente das pessoas da minha idade por não me interessar nem um pouco em praticar ou assistir a esportes.

Além disso, assim como eu, ele tem prateleiras abarrotadas de livros. Vejo *O guia do mochileiro das galáxias*, *O apanhador no campo de centeio*, *O grande Gatsby* e *Os mistérios de Pittsburgh*. Nunca ouvi falar de alguns títulos, outros eu também tenho. Vejo uma edição escolar de *Macbeth* do nosso primeiro ano do ensino médio. Ele tem pelo menos meia dúzia de romances do Kurt Vonnegut. Alguns têm as classificações decimais de Dewey na lombada. Parece uma contradição: Connor Murphy em uma biblioteca.

Um dos títulos que tenho: *Na natureza selvagem*, de Jon Krakauer. Vi o filme, depois li o livro. É sobre um cara de vinte e poucos anos que tenta viver sozinho no Alasca. Quando o assunto era natureza, ele sabia muito bem o que estava fazendo. Teria se tornado um guarda-florestal ótimo. Infelizmente, acabou cometendo um erro fatal e morreu no meio do mato.

É uma sensação estranha, saber que eu e Connor lemos o mesmo livro. É possível que eu tivesse mais em comum com ele do que tenho com a maioria dos meus colegas de escola. Se nós dois tivéssemos nos sentado na mesma mesa durante o almoço, poderíamos ter conversado sobre outros livros que lemos, como *Matadouro*

5. Vai saber, talvez poderíamos ter sido amigos de verdade. Coisas da vida.

Um dos livros de capa dura de Connor não tem luva nem título. Eu o tiro da prateleira. É um caderno cheio de desenhos. São estranhos e perturbadores, mas também complexos e habilidosos. Um deles mostra um homem de galochas segurando um guarda--chuva. Ratos e aranhas estão caindo do céu. O chão e as árvores também estão cobertos de ratos e aranhas. Uma legenda em baixo diz: *Criaturismo*. Chega a ser engraçado.

— Por que você está no quarto do meu irmão?

Praticamente jogo o caderno de Connor de volta na prateleira antes de olhar para Zoe.

— Cheguei mais cedo e sua mãe me mandou subir.

— Seus pais não se incomodam de você vir aqui o tempo todo? — ela pergunta.

Não venho aqui o tempo todo. Só vim duas vezes. Mas eu é que não vou contradizer Zoe Murphy na casa dela (nem em nenhum lugar, inclusive).

— Somos só eu e minha mãe — digo —, e ela trabalha quase todas as noites. Ou está na aula.

Ela se apoia no batente.

— Aula de quê?

— Coisas de direito.

— Ah, é? Meu pai é advogado.

— Ah — digo, coçando a orelha. Não estou realmente com coceira, mas sinto um impulso fortíssimo de me arranhar de repente.

— E seu pai, onde está? — Zoe pergunta.

Agora estou limpando a garganta. Limpando a garganta e coçando. Nada esquisito.

— Ele mora no Colorado. Foi embora quando eu tinha sete anos. Então. Também não liga que eu esteja aqui.

Ela arqueia as sobrancelhas.

— Colorado não é perto.

— Não, não é. Quase dois mil e novecentos quilômetros, na verdade. Ou alguma coisa assim. Nunca parei pra calcular. — (É claro que eu já parei para calcular.)

Ela entra no quarto e dou um passo para trás, chutando uma lata de lixo de metal sem querer. É praticamente um címbalo, tão alto é o barulho que parece reverberar ao nosso redor.

Ficamos ali parados, constrangidos, em lados opostos do quarto. Os únicos lugares para sentar são a cama e a cadeira da escrivaninha. Não me movo em direção a nenhum dos dois.

— Enfim, seus pais parecem legais.

— Claro — Zoe ironiza. — Eles não se suportam. Vivem brigando. — Ela se aproxima e se senta na cama de Connor. Sua calça de veludo cor de ferrugem sobe um pouco, revelando seus tornozelos.

Tento recuar mais um pouco, mas tem uma parede atrás de mim e quase derrubo algo dela.

— Bom, todos os pais brigam, certo? É normal.

— Meu pai está em negação completa. Nem chorou no funeral.

Não faço ideia de como reagir a isso. Mas definitivamente *não é* algo que se revela a alguém que você odeia. Mesmo se ela não me odiar agora, definitivamente vai me odiar depois.

— Sua mãe falou que vai ter lasanha sem glúten pro jantar — digo. — Parece bem...

— Insosso?

Tento não dar risada.

— Não. Você tem sorte que sua mãe cozinha. Eu e minha mãe pedimos pizza quase toda noite.

— Você tem sorte por *poder* comer pizza — Zoe diz.

— Vocês não podem comer pizza?

Ela revira os olhos.

— Agora podemos, acho. Minha mãe era budista no ano passado, então não podíamos comer nada de origem animal.

— Ela era budista no ano passado mas não este ano?

— É o lance dela. Ela entra numas ondas diferentes. Por um tempo foi pilates, depois *O segredo*, depois budismo. Agora é animais criados em liberdade, *O dilema do onívoro* ou algo assim. É difícil de acompanhar.

Além do fascínio da minha mãe por astrologia e rock clássico, ela não tem muitos interesses ou hobbies. Tentei convencê-la a fazer algumas trilhas comigo, mas ela disse que não gostava de insetos.

Zoe coça o ombro cheio de sardas e depois se recosta com as duas mãos apoiadas atrás dela. Ela sorri para mim, e meu corpo todo vê isso como um convite. Baixo os olhos e tento lembrar do que estávamos conversando.

— Acho legal sua mãe se interessar por coisas diferentes.

Ela parece confusa por eu estar confuso.

— Ela não se interessa. É só o que acontece quando você é rico e não trabalha. Você fica louco.

— Minha mãe sempre diz que é melhor ser rico do que ser pobre.

— Sua mãe nunca deve ter sido rica, então.

— E você nunca deve ter sido pobre.

Eu falei isso mesmo? Sinto meu rosto começar a ficar vermelho e quente.

— Desculpa — digo. — Não queria... foi muita grosseria.

Ela ri.

— Não sabia que você era capaz de alguma coisa que não fosse educada.

— Não sou. Nunca digo coisas que não são educadas. Nunca nem *penso* em coisas que não são educadas. Só... desculpa, sério.

— Eu estava impressionada. Agora você está estragando tudo.

Ai, merda.

— Desculpa. — Merda.

— Não precisa ficar pedindo desculpa.

Eu quero pedir. Muito.

Ela se senta na cama e pega um cubo mágico resolvido no criado-mudo de Connor.

— Quer pedir desculpas de novo, não quer?

— Sim, muito.

Ela sorri para mim, um sorriso sincero e genuíno, do tipo que ela parece relutante a abrir gratuitamente para qualquer um, e me sinto aquecido por ele. Tipo: eu fiz isso acontecer.

Ela gira uma placa do cubo e então, pensando melhor, a gira de volta, sem querer estragar sua perfeição. Ela o devolve para onde o pegou.

— Acho que eu deveria pedir desculpas pelo e-mail da minha mãe. Falei para ela não mandar. — Zoe ergue os olhos. —Você não deve ter encontrado o que ela queria.

Faço que não.

— Foi o que pensei. Minha mãe não entende nada dessas coisas. Nunca sabia quando meu irmão estava chapado. Ele ficava falando muito devagar e ela dizia: "Ele só está cansado". — Ela pausa e observa o cubo mágico. — Por que ele falou aquilo?

É quase um sussurro. Ela se esqueceu de mim.

— Na carta — ela diz. — "Porque tem a Zoe. E toda a minha esperança está na Zoe. Que eu nem conheço e que nem me conhece." Por que ele escreveria isso? O que isso quer dizer?

— Ah. Hum. — A carta. Ela decorou a carta.

Ela fica me encarando, esperando uma resposta. Como não falo nada, a cabeça dela cai e suas pernas se afastam. Reconheço essa sensação, quando seu corpo tenta se dobrar dentro de si mesmo na esperança de passar despercebido.

Não aguento vê-la dessa forma. Tão necessitada.

— Talvez... — digo. — Tipo, não tenho tanta certeza, mas, pensando agora, Connor sempre achou que, sabe, se vocês fossem mais próximos...

— Não éramos próximos — Zoe diz. — Nem um pouco.

— Não, eu sei. Mas ele dizia que queria que fossem. Queria que você fosse próxima.

Ela ergue o queixo. Parece ter ressuscitado de repente.

— Então você e o Connor falavam sobre mim?

— Ah, sim. Claro, às vezes. Quero dizer, se ele comentasse. Eu nunca comentava. Óbvio. Por que comentaria de você? Mas sim, ele achava você muito incrível.

Ela nota algo estranho.

— Ele me achava *incrível*? Meu irmão?

— Sim. Claro. Tipo, talvez ele não tenha usado essa palavra, mas...

— Como?

— Como ele te achava incrível?

— É — ela responde, erguendo os joelhos e se sentando de pernas cruzadas na cama. Engulo em seco, tentando não fazer barulho.

— Bom, então, vou tentar lembrar. Ah. Sim. — O fato de Zoe ser incrível por acaso é um assunto que conheço muito bem. — Então, sempre que você tem um solo na banda de jazz, você fecha os olhos... Você nem deve perceber que está fazendo isso, mas entreabre um sorriso, como se tivesse ouvido a coisa mais engraçada do mundo, mas é um segredo e você não pode contar para ninguém. Mas o jeito como você sorri é meio como se estivesse deixando a gente participar desse segredo também.

— Eu faço isso?

— Claro. Pelo menos era o que Connor me falava.

— Não sabia que ele ficava acordado nos meus shows. Ele sempre ia obrigado pelos meus pais.

Rio como quem diz: *É claro que ele estava acordado! É tão engraçado e ridículo o que você acabou de dizer.*

Ela baixa os olhos e esfrega a costura da coberta de Connor. Fiz de novo. Fui longe demais. Não deveria estar fazendo isso, me afundando ainda mais, sendo que vim exatamente para me libertar. Conta para ela de uma vez. Conta. Agora.

— Sabe, a primeira vez que ele falou algo legal sobre mim foi na carta — Zoe diz. — Uma carta que ele escreveu pra você. Ele nem conseguiu dizer isso pra mim.

— Ah. Bom. Ele queria. Ele só... não conseguia.

Ela absorve a informação por um momento demorado. Pergunta, acanhada:

— Ele falou mais alguma coisa sobre mim?

Como responder a essa pergunta?

Antes que eu consiga formular uma resposta, ela intervém.

— Deixa pra lá. Eu não me importo.

— Não. Não é isso. É só que ele falava muito de você.

Ela ergue os olhos. Seu olhar me percorre. *O que estou fazendo?*

— Sei que ele achou você muito bonita... quero dizer, desculpa, quis dizer que ele achou você muito *estilosa* quando pintou o cabelo de azul.

— Sério? — Ela olha para o nada, parecendo viajar no tempo até o primeiro ano, quando seu cabelo tinha mechas azuis. — Que estranho, porque ele vivia me zoando.

— Bom, ele gostava de tirar sarro de você. Você sabe disso.

— Sim — ela diz, assentindo.

— Ele reparava em muita coisa em você. Sempre prestava atenção. Só para acompanhar, acho.

De novo, tenho toda a atenção dela.

— Ele reparava que você rabisca a barra da calça quando fica entediada.

Um sorriso acanhado. Finalmente cruzo a divisa entre nós e me sento na cama, de frente para ela.

— E que mastiga a tampa das canetas. E que sua testa se franze quando fica brava.

— Eu achava que ele não prestava atenção em mim.

— Ah, prestava. Não tinha como *não* prestar.

Ela parece angustiada.

— Queria que ele tivesse me dito essas coisas.

Inspiro fundo.

— Eu sei. É só que ele não sabia como dizer tudo isso pra você. Não sabia como falar que… era seu maior fã. Ninguém era mais fã do que ele. Ele sabia como você é demais.

Seus olhos. Encarando os meus.

— Você é demais, Zoe.

Sardas no nariz.

— Nem sei como te dizer isso.

Cabelo brilhante.

— Sério.

Os lábios como almofadas rosadas. Sorrindo para mim.

— Você é tudo.

Eu os sinto. Ainda mais macios do que eu imaginava.

A mão dela no meu peito, me empurrando.

— O que você está fazendo? — Zoe diz.

— Não… Eu não… Me…

Não consigo falar as palavras. *O que estou fazendo, caramba?*

Ela se levanta com um salto, a testa franzida, me encarando, processando.

— Desculpa. Não queria…

— O jantar está pronto — Cynthia grita do andar de baixo.

Vejo a raiva de Zoe, sua confusão, sua mágoa, todas essas emoções chegando de uma vez, por minha causa.

— Fala para eles comerem sem mim.

Ela sai pela porta antes que eu consiga impedir. Antes de eu conseguir dar um jeito nessa nova confusão que acabei de criar.

Você *o quê*?

É tão ruim assim?

Você tentou beijar Zoe Murphy.
Na cama do irmão dela.
Depois que ele morreu.

Parece bem ruim quando você fala desse jeito.

Colhões.
Você tem colhões.
Como consegue andar com colhões desse tamanho?

Não foi minha intenção.
Aconteceu.

Eu me deixei levar pelo momento. Senti que ela, que nós, que *alguma coisa* estava rolando. Quando me aproximei, foi como se meu corpo estivesse agindo sem minha mente, como se estivéssemos sendo atraídos um pelo outro.

Não sei por quanto tempo fiquei sentado na cama de Connor até Cynthia surgir na porta, anunciando pela segunda vez que o jantar estava pronto. Podiam ter sido dois segundos ou vinte minutos. Só pensei em pular pela janela. Só um andar. Eu teria conseguido. Já sobrevivi a quedas maiores. Poderia ter desaparecido noite adentro sem olhar para trás.

Não sei como consegui sair daquela cama e descer a escada e sentar à mesa. Quando Zoe não apareceu, sugeri aos pais dela que talvez ela não estivesse se sentindo bem.

Como esperado, com uma refeição caseira como nunca vi na minha casa, Cynthia me perguntou se eu tinha encontrado alguma coisa nos e-mails. Larry pareceu irritado por ela tocar nesse assunto. Enquanto discutiam, lembrei a mim mesmo que essa era a minha chance de revelar a verdade. Ao menos eu não teria de fazer isso na frente de Zoe, o que era um alívio pequeno, mas não insignificante. Eu estava louco para contar. Meu estômago era um lamaçal inflamado de nervos, estava assim havia uma semana. Eu não aguentava mais. Mas, para me livrar disso de uma vez por todas, tinha de tomar uma atitude corajosa. Sou o extremo oposto de corajoso.

Ser o oposto de corajoso é tão fácil quanto respirar. Eis o que fiz. Primeiro balancei a cabeça. Depois disse: "Não achei nada". Foi isso. O momento passou. Os pais de Connor ficaram contentes em mudar de assunto e eu também. Não lembro qual foi o assunto seguinte. Não importava. Depois de um tempo, voltamos ao tema Connor. Eles me fizeram perguntas. Falei o que pensava que eles queriam ouvir. O que pensava que os deixaria felizes.

Queria que alguém pudesse fazer o mesmo por mim.

13

No ônibus para a escola, escrevo uma nova carta para o dr. Sherman:

Querido Evan Hansen,

Hoje vai ser um dia bom, e vou dizer por quê.

Porque parece que não vai chover como ontem e isso é bom, porque não precisei colocar o guarda-chuva na mochila e ela está um pouco mais leve.

Do fundo do coração,
Eu

É um pouco curta e apática, mas realista. Se o dr. Sherman questioná-la durante a sessão de hoje, pelo menos vou conseguir defender como uma verdade.

Cansei de ser ambicioso. Jared estava errado — não tenho colhões. Se ter colhões é o mesmo que ter confiança, tenho os menores que já existiram. São umas sementinhas.

Faz quatro dias desde que tentei beijar Zoe Murphy. Quer dizer, eu *beijei* Zoe Murphy. Só que foi muito rápido e ela não correspondeu, mas aconteceu de verdade. Queria que não tivesse acontecido, mas aconteceu.

Foi o terceiro beijo da minha vida, e meus dois primeiros quase não contam. Meio deprimente, se pensar que sou considerado velho o bastante para dirigir, doar sangue e tirar passaporte. Meu primeiro beijo foi com Robin, que morava na casa térrea do outro lado da rua. Aconteceu na piscina da casa dela. Foi um selinho rápido, mais engraçado do que qualquer outra coisa, porque só queríamos saber como era. E o meu segundo beijo foi com Amy Brodsky, quando eu tinha dez anos. Ela simplesmente veio para cima de mim durante o recreio um dia e eu me apaixonei por ela na hora, até vê-la fazer o mesmo com outros dois meninos na semana seguinte.

Não sou mais o mesmo desde que beijei Zoe. Não consigo mais comer nem dormir nem pensar. Tento ler, mas as linhas dos livros começam a se mexer e ficam turvas. Tento assistir filmes, mas não consigo prestar atenção no que está acontecendo. Quando minha mãe chega do trabalho, à noite, finjo que já estou dormindo, mas na verdade só estou deitado no escuro. Não consigo nem ficar no computador. Fico com medo de encontrar um e-mail novo dos Murphy, pedindo para eu ir jantar na casa deles ou mandar mais e-mails ou as duas coisas. Eles não entram em contato comigo desde que os vi aquela noite. Talvez finalmente tenham aquilo de que precisam. Talvez estejam cansados de mim.

Era o que eu queria, não era? É o que fico repetindo para mim mesmo. Então, por que estou aqui sentado agora, sentindo algo estranhamente parecido com decepção? O plano, se é que em algum momento ele existiu, era oferecer um pouco de consolo para os Murphy da melhor maneira que eu conseguisse e, depois, voltar a seguir com a minha vida. Mas agora, depois de tudo, simplesmente não parece correto.

O ônibus dá um tranco. Fico imaginando, por um momento, a motorista nos fazendo cair de um penhasco. Infelizmente não tem nenhum penhasco na cidade. Talvez ela possa nos jogar da ponte

Xavier. Ou nos fazer passar por debaixo de um viaduto muito pequeno. Meus problemas acabariam.

O pequeno conforto que sinto com essa breve fantasia de morte é superado pela minha culpa. Eu não deveria estar desafiando a mortalidade. Connor Murphy está morto de verdade, e aqui estou eu, fingindo que quero o mesmo. Não quero morrer. Finalmente tenho essa certeza. Só queria que a vida, por um dia, ou pelo menos por algumas horas, passasse sem dificuldades. Nunca consigo relaxar e só me deixar levar. Pessoas como o Rox conseguem colocar os pés para cima e simplesmente se deixar levar ao sabor da maré. Eu não. Vivo prestes a afundar.

O ônibus freia e saímos em fila. Felizmente, não vi Zoe na escola. Tentei evitá-la, e acho que ela está fazendo o mesmo comigo. Ainda assim, fico com medo de dobrar a esquina e dar de cara com ela. Sabe o que é engraçado? Quando seus nervos estão tão à flor da pele que o suor da sua mão escorre da caneta até o papel, deixando a superfície tão úmida que, quando você tenta escrever a próxima palavra, acaba rasgando o papel com a ponta da caneta. É incrível.

Estou absorto demais em meus próprios pensamentos para notar a comoção à frente. Os alunos abrem espaço para o rolo compressor que é a srta. Bortel. Ela está vindo em alta velocidade, uma caixa de papelão nos braços musculosos. Correndo atrás dela, está o diretor Howard.

— Você está piorando as coisas, Bonnie. Isso é propriedade da escola.

— Essas são as *minhas* coisas.

— Bonnie, por favor.

A srta. Bortel se vira para o diretor Howard.

— John, se prepare, porque vou meter um processo em você.

Todo mundo fica boquiaberto enquanto a srta. Bortel sai a passos largos para o estacionamento e entra em seu carro esportivo preto.

O diretor Howard, abrindo um sorriso profissional, faz sinal para circularmos. Mas não temos como fingir que não vimos o que acabamos de ver. *O que* acabamos de ver?

Ontem mesmo já notei que não tinha tanta gente me encarando durante o almoço como quando surgiu a notícia sobre a minha amizade com Connor. Agora são apenas alguns olhares passageiros. Esses poucos olhares talvez nem sejam direcionados a mim. É difícil saber.

Enquanto observo o refeitório o mais discretamente possível, avisto Sam. Meu solitário companheiro de solidão. Mas ele está sentado do outro lado do refeitório. Nos últimos dias, ele se sentou à minha mesa. Até conversamos um pouco. O que significa que dissemos "oi" algumas vezes. Imaginei que éramos o mesmo tipo de pessoa. Nós dois trazíamos o almoço de casa. Nós dois gostávamos de ficar sozinhos. Nenhum de nós tinha um lugar melhor para se sentar no refeitório. Descubro que estava errado em relação a essa última. Aparentemente, até Sam tem opções.

Volto ao meu sanduíche. De novo aquele sentimento de decepção. É com essa existência que estou acostumado, passar despercebido. Não quero as pessoas me encarando enquanto almoço. Eu deveria estar aliviado, não? Acho que, por mais constrangedor que fosse me sentir observado, eu também gostei um pouco de ser notado pelos outros, só para variar um pouco.

Fico me perguntando como Connor Murphy fazia para sobreviver ao almoço todos os dias. Onde ele se sentava? Com quem? O que ele comia? Nunca prestei atenção. Assim como ninguém presta atenção em mim.

Tiro o celular do bolso, só para ter o que fazer. Dou uma olhada em tudo. A maior parte das notícias é sobre o escândalo sexual de uma celebridade ou sobre as próximas eleições. Me interesso por um filme que vai entrar em cartaz no cinema no fim de semana, mas é a terceira parte de uma trilogia e eu ainda não vi as duas primeiras.

Estou cercado por vozes, centenas delas, e essas vozes se unem, formando um muro. Não consigo passar desse muro. Isso que carrego em minha mão é meu único jeito de entrar, o único jeito de saber o que está acontecendo no meu mundo.

De acordo com meu celular, a principal notícia na escola, como era de esperar, está focada em um único nome. Mas não é o nome que estou acostumado a ver.

Fecho o armário e Alana Beck está esperando ali. Minha caixa torácica faz o possível para conter meu coração assustado.

— Nossa! Você me assustou — digo.

— Preciso te mostrar uma coisa.

Toda vez que Alana abre a boca, tenho a impressão de que vou levar uma bronca. Ela se veste como a reitora de uma pequena faculdade de humanas, e é bem provável que se torne uma. Ela não apenas adora seguir regras, como é a única que sabe quais são.

Sua mochila bate em mim quando ela dá meia-volta. Eu a sigo pelo corredor e paramos na frente de uma lata de lixo. Alana aponta para dentro dela. Em cima de uma pilha de detritos, está um dos bótons de Connor Murphy que Jared estava vendendo.

— É o terceiro que achei — Alana diz. — O primeiro estava no chão do estacionamento. Parece que alguém passou por cima com o carro. E tinha outro no vaso sanitário do banheiro feminino.

Não deve ser bom para o encanamento.

— Por que está me mostrando isso? — pergunto.

— Eu estava percebendo que as pessoas estão falando menos

sobre o Connor, e agora isso. Ninguém se importa mais. Todos só querem falar da srta. Bortel. Tem gente dizendo que ela saiu com um aluno, mas também ouvi dizer que ela tinha um caso com o diretor Howard.

— Não acredito.

Ela balança a cabeça.

— As pessoas se esqueceram completamente de Connor Murphy. Você não pode deixar isso acontecer, Evan. Você era o melhor amigo dele.

Não parece tão maluco ouvir Alana dizer isso. Sei que não é verdade, mas, se eu parar para pensar, talvez seja *meio* verdade. Existe uma grande possibilidade de que eu tenha sido a última pessoa com quem Connor conversou no dia em que ele morreu. Tivemos uma conversa autêntica. Para pessoas como Connor e eu, esse tipo de interação é rara, e definitivamente criou uma conexão entre nós. Devo ser a única pessoa que tinha alguma ideia de como ele estava se sentindo naquele dia. Quem mais, além de mim (e talvez Alana), parou para pensar nele durante a última semana? Ninguém. Sério, por mais absurdo que pareça, tem alguém em toda essa escola mais próximo do Connor do que eu?

— Você pode pedir pra Zoe fazer alguma coisa — Alana diz.

Certo, era óbvio que eu não estava considerando Zoe.

— Zoe é a pessoa perfeita para ajudar as pessoas a se interessarem de novo — Alana diz. — É literalmente a irmã dele.

— Desculpa. Não posso... Só não acho que seja o melhor jeito de fazer as pessoas se lembrarem dele.

Alana me lança um olhar que me reduz à metade do meu tamanho.

— Bom, garanto que, se você não fizer nada, ninguém vai se lembrar do Connor. É isso o que você quer?

Ela sai correndo sem esperar resposta. Baixo os olhos para o rosto de Connor no lixo. Não queria que acontecesse desse jeito, mas o que eu posso fazer?

Roo as unhas enquanto o dr. Sherman relê minha carta. Os poucos fios de cabelo no topo de sua cabeça parecem rachaduras em uma parede. Um dos motivos por que minha mãe escolheu o dr. Sherman, além do fato de que nosso plano de saúde cobria as sessões dele, foi o fato de ele ser jovem. Para mim, ele parece velho, mas minha mãe diz que ele tem "só" trinta anos.

O dr. Sherman me devolve o notebook. Eu o fecho e espero que ele comente alguma coisa. Isso pode demorar. O dr. Sherman prefere que eu fale mais. Eu não. Às vezes sinto que estamos brincando de vaca amarela, cada um esperando que o outro diga a primeira palavra. Em situações sociais, acho o silêncio insuportável, mas aqui sinto certa adrenalina ao ver o quanto consigo estendê-lo. Acho que minha sessão ideal incluiria apenas "oi" e "tchau". Não estou tentando desperdiçar o tempo do dr. Sherman. Não tenho nada contra ele. Só que às vezes tenho a impressão de que nem o melhor terapeuta do mundo poderia resolver os meus problemas.

Alguns minutos depois, o dr. Sherman dá o braço a torcer.

— Como está sendo seu dia?

Vejamos. Não incrível? Nada bom? Não *não* terrível? De certa forma, é exatamente como a maioria dos dias da minha vida e, de outra forma, completamente diferente. Aconteceram tantas coisas tão rápido. Só queria conseguir desacelerar as coisas. Não é justo que o mundo continue girando, não importa o que aconteça, e pessoas como Connor sejam simplesmente esquecidas. Um dia, ele está literalmente no peito de alguém e, no dia seguinte, é jogado no lixo. Como isso pode acontecer?

Eu me vejo em um furacão tão grande que não é de surpreender que alguns dos meus pensamentos comecem a sair pela minha boca.

— Só não é certo.

Ergo os olhos, chocado pelo som da minha voz. Tenho uma sensação súbita de alívio, mesmo tendo dito tão pouco.

Sinto vontade de falar mais. Não posso compartilhar tudo, mas tem muita coisa que *posso* dizer. Cedo à tentação. Conto ao dr. Sherman sobre Connor Murphy, sobre como morreu e sobre como todos comentaram isso por um tempo e pareciam se importar por um minuto e, agora, não ligam mais porque estão interessados em outra coisa.

— E isso incomoda você? — o dr. Sherman pergunta.

— Bom, sim — respondo. — Incomoda. Não acho que seja certo deixar alguém de lado assim. Em um minuto as pessoas se importam com ele e, no outro, não. Parece que estão... esquecendo ele.

O dr. Sherman se ajeita na cadeira. Percebo que ele faz isso quando sente que finalmente chegamos a um ponto que merece ser explorado. Ergo os olhos para o relógio para ver se nosso tempo já acabou.

— Quando você estava falando agora, Evan, me lembrei do que aconteceu com seu pai.

Agora sou eu quem se ajeita na cadeira.

— Quando você soube que a esposa dele estava grávida, que seu pai teria outro filho, você ficou muito incomodado. Você achou que isso mudava o que seu pai sentia por *você*.

O dr. Sherman consulta suas anotações.

— Faz mais ou menos um mês que falamos sobre isso — ele diz. — Você não comentou mais nada sobre esse assunto desde então. Como você está lidando com isso?

Estou na cama assistindo a um filme que já vi. Meu notebook esquenta minhas coxas, definitivamente me causando um câncer. Meus olhos estão fixados na tela, mas não consigo me concentrar. Estou ocupado demais ruminando o que o dr. Sherman comentou em nossa sessão. É algo sobre o que tento não pensar nem comentar, o que é exatamente o tipo de coisa que o dr. Sherman adora discutir.

Certo, Theresa está grávida. Meu pai vai ter outro filho. De que adianta falar sobre isso? O que o dr. Sherman quer que eu diga? O bebê vai demorar meses para nascer e, quando chegar, vai estar no Colorado. Não vai me conhecer, e eu não vou conhecê-lo. Quando eu era pequeno, implorava para meus pais me darem um irmãozinho. Sonhava em ter um irmão ou uma irmã. Mas agora? Não, obrigado.

O colchão se afunda sob mim. Minha mãe está ao meu lado de repente, ajeitando um travesseiro nas costas dela. Não a ouvi chegar em casa. Ela se concentra na tela do computador como se lá estivesse passando o segredo da vida.

Ela não ficou contente quando soube do bebê. Tentou fingir que não se importava, mas a ouvi ao telefone falando para uma amiga: "Eu poderia ter um bebê agora se quisesse. Agora mesmo! E outra, ele não é meio velho demais para ter outro filho?".

— O que você está vendo? — ela pergunta.

É o documentário sobre Vivian Maier, a babá que só foram descobrir que era uma fotógrafa genial depois de morta.

— E quem é o cara falando? — ela pergunta.

— É o cara que descobriu, depois que ela morreu, todas as fotos que ela tirava. Foi ele quem fez esse documentário. Ele bancou o filme com uma vaquinha na internet.

— Ele é impressionante.

— Não *ele*. Ela. Vivian Maier é mulher.

— Eu sei. Nossa. Não sou tão tonta assim. Estou falando do cara que fez o filme acontecer.

Ah. Claro. O cineasta. O nome dele é John Maloof e o filme também é sobre ele. Acho que minha mãe tem razão. Ele é mesmo impressionante. Sem ele, ninguém saberia nada sobre Vivian Maier.

Olho com mais atenção para o cara na tela. Ele não é um galã nem nada. Longe disso. É meio nerd, na verdade, com óculos e pele ensebada. Parece muito jovem também. Ele se importou tanto a ponto de criar algo. Tomou como missão de vida garantir que o mundo conhecesse Vivian Maier. Vivian Maier não era ninguém, mas John mudou isso. Ele não permitiu que ela fosse ignorada ou esquecida. *Fez* as pessoas prestarem atenção nela. Ele a salvou.

Tiro o braço de baixo da coberta e leio de novo o nome escrito no gesso.

14

Minha mãe entra na cozinha e para de repente.

— Acordou cedo — ela diz.

Aperto mais uma tecla do notebook e o fecho de repente. A impressora desperta com um rangido na sala. Me levanto da mesa.

— Precisava terminar uma coisa.

Minha mãe coloca uma cápsula na cafeteira.

— É uma daquelas redações de bolsa, por acaso?

— Hum. Ainda não. Mas, tipo, andei pesquisando várias ideias e tal. — Tinha me esquecido completamente dessas redações.

— Que legal — ela diz, colocando nossa única caneca limpa embaixo do bico da cafeteira. — Tem certeza de que não quer marcar uma noite para fazer isso comigo? Eu falei, dessa vez vou avisar para o meu chefe que nem existo. Vou ser inexistente nesse dia. Só vou existir para você. Juro.

Ela já pediu desculpa umas cinquenta vezes por esquecer da noite de taco, e reconheço seu esforço, mas, no momento, essas redações são a última coisa na minha cabeça.

— Talvez. Eu te aviso.

— Espera. Aonde você vai?

Não posso demorar. Preciso pegar os papéis que estão saindo

da impressora. Da última vez que imprimi algo particular, foi parar nas mãos erradas.

— Está tudo bem? — ela pergunta.

Dou meia-volta.

— Sim, é só uma coisa da escola.

— Não, estou perguntando em geral. Sua sessão com o dr. Sherman foi boa? E, antes que você responda, quero que saiba que queria perguntar sobre isso ontem à noite, mas não perguntei porque sei que você precisa de um tempo para processar tudo. Sou ou não sou uma boa candidata para Mãe do Ano? — Ela ri, constrangida.

— Você já ganhou esse concurso — digo, enquanto descasco a tinta da parede. — Na verdade, acho que tive uma pequena revelação com o dr. Sherman.

Parece que acabei de dar um bilhete premiado da loteria para ela. Ela faz joinha com as duas mãos e dança os punhos no ar.

— É disso que estou falando!

Mais uma cliente feliz.

Encontro Alana a caminho da primeira aula. No ônibus, dobrei cada papel impresso duas vezes para formar três seções iguais. Era para parecerem panfletos. Alana pega um dos meus panfletos e lê a parte da frente.

— Projeto Connor? — Alana diz.

— Foi o primeiro nome que me veio à mente — digo. — Não precisa chamar assim…

— Adorei. O que é?

— Bom, seria um grupo estudantil para mantermos a memória de Connor viva e mostrar que ele… era importante. Que todos são.

Alana fica em silêncio. Repito mentalmente o que acabei de dizer. Parece prepotente, agora que estou repensando. Tem pelo menos mais uma dúzia desses protótipos de panfletos na minha mochila. Será que a escola tem uma trituradora de papel que eu possa usar?

— É só uma ideia vaga. Não precisa ser isso, óbvio.

— Fico muito honrada — Alana diz. — *Adoraria* ser vice-presidente do Projeto Connor.

— Vice-presidente?

— Tem razão. Deveríamos ser copresidentes.

Acho que isso significa que ela gostou da ideia.

— Então acha que devemos mesmo fazer isso?

— Está brincando, Evan? *Precisamos* fazer isso. Como você disse, não apenas por Connor. Por todo mundo. — Ela ergue meu panfleto na altura do rosto. — Perdoe o linguajar, mas que se dane a sra. Bortel.

Nenhum plano que fiz para o futuro realmente vingou. Não sei direito o que fazer a seguir.

— Estava pensando que vamos precisar de um bom site. Conheço uma pessoa que pode ajudar com isso. Mas vai ter um preço.

— *Consigliere* tecnológico — Jared diz quando eu e Alana falamos com ele durante o almoço.

— O que é isso? — Alana pergunta.

— É do *Poderoso Chefão*, não é? — digo.

— Exato — Jared diz. — Não vou cobrar minha taxa normal se for chamado de *consigliere* tecnológico do Projeto Connor.

— Tá, tanto faz — digo. — Pode aparecer assim no site.

— Não, você precisa me chamar assim em conversas normais também.

— Jared, qual é?

— Que tal também atribuirmos a função adicional de tesoureiro? — Alana oferece. — Vai ficar ótimo em suas inscrições pras faculdades.

Jared observa o rosto de Alana. Alana retribui o olhar fixo.

— Meus pais adorariam isso — Jared diz.

— Tenho certeza de que sim — Alana responde.

— Certo. Posso voltar para o meu almoço agora?

— Espera — Alana diz. — Não deveríamos pedir a permissão dos Murphy antes de continuar?

Também tinha pensado nisso.

— Só achei que poderia ser um pouco cedo demais, já que só estamos na fase de desenvolvimento.

— Não tem por que se dedicar a isso antes de sabermos se os Murphy estão dentro — Alana argumenta. — A gente deveria mostrar isso para eles o quanto antes. Tipo, hoje à noite.

— Quer dizer todos nós, juntos? — pergunto.

— Sim — Jared concorda. — Vamos pra casa deles.

— Acho que pode ser — digo, inseguro mas animado com a ideia.

— Uma excursão em equipe. — Alana faz menção de apertar meu braço, mas, ao ver o gesso, muda de ideia. — Adorei. Ótimo para o moral.

— Eu dirijo — Jared diz. — Só me avisa a hora.

— Mais uma coisa — Alana diz antes que Jared saia. — Que tal organizarmos uma reunião com toda a escola pra dar o pontapé inicial?

Sabia que Alana seria a parceira ideal, que conseguiria pegar o bastão e sair correndo com ele.

— Sim. Parece... ótimo.

— Perfeito. Vou conversar com o diretor Howard sobre isso. Vejo vocês à noite. — Ela sai e Jared também.

Ontem à noite, tudo não passava de uma ideia vaga na minha

cabeça. Agora é algo real que parece prestes a acontecer de verdade. É um tanto emocionante ver isso ganhar vida tão rápido e, no entanto, estou observando ao redor, procurando onde sentar. Minhas pernas ficaram dormentes.

Apesar da minha insistência para ele estacionar na rua, Jared para sua SUV bem no meio da entrada de carros dos Murphy. No caminho até a porta da frente, Alana abre um envelope e mostra dois maços grossos de panfletos multicoloridos presos com um elástico. O título do Projeto Connor foi remodelado, a fonte pequena e modesta que usei foi substituída por uma grande e chamativa.

— Tive um tempo livre depois da aula — Alana diz quando me vê olhando os panfletos.

— Não deveríamos esperar para ver o que eles vão dizer primeiro? — digo.

— Precisamos chegar lá como se o cargo já fosse nosso.

— Mas não é, tipo, uma entrevista de emprego.

Alana desenrola as mangas da camisa até os punhos.

— A vida é uma entrevista de emprego, Evan.

Onde se aprende esse tipo de coisa? Os pais de Alana devem ser pessoas super bem-sucedidas. Aposto que um é juiz e o outro cirurgião. Desde que ela nasceu, está sendo treinada para se dar bem na vida.

— A empregada vai atender essa porta ou não? — Jared pergunta, tocando a campainha.

— Eles não têm empregada — digo.

— Olha o tamanho desse pilar. Aposto que os Murphy praticam swing.

— Quê? Não. Eles são normais.

Jared finge dar risada. Percebo que ele está usando um dos bótons de Connor que estava vendendo na escola. Antes que eu possa mandá-lo tirar, a porta se abre.

É a mãe de Connor.

— Evan, que surpresa.

— Oi, sra.... Cynthia. Tem uma coisa bem legal que quero mostrar pra vocês — digo.

— Ah — ela diz, sorrindo para Alana e Jared. Ela olha a foto fixada na camiseta de Jared. Não consigo interpretar a expressão dela antes de nos convidar para entrar.

Ela nos deixa na mesa de jantar com garrafinhas d'água e pede licença. Alana esconde o envelope com todos os panfletos embaixo da mesa. Enquanto isso, Jared ameaça roubar alguma coisa do armário do canto. Também jura para a gente que a fenda no teto da sala de estar abriga uma tela retrátil de projetor de cinema. Espero na minha cadeira, secando as mãos suadas na calça. Estou nervoso, mas cheio de expectativa também.

Cynthia volta à cozinha com Larry. Eu não sabia se Larry já tinha chegado em casa do trabalho, mas, pelo jeito como ele está vestido, de camisa polo e boina, parece que faltou para jogar golfe.

Zoe chega logo atrás do pai e se senta bem na minha frente. Ela me cumprimenta apenas com um olhar e, como sempre, não consigo decifrar o que ele significa.

Depois que todos estão acomodados, tomo um gole d'água e começo a apresentação que esboçamos vagamente no caminho.

— Andei pensando muito nos últimos dias. Fico me perguntando: e se existir algum jeito de garantir que Connor nunca seja esquecido? Que seja lembrado pra *sempre*? E que a memória dele ajude outras pessoas?

Observo nosso público. Tenho a total atenção deles.

— Connor se foi — digo com delicadeza. — Mas o legado dele não. Não precisa desaparecer.

Lembro de respirar. Tenho muitas coisas a dizer.

— Certo — digo. — Imaginem, primeiro, um site bonito e informativo projetado pelo Jared aqui, nosso *consigliere* tecnológico.

Jared assente.

— Isso. Consigo montar um rapidinho.

— O site teria links para materiais educacionais e recursos para propostas de ações — Alana diz, mal conseguindo se conter.

— Isso. E esse é apenas o começo. — Começo a repassar a lista em que pensamos. — Haveria uma comunicação constante através de redes sociais... Eventos comunitários...

Alana assume.

— Parcerias com patrocinadores estratégicos... Uma grande ação de arrecadação de fundos... Recursos de prevenção a suicídio... Informações sobre saúde mental.

— Assim, podemos tentar ajudar pessoas como Connor — digo.

— Exato — Alana diz. — E tudo isso faz parte dessa iniciativa que viemos apresentar para vocês. Estamos chamando de...

— Projeto Connor — digo.

Embora eu aprecie o entusiasmo de Alana, essa história foi ideia *minha*. Além disso, não queria falar tão alto.

— Projeto Connor — Cynthia diz, virando-se para o marido.

— Sim — digo. Olho para Alana, indicando que é o momento.

Ela abre o envelope e entrega um panfleto para cada um. Fico surpreso, quando recebo o meu, com como o papel tem um peso substancial em minha mão.

— Queremos começar o Projeto Connor do jeito certo — Alana diz. — Já falei com o diretor Howard sobre fazer uma reunião em homenagem a ele nesta sexta. Alunos, professores, quem quiser, pode subir ao palco e falar.

— Sobre como tudo isso o está afetando — digo.

— Isso. Como estão se sentindo.

— Em relação a Connor.

— Sim. O que Connor significava para eles.

— O que ele significava para *todos nós*.

Parece um bom momento para parar e, de alguma forma, nós sentimos isso. Viro para Alana e Jared, sentindo uma pontada de orgulho e realização. Um silêncio estranho cai sobre a sala até a máquina de gelo emitir um clique alto. Os pais de Connor demoram alguns goles d'água e mais uma olhada nos panfletos para estarem prontos para falar.

— Não sabia que Connor significava tanto para as pessoas — Larry diz.

— Ai meu Deus — Alana diz. — Ele era um dos meus conhecidos mais próximos. Era minha dupla no laboratório de química, e fizemos um seminário juntos sobre Huck Finn em literatura. Ele era tão engraçado. Em vez de chamar de Huck Finn, ele inverteu as iniciais, sabe, e chamou de... — Ela se contém. — Ninguém mais na turma teve essa ideia.

Zoe não tirou os olhos do panfleto desde que o recebeu. Se ela não concordar com nosso plano, não sei se consigo concordar também.

— Estava pensando — digo —, para a reunião, talvez a banda de jazz possa fazer uma apresentação.

Zoe ergue os olhos.

— Ah. Sim. Talvez. Vou falar com o sr. Contrell.

Jared me dá um tapinha nas costas.

— Ótima ideia, Evan.

— Obrigado, Jared — digo entredentes.

— Querida? — Larry diz, tocando o ombro de Cynthia. — O que você acha?

Normalmente, Cynthia é quem mais fala na família, mas ela

está estranhamente silenciosa. Está me encarando, mas não os meus olhos. É como se não conseguisse ver além do espaço entre nós.

E então ela desperta de seu torpor.

— Ah, Evan. É simplesmente... é maravilhoso. Obrigada. — Ela segura minha mão e a aperta. A sensação é tão boa que quase me esqueço de sentir vergonha.

Estou de novo no quarto de Connor, mas dessa vez com a sua mãe. Alana e Jared já foram embora. Estávamos nos preparando para sair quando Cynthia me puxou de lado e perguntou se eu poderia ficar um pouco mais. Não me importei em voltar para casa de ônibus.

Agora ela está olhando dentro do guarda-roupa de Connor. Pelas paredes, escuto uma voz cantando com um violão ao fundo. Depois que a música para e recomeça algumas vezes, percebo que não é uma gravação.

Cynthia se vira. Está segurando uma gravata. Depois de examinar a gravata por um momento, ela a estende para mim.

— Para a reunião.

— Ah.

— Quando Connor começou o sétimo ano, todas as minhas amigas disseram: "Vai começar a época do bar mitzvah. Ele vai ter uma festa diferente a cada sábado". Eu o levei para comprar um terno, algumas camisas... uma gravata. — Ela faz uma pausa. — Ele não foi convidado para nenhuma festa.

Ficamos olhando para a gravata nas mãos dela. A gravata de Connor. Sua única gravata. Ele nunca a usou. Nunca teve por quê.

— Pensei que você poderia usar para seu discurso — ela diz.

O gosto do pânico na minha língua.

— Meu o quê?

— Bom, a Alana disse que quem quisesse poderia dizer algo na reunião. Acho que todos pensamos que você seria o primeiro a se inscrever.

— Eu não...

O pânico tem um gosto salgado. É como estar em um pequeno tanque de vidro que se enche de água. Sinto que a água está vindo do mar, por causa do sal. A água do mar entra com tudo em meu tanque. Já está na altura da minha boca e, em breve, vai cobrir meu rosto e vou me afogar. Não há como sair do tanque. Tudo que consigo fazer é esperar enquanto a água me cerca. Estico o pescoço para cima para tomar meu último fôlego. Estou ofegante. E, então, quando mal consigo prender o ar, ela para. A água recua, sempre. Nunca me afogo, mas não importa. A sensação de quase me afogar é ainda pior do que realmente me afogar. Afogar-se de verdade é paz. Quase se afogar é agonia pura.

— O problema é que não me dou muito bem em, hum, falar em público. Não é uma boa ideia. Acredite.

— É claro que é — Cynthia diz. — Tenho certeza de que a escola inteira quer ouvir o que você tem a dizer. Sei que eu e Larry queremos, e a Zoe também...

Ela coloca a gravata na minha mão.

— Pense no assunto.

Ela me deixa sozinho no quarto de Connor. Fico ali, paralisado, esperando toda a água escorrer.

Olho para a gravata de Connor. Grossa e áspera. Azul-marinho com listras azul-claras. Como ondas em um oceano escuro e turbulento. A água veio para Connor também. Ele deve ter lutado para respirar até não conseguir mais. Se há algo que entendo, é essa sensação.

Um som no batente. Zoe está ali, de braços cruzados.

— Desculpa — digo para ela. — Já estou de saída. Estava conversando com a sua mãe.

Ela entra no quarto e dá uma volta devagar, antes de finalmente se sentar na cama. Na última vez em que ficamos a sós no quarto de Connor, eu aparentemente perdi o controle. Vou tomar cuidado desta vez.

Zoe não falou muito depois de nossa apresentação. Quando acabou, ela simplesmente desapareceu no andar de cima. Espero até ela quebrar o silêncio e, como ela não diz nada, prossigo, com extremo cuidado.

— Era você tocando violão agora há pouco?

Ela assente.

— Não sabia que você cantava — digo.

— Não canto. Quer dizer, não muito. É meio novo. Na verdade, domingo passado fiz minha primeira apresentação no Capitol Café. Só algumas músicas.

— Uau. Não acredito. Tipo, covers ou...?

— Composições minhas — ela diz, um pouco hesitante, mas se esforçando para falar. — É estranho. Parece que eu já tinha essas músicas esperando dentro de mim. E, agora, estão finalmente prontas para sair.

Entendo. Sinto inveja, na verdade. Queria ter algum jeito de libertar todas as coisas que se agitam dentro de *mim*.

Sento na cama, o mais longe dela que consigo sem cair.

— Que ótimo.

Ela se vira para mim.

— Você não deveria ter me beijado na outra noite. Foi meio incômodo.

Droga. Olha no que me meti.

— Eu sei. Desculpa.

— Mas — ela continua — eu não precisava ter surtado também. Eu exagerei.

— Não, não exagerou. Nem sei por que fiz aquilo.

Ela olha para o chão, seus sapatos estão encolhidos, como se estivessem tentando empurrar o piso de madeira.

— Acho que o luto faz a gente tomar atitudes estranhas. Coisas que não faríamos normalmente.

Dou a única resposta que consigo.

— Acho que você está certa.

Ela se levanta e anda de um lado para o outro. Acompanho seus movimentos até ela parar e me olhar de frente.

— Por que ele empurrou você naquele dia?

— Quê? Ah. Então. Acho que... — A água do mar volta. Eu estava começando a me secar. — Já não te contei?

Ela balança a cabeça.

— Não acredito em você.

Meu coração acelera. Desvio o olhar, observando a parede de Connor como se fosse uma cola, mas o que vejo me confunde ainda mais. Fecho os olhos e busco uma resposta dentro de mim.

— Às vezes eu... fico com medo de falar com as pessoas, acho. — Essa verdade me acalma. Abro os olhos devagar. — Connor vivia tentando me fazer ser mais extrovertido. E ele ficava irritado às vezes. Se achava que eu não estava me esforçando direito. Esse tipo de coisa.

Ela absorve essa informação.

— Bom, minha mãe ama você. Essa história toda de Projeto Connor também. Ela está obcecada.

Sinto os pedaços do meu coração voltando a se colar.

— Ela é muito legal.

Zoe olha para a porta aberta, vendo algo que eu não consigo ver.

— Ela gosta de ter você por perto. Acho que a faz sentir como se Connor ainda estivesse vivo. Como se você o trouxesse junto, de certa forma. Mas não como ela se lembra dele. De um jeito diferente. Melhor do que ela se lembra dele.

— É o que acontece quando as pessoas partem, acho. Quando elas morrem, você não precisa se lembrar de todas as coisas ruins. Elas podem ficar exatamente como você quer que elas sejam para sempre. Perfeitas.

Não sei se isso fez algum sentido. Olho para Zoe, esperando algum tipo de reação. Ela fica parada por um momento, sem dizer nada. Finalmente, concorda com a cabeça, vira e sai.

Um panfleto fixado no orelhão: CERIMÔNIA DE ABERTURA DO PROJETO CONNOR.

E, por isso, aqui estou eu. Como poderia perder isso? Um evento em minha homenagem. Alunos. Professores. Jornal local. Até as pessoas vieram.

Acontecem discursos. Uma apresentação de slides. Algumas músicas da Zoe e da turma de jazz. Isso significa muito para mim. Estou falando sério — estou quase lisonjeado. No entanto, por força do hábito, talvez, não consigo me livrar da sensação de que estão tirando uma com a minha cara.

Como pensar diferente? Eles estão aqui, falando do quanto eu significava para eles. Como se identificam. Como *sentem* as coisas que eu sentia. O isolamento, a insignificância, a solidão. Mas como eles sabem como eu me sentia? Precisei morrer para perceberem que estive vivo um dia.

Estou prestes a sair. Mas um novo orador é chamado ao palco. É anunciado como o "melhor amigo de Connor".

Estremeço. Será ele mesmo? Talvez ele finalmente tenha se tocado da minha ausência. Eu me aproximo, procurando. Mas, assim que o orador sobe ao palco, vejo que não é quem eu estava pensando. Só pelo jeito de andar, duro e inseguro — nada parecido com ele. (Idiota da minha parte sonhar isso.)

Em vez disso, é meu outro melhor amigo: Evan Hansen. Qual é o problema desse cara? E por que caralho ele está... usando a minha gravata?

Tenho certeza de que é a minha. Eu mesmo a escolhi, anos atrás. Minha mãe me levou para comprar um terno. Disse que seria bom ter um, para alguma ocasião especial. Sempre sonhadora, minha mãe. Em vez de quebrar sua ilusão, entrei na dela. Deixei que acreditasse que minha ocasião especial chegaria.

A curiosidade me atraiu para mais perto do palco. É um espetáculo completamente diferente, daqui de cima. Um pouco íntimo demais. Consigo ver as gotas de suor na testa dele. As mãos se atrapalhando com sua pilha de cartões. Ele nem olha para a plateia. Já faz um minuto que está ali e ele nem falou oi.

Finalmente, ele movimenta os lábios. A voz é frágil, mesmo ao microfone. Preciso me inclinar para a frente para escutá-lo. E olha que estou a poucos metros de distância. É difícil imaginar algo mais frágil. Para ser sincero, não me surpreenderia se ele explodisse em chamas sob essa luz.

Com uma incerteza trêmula, ele lê dois dos cartões:

"Bom dia, alunos e professores. Gostaria de dizer algumas palavras para vocês hoje sobre... meu melhor amigo... Connor Murphy.

"Gostaria de contar sobre o dia em que fomos ao velho pomar de macieiras Sorriso Outonal. Eu e Connor ficamos embaixo de um carvalho, e Connor falou que queria saber como era o mundo visto lá do alto. Então decidimos descobrir. Começamos a subir devagar, um galho de cada vez. Quando finalmente olhei para trás, já estávamos a dez metros do chão. Connor só olhou para mim e sorriu, como sempre fazia. E então... Bom, então eu..."

Ele secou a mão na camisa.

"Eu caí."

Continua secando.

"Fiquei lá no chão e então..."

Ele passa para o próximo cartão.

"Bom dia, alunos e professores. Gostaria..."

Toda a pilha se espalha pelo chão. Cartões por toda a parte. Viro para observar o público. Os outros espectadores perderam a paciência. Sussurros dispersos se transformaram em um burburinho constante. Luzes de celular, o drama no palco sendo filmado, imortalizado. Coitado dele, consciente, mas alheio, de joelhos, juntando suas palavras. Consigo ver as lágrimas se formando. Conheço essa expressão. Quando suas entranhas estão prestes a sair de você e é tarde demais para impedir. Você está exposto, diante de todos. Olham para você ali, indefeso, e atacam. Sem dó nem piedade.

15

Silêncio. Não sei quando começou, se esteve aqui durante todo esse tempo. Estreito os olhos através das luzes para ver se fiquei sozinho de repente. Mas não. Todos ainda estão aqui. Centenas de pessoas. Olhando. Esperando. Que eu faça alguma coisa. Diga alguma coisa. Pare de me afogar.

Estou no chão, os joelhos tremendo contra o palco. Não consigo parar de tremer. Meus cartões espalhados, fora de ordem. Tudo fora de ordem. Contenho as lágrimas.

Baixando os olhos, vejo, pendurada diante de meu peito, a gravata.

Passo os dedos por ela. Sinto seu peso. Absorvo seu poder. Tenho de terminar isso.

As pernas trêmulas, o corpo todo em convulsão, começo a me levantar. Preciso de todas as minhas forças e adrenalina para ficar em pé. Me reerguer.

Os cartões que fiquem no chão do palco. Não preciso deles. Já contei essa história tantas vezes que poderia dizê-la de olhos fechados. Só tenho de abrir a boca e *falar*.

Devagar, levanto a cabeça e me aproximo do microfone.

— Eu caí — digo, minha voz transmitida à distância.

Forço as palavras a saírem, uma a uma.

— Fiquei lá... no chão.

Fecho os olhos. *A qualquer momento.*

— Mas, sabe, a questão é que, quando abri os olhos... Connor estava lá.

Ele sempre está. De alguma forma. Dia após dia, ele vem, em pensamento. Visões à noite. Seu nome no meu braço. Não importa o que eu faça, onde esteja, é um lembrete constante. Do quê? De quem eu sou. De quem eu posso ser. Quem eu *deveria* ser.

Abro os olhos.

— Esse foi o presente que ele me deu. Me mostrou que eu não estava sozinho. Me mostrou que eu era importante.

Eu importo. Não importo? E não só eu.

— Que todos são importantes. Esse foi o presente que ele deu a todos nós. Eu só queria...

Essa é a pior parte. A injustiça disso tudo.

— Só queria que pudéssemos ter dado isso a ele.

Isso me pega. Sinto um aperto dentro de mim. Me faz voltar à realidade.

Então, o pavor retorna. As percepções. Onde estou. O que estou fazendo. O que estou dizendo. O que estou *dizendo*?

Procuro o eco da minha voz, tentando identificar minhas próprias palavras, tentando descobrir o que falei. Mas minha voz se foi faz tempo. Resta apenas silêncio.

Eu falei alguma coisa agora? Ou só pensei ter falado?

Olho para cima, cego pelas luzes. O que eu fiz?

Saia. Agora.

Em pânico, me viro e saio e não olho para trás.

V

Ele se afasta do microfone e sai do palco correndo.

Uma pausa, em toda parte: o que foi *aquilo*?

De novo, minha reação automática: deve ser uma piada. Estão tirando uma com a minha cara. Mas meu instinto diz o contrário. Quero dizer, a história que ele contou não era verdadeira. Nunca aconteceu. Mas o espírito do que ele estava dizendo, de *como* estava dizendo... de uma forma estranha, parecia verdade. Como se estivesse falando sério.

Não recebi muito incentivo nos últimos anos. Nem mesmo quando recebia um elogio ocasional (*Connor, você é tão artístico; engraçado; intenso*), nunca acreditava. Com todo os comentários negativos, algumas poucas palavras positivas não surtiam efeito. Além disso, dependia de quem estava fazendo os elogios. Eles significavam menos da minha mãe (que os fazia demais), mais do meu pai (que quase nunca os fazia) e mais ainda de...

Essa é a parte mais louca desse discurso. Teriam significado muito se vindos de um amigo de verdade. Era para ter sido ele ali, dizendo aquelas palavras. Porque, para ele, eu realmente estava lá. Por ele, botei tudo em risco.

Ao meu redor, há um som crescente.

(E, como sempre, acabei me machucando.)

Esparso no começo.
(Que diferença faz?)
Depois constante.
(Eu fui importante de alguma forma?)
Me atingindo. Devagar. O que escuto. Como uma resposta.
Aplausos.

16

Mesmo com o travesseiro cobrindo meu rosto e pressionado contra minhas orelhas, consigo ouvir o celular vibrando no criado-mudo. É a terceira vez que ele faz essa dança na manhã de hoje. Eu o teria escondido na gaveta de meias antes de dormir se achasse que alguém tentaria entrar em contato comigo hoje. Mas ninguém nunca tenta. E se houve uma manhã em que eu não queria ser encontrado por nenhuma pessoa do mundo, é esta.

Imagino que o universo me concedeu uma pequena clemência fazendo a reunião de ontem ter sido em uma sexta, o que significa que não tenho de aparecer na escola hoje. Imagens inquietantes do evento cintilam em minha memória. Meus cartões voando para todo lado. Eu caindo de joelhos. O silêncio ensurdecedor. O que eu não me lembro, porém, é o que realmente falei.

Nem esperei para ver o fim do evento. Pensar em encarar as pessoas, especialmente os Murphy, me fez sair correndo. Em um pânico cego, saí da escola e matei as últimas aulas. Não suportava a ideia de voltar para casa de ônibus e ser encurralado pelos meus colegas enquanto faziam críticas sobre a farsa que haviam presenciado no palco. *Sei que não era para ser uma comédia, mas algumas partes foram engraçadas. O nome* Evan Hansen *será usado a partir de agora como sinônimo de "explodir, queimar, sofrer um desastre".* Não, muito obrigado.

Voltei a pé para casa e, ao chegar, me enfiei embaixo das cobertas. Deixei os tênis ao lado da cama, os cadarços afrouxados, caso tivesse de fugir correndo no meio da noite. Durante semanas, tenho esperado o pior, pensando que seria algo inesperado e fora do meu controle e, no fim, praticamente corri atrás disso. Subi no palco usando a gravata de Connor para participar do pior que poderia acontecer.

Meu celular ainda está vibrando. Tiro o travesseiro do rosto. É Alana que está me ligando. Se eu não estivesse tão ocupado sentindo ódio de mim mesmo, eu sentiria ódio dela. Foi ideia dela fazer a droga dessa reunião. Para começo de conversa, ela nunca deveria ter me incentivado quando comentei sobre o Projeto Connor. Deveria ter sido honesta comigo. *Desculpa, Evan, mas você deveria desistir disso imediatamente. Está além de suas capacidades como ser humano.*

— Onde você estava? — Alana pergunta, quando finalmente atendo. — Você não respondeu meus e-mails nem minhas mensagens.

Não digo nada.

— Alô? — Alana diz.

Coloco um Lorazepam na boca e o engulo com a água que estava no meu criado-mudo há dois dias.

— Estou aqui.

Meu discurso durou doze horas. Foi o quanto pareceu para mim no palco, embaixo daquelas luzes resplandecentes. Eu não conseguia distinguir os rostos deles, mas sabia que estavam lá. Nunca cheguei a quase me afogar por tanto tempo. Estou exausto. Talvez eu nunca mais consiga sair da cama.

— Você já viu? — Alana pergunta.

Lá vamos nós. Por que fui atender ao celular?

— Vi o quê?

— O que está acontecendo com seu discurso.

Agora é tarde demais. Agora preciso saber.

— O que está acontecendo com meu discurso?

— Alguém postou um vídeo na internet — ela diz.

— Do meu discurso? — Agora estou acordado. Todas as células do meu corpo estão completamente despertas. É oficial: já era para mim.

— Evan, está uma loucura. As pessoas começaram a compartilhar e agora está por toda parte. Connor está por toda parte.

— Como assim "por toda parte"?

— Hoje de manhã a página do Projeto Connor tinha cinquenta e seis seguidores.

Não é tão ruim assim, na verdade. Na última vez que olhei, eram menos de vinte.

— Quantos tem...

— Agora passou de quatro mil.

— Você falou quatro...

— Mil — Alana completa.

São mais pessoas do que em toda a escola.

Sento e abro o notebook. Alana ainda está falando, mas mal escuto. Atualizo o navegador. Ela não está mentindo. Na verdade, já passamos de seis mil agora. O que está acontecendo?

Vejo uma mensagem de Jared esperando por mim.

Cara. Seu discurso está em todos os lugares.

— Te ligo depois — digo a Alana.

Minha caixa de entrada está lotada de e-mails. Encontro o primeiro que Alana mandou e clico no link do vídeo. Pauso o vídeo antes de começar. Não preciso ver minha fala.

Embaixo do vídeo, porém, há uma longa série de comentários, e não consigo deixar de olhar. Algumas das publicações são de nomes que reconheço, mas a maioria são de desconhecidos. Alguns dos comentários têm links para outras páginas. Clico nos links e vou parar em outros sites com novas conversas entre pessoas que definitivamente não conheço. Estou vagando pelo espaço, de estrela em estrela, traçando linhas que formam uma imagem. Estou começando a ver a imagem como um todo, mas não entendo o que significa, nem como surgiu. Não era o que eu esperava.

Ai, meu Deus, todo mundo precisa ver isto

Não consigo parar de ver este vídeo

Dezessete anos

Dedique cinco minutos, isso vai fazer seu dia

Compartilhe com as pessoas que você ama

RePost

O mundo precisa ver isto

Uma linda homenagem

Amei

Conheço alguém que precisava muito ouvir isto hoje

Obrigado, Evan Hansen, por fazer o que está fazendo

Sim, sim, sim

Nunca te conheci, Connor. Mas vindo
aqui, lendo os posts de todo mundo

É tão fácil se sentir sozinho, mas Evan tem
toda a razão, não estamos sozinhos

Nenhum de nós

Não estamos sozinhos

Nenhum de nós está sozinho

Curtir

Encaminhar

Compartilhar

Ainda mais agora, com tanta coisa que a gente ouve no noticiário

Por que não existem mais coisas assim?

Compartilhar

Enviando minhas orações do Michigan

Richmond

Vermont

Tampa

Sacramento

Kansas City

Encaminhar

Obrigado Evan Hansen

Amor

Incrível

Concordo 100%

Por que estou chorando?

Sinto como se tivessem me encontrado

Obrigada, Evan

Assista até o fim

Obrigado, Evan Hansen

Este vídeo é tudo de que eu precisava

Obrigada, Evan

Emocionante

Isto é sobre comunidade

O significado da amizade

Obrigado, Evan Hansen, por nos dar um espaço para lembrar de Connor. Para estarmos juntos. Para nos encontrarmos. Para sermos encontrados.

Obrigada

Obrigado Evan

Obrigada Evan Hansen

É verdade. Meu discurso está por toda parte. E não é só isso. As pessoas gostaram dele. Gostaram de verdade.

Um barulho me assusta. É a porta de casa. A campainha.

Minha mãe vai atender. Volto para minha caixa de entrada. Está cheia de e-mails de pessoas de verdade, não de empresas. Tem um do meu professor de inglês. E não sei como, mas Sam do almoço conseguiu meu e-mail.

A campainha toca outra vez. Saio da cama. Escuto o chuveiro ligado e minha mãe dizendo:

— Evan, acho que tem alguém na porta. — Olho pela janela do meu quarto e vejo um carro na entrada. Um Volvo azul.

Uma olhada rápida no espelho. Meu cabelo está péssimo, mas não tenho tempo de arrumar. Na única vez em que eu poderia usar um pouco da umidade das mãos elas estão completamente secas. Felizmente, ao menos, já estou vestido.

O que Zoe veio fazer aqui? Ela não pode estar aqui agora. Minha mãe não faz ideia do que está acontecendo com ela e os Murphy. Não era minha intenção manter tudo em segredo. Só aconteceu assim.

Já estou descendo a escada às pressas e abrindo a porta da frente antes de me dar conta de que deveria ao menos ter feito um bochecho com enxaguante bucal.

O sol está brilhando atrás dela.

— Oi — digo.

— Oi — ela diz.

Ela parece tão exausta quanto eu me sinto. Não sei como, mas ela fica linda assim.

— Eu convidaria você para entrar, mas minha mãe está muito doente e estou cuidando dela. Desculpa. Por que você está aqui?

Ela baixa os olhos.

— Fui mal-educado — eu disse. — Não foi minha intenção.

Ótimo, estraguei tudo de novo. Ela nem está olhando para mim. Dei uma de Evan Hansen.

Ela seca o olho.

— Espera.Você está chorando?

Zoe assente.

— Por quê? Por que você está chorando?

Ela balança a cabeça. Porque não consegue falar. Ou porque não sabe por que está chorando. Ou porque não importa.

—Tudo que você falou no seu discurso.Tudo que fez por todos nós, todo mundo. Pela minha família. Por mim.

— Não, eu... — O que estou tentando dizer? Nem sei. Meu cérebro travou. Quero pedir desculpas? Quero contar a verdade? Quero que o chão me engula?

Ela ergue os olhos. Dá um passo. E então, meus lábios encostam nos dela, de novo. Mas, dessa vez, não sou eu que faço isso acontecer.

Ela recua e suspira.

— Obrigada, Evan Hansen — ela diz.

Ela dá meia-volta e vai embora, me deixando sozinho na porta, prestes a explodir.

PARTE 2

17

— Olá a todos. Eu sou a Alana, copresidente, tesoureira adjunta, consultora de mídia, diretora de tecnologia e diretora criativa assistente barra diretora de ações públicas para iniciativas de ações públicas criativas do Projeto Connor.

— Oi, sou o Evan. Sou copresidente do Projeto Connor.

Vejo meu rosto de um lado da tela e o de Alana do outro. Imagino que Alana está vendo do mesmo jeito na tela dela, e nosso público também, mas, como essa é nossa primeira transmissão ao vivo, não tenho certeza.

— Queria poder ver todos vocês que estão assistindo — Alana diz.

— Espero que estejam tendo um dia incrível — acrescento.

É louco pensar em quanta gente está esperando para ouvir o que temos a dizer. Nossa contagem de visualizações está em centenas e não para de aumentar. Um sucesso estrondoso, na minha opinião, mas Alana garante que o que importa não é a quantidade de pessoas assistindo ao vivo, mas a tração que conseguiremos depois. Depois de deslogarmos, o vídeo estará disponível em nosso site e será compartilhado em todas as redes sociais. Graças a Jared, teremos informações sobre o engajamento com o vídeo.

— Sei que muitos de vocês viram os vídeos emocionantes em nosso site.

— Obrigado por assistirem aos vídeos incríveis que postamos na semana passada, com o sr. e a sra. Murphy e com a irmã de Connor, Zoe...

— E com o melhor amigo de Connor, meu copresidente, Evan Hansen.

Sorrio. (Constrangido.)

Eu nunca deixaria que alguém estivesse no quarto comigo quando gravei o meu vídeo. Eu o filmei sozinho e acabei gravando dezessete versões antes de ter algo que estivesse disposto a compartilhar. Alana queria que cada um falasse sobre alguma coisa que aprendeu com Connor. Para Cynthia, foi paciência. Para Larry, empatia. Minha resposta foi esperança. Foi a única coisa que consegui pensar que era, e ainda é, total e absolutamente verdade.

Zoe talvez tenha ficado ainda mais receosa em fazer seu vídeo do que eu. Ela disse que sabia o que queria dizer, mas, toda vez que começava a gravar, travava e não conseguia. Depois de um tempo, falou sobre a importância de ser independente e autossuficiente. Não sei se essa era a resposta que ela pretendia dar desde o começo ou se mudou de ideia no último segundo. Não perguntei. Ela não parecia querer que eu perguntasse.

— Como vocês sabem, o lugar favorito de Connor em todo o mundo era o incrível pomar de macieiras Sorriso Outonal — eu disse.

— Infelizmente, o pomar foi fechado há sete anos — Alana diz. — É assim que o lugar está agora.

Uma foto de um campo vazio coberto de mato e tocos de árvore surge na tela. Uma placa de À VENDA está pendurada em uma cerca podre.

Nunca cheguei a ver o pomar de verdade. Sei onde fica, mas nunca estive lá, nem com Connor (obviamente) nem com ninguém. Nunca imaginei que ele estivesse tão deteriorado e deprimente. Na minha cabeça, era um lugar verde e cheio de vida, com fileiras de árvores carregadas de maçãs vermelhas.

A foto desaparece e nossos rostos ressurgem. Reabro o sorriso e faço minha contribuição.

— Connor adorava árvores.

— Connor era *obcecado* por árvores — Alana diz. — Ele e Evan passavam horas no pomar, observando as árvores, passando tempo com elas, trocando curiosidades que sabiam sobre as árvores.

— É verdade. Por exemplo, vocês sabiam que, se pendurarem uma casinha de pássaro em um galho, ela não vai subir conforme a árvore cresce?

— Dessa eu não sabia — Alana diz. — Que interessante!

De acordo com o roteiro que Alana me enviou, agora é o momento para eu fazer nosso grande anúncio. Essas últimas semanas foram um processo de aprendizado, tentando descobrir o que exatamente é o Projeto Connor e o que esse projeto deveria fazer. No começo, tínhamos apenas alguns panfletos, a aprovação dos pais e um evento de abertura, o que funcionou melhor do que esperávamos. Não estávamos preparados para a reação à minha fala, nem no sentido prático (nosso site saiu do ar duas vezes; Jared pareceu perplexo) nem no emocional.

Eu e Jared ficamos surpresos em um grau que ninguém mais poderia entender, o que nos fez parar e reconhecer aquilo que, até então, não havia sido dito. Nós dois concordamos: ninguém jamais poderia saber a verdade. O projeto que tínhamos começado estava ajudando mesmo as pessoas. A essa altura, a verdade só faria mal.

Demorou uma semana depois do meu discurso para percebermos que não estávamos tirando proveito da situação. Novos seguidores estavam chegando, mas alguns de nossos primeiros seguidores haviam perdido o interesse e caído fora. As pessoas continuavam chegando à nossa porta on-line inspiradas por essa nova convicção de que não estavam sozinhas, que não tinham de viver mais com esse peso, que podiam aliviá-lo ao compartilharem com tantos outros que sentiam o mesmo. E nós os convidamos para esse nosso novo lar, mas logo percebemos que não tínhamos nada de tangível a oferecer depois que eles entravam. Não estávamos conseguindo manter o engajamento.

Então fizemos alguns ajustes. Jared colocou um formulário de assinatura por e-mail na página inicial para podermos enviar newsletters. Alana nos mandou fazer os vídeos "O que Connor me ensinou". E agora estamos prestes a lançar nossa campanha mais ambiciosa.

— Tem uma coisa que Connor queria mais do que tudo — digo. — Ele sonhava que algum dia o pomar de macieiras voltasse à vida.

— É aí que entramos.

Alana coloca uma imagem digital de um lindo pomar: árvores fartas e bancos tranquilos aninhados dentro de um parque idílico. Tem até um pássaro voando sob o sol. Jared apresentou a Alana um programa de modelagem 3D, e Alana conseguiu aprender a usá-lo sozinha em um único fim de semana.

— Hoje estamos anunciando o começo de uma grande campanha de arrecadação de fundos on-line — digo.

— Uma das iniciativas de financiamento coletivo mais ambiciosas desde a criação da internet.

— Estamos tentando levantar cinquenta mil dólares em três semanas.

— É muito dinheiro, eu sei. Mas é para um projeto muito incrível.

— O dinheiro vai para a restauração do pomar — digo. — Será um espaço para todos aproveitarem.

Quando contei a Cynthia que havíamos decidido aproveitar

toda a atenção que o Projeto Connor estava recebendo para arrecadar dinheiro para a restauração do pomar, ela me deu um abraço mais apertado do que nunca. E, quando contei como queria batizá-lo, pensei que ela nunca mais me soltaria.

— Cabe a todos vocês, pessoas maravilhosas que nos acompanham, tornar o Pomar Memorial Connor Murphy não apenas um sonho... — Alana diz.

Ela espera, limpa a garganta e repete:

— Não apenas um *sonho*...

Opa. Essa é a minha deixa.

— Mas uma *realidade* — completo.

Agradecemos aos nossos espectadores e encerramos o vídeo. O rosto de Alana enche a minha tela.

— Deu tudo certo — digo, aliviado por ter acabado e um tanto impressionado comigo mesmo.

— Sim. Da próxima vez precisamos ensaiar antes de entrar ao vivo — Alana diz.

Às vezes me sinto mais como vice-presidente do que copresidente. Mas tudo bem. É tudo por uma boa causa.

— Certo — Alana diz. — Agora vamos discutir a campanha local.

Mexo o cursor para ver o horário. A manhã já está quase acabando.

— Quer dizer, tipo, agora?

— Não há momento melhor que o presente.

— Na verdade, não posso agora. Desculpa. Tenho um compromisso.

Antes eu admirava a perseverança do sorriso de Alana. Agora sei que ela tem muitas outras expressões. Na verdade, ela não sorri com tanta frequência quanto eu pensava. O olhar que ela me lança neste segundo, por exemplo, é de arrepiar.

— Muito bem — ela diz. — Vou imprimir panfletos para promover a campanha do pomar.

— Ótima ideia — digo.

— Ótimo seria se você pudesse me ajudar a distribuí-los pela cidade.

— Claro. Com certeza. Só me avisa quando quiser que eu faça.

— Certo. Beleza. Então, tenho bastante coisa para fazer. Vai lá se divertir e depois nos falamos.

Ela fica off-line, visivelmente irritada comigo. Mas decido seguir o conselho dela. Vou me divertir. Agora que finalmente entendi o que significa essa palavra.

Olho para trás.

— Sem espiar.

— Não estou espiando — Zoe diz.

Os olhos dela parecem fechados, mas uma venda teria sido uma aposta mais segura.

— Estamos quase lá — digo. — Cuidado com onde pisa. A trilha é meio esburacada.

Ela se segura na alça da minha mochila enquanto a guio pelo parque Ellison.

Alguns metros depois, encontro o lugar perfeito. Zoe continua de olhos fechados enquanto tiro as comidas da mochila.

— Estou ansiosa — ela diz.

— Eu também.

Indico para ela onde se sentar (apenas com palavras; mesmo depois de todo esse tempo, ainda fico receoso de encostar nela).

— É uma toalha o que estou sentindo? — Zoe pergunta.

— Pode abrir os olhos.

Ela olha para baixo, observa ao redor e olha para mim.

— Um piquenique!

Abro o saco de papel branco que estava carregando — a última coisa que peguei antes de buscar Zoe.

— Você disse que nunca tinha experimentado taco coreano, então... — Dou para ela um taco enrolado em papel-alumínio. Nossos dedos se tocam de leve e sorrimos um para o outro.

— E, minha última surpresa. — Ergo o braço, mas ela não entende. Balanço o braço e dou uma dica: — Não é uma dancinha.

Ela continua encarando até finalmente a ficha cair.

— Você tirou o gesso! Tinha esquecido completamente.

Abaixo o braço e desço a manga da camiseta. Não quero que ela olhe com atenção demais. Não é uma visão bonita, a pele pálida como um fantasma e os pelos grossos e escuros. Fazia muito tempo que eu queria tirar o gesso, mas, agora que ele se foi, estou quase sentindo falta dele. Me sinto desequilibrado e exposto, como se estivesse faltando uma parte de mim.

— Tenho uma pergunta estranha — Zoe diz.

Toda vez que ela me pergunta alguma coisa, me preparo para o fim de tudo.

— Certo.

— O que você fez com o gesso?

Não é tão estranha assim, na verdade. Depois que o médico o tirou, perguntou o que eu queria fazer com ele. Meu instinto dizia para jogá-lo fora. Ele só tinha me dado problemas desde o começo. Ficar com ele seria apenas um lembrete de toda aquela dor.

— Guardei — disse. — Não sei por quê.

É verdade: eu o guardei e realmente *não sei* por quê.

Minha resposta parece satisfazê-la. Assim como o taco. Tem *kimchi* escorrendo por toda parte. Ela procura um guardanapo no saco de papel.

— Então foi aqui que você trabalhou o verão inteiro?

— Sim. É estranho voltar.

— Me sinto besta por perguntar, mas o que um aprendiz de guarda-florestal faz?

— Você não é nada besta. Acredite em mim, eu também não sabia. Pensei que só ficaria andando por aí, sabe, cercado pela natureza, mas é muito mais que isso. Você precisa saber tudo sobre o parque, o ecossistema, a geografia, os recursos naturais, a história, porque, se um visitante fizer uma pergunta, você precisa saber a resposta. Tem também os trabalhos de manutenção: limpar os banheiros, arrumar os mapas, trocar as lâmpadas. Além disso, você precisa saber o básico de primeiros socorros, porque pode ter alguma emergência. Enfim, você é meio que o policial do parque todo, o que significa que tem de aprender todas as leis e garantir que as pessoas as obedeçam.

— Parece que você gostava muito do trabalho.

— Sim, gostava.

Estar no parque era um descanso bem-vindo na minha vida sem graça. Ter um lugar para onde ir, algo para fazer. Metade do tempo, eu esquecia que estava trabalhando. Só parava e observava ao redor e me sentia, sei lá, calmo, acho.

— Então, quando você e Connor falavam de árvores em seus e-mails, estavam falando mesmo de árvores? — Zoe pergunta.

— Claro. Do que mais a gente estaria falando?

— Nada.

Antes que eu insista, ela faz outra pergunta:

— Você sempre gostou tanto assim da natureza?

— Acho que sim — digo, tomando um gole d'água para ajudar a engolir o taco. — Devo ter puxado do meu pai.

Foi por isso que ele se mudou para o Colorado. Ele achava a Costa Leste muito populosa. Minha mãe tem certeza de que o lance todo do meu pai sobre área verde foi uma desculpa, que na verdade ele só estava indo atrás da Theresa, mas é assim que lembro. Enfim, isso foi há muito tempo, então talvez eu tenha entendido tudo errado.

— Antes de os meus pais se divorciarem, meu pai me levou para pescar algumas vezes, e em uma delas acampamos um fim de semana inteiro aqui no parque.

Enquanto mastigo meu taco, memórias invadem minha mente. Lembro do meu pai pendurando uma rede entre duas árvores para dormir sob a luz das estrelas. Perguntei como ele sabia que as árvores aguentariam seu peso. "Confie em mim", ele disse. "Podia passar um furacão por aqui e essas árvores continuariam firmes."

Eu acreditei nele, mas não consegui não me preocupar. Imaginava as árvores tombando e meu pai se machucando. Mas ele estava certo. Quando eu e minha mãe saímos da barraca, na manhã seguinte, ele ainda estava pendurado lá. Disse que foi a melhor noite de sono da vida dele. Antes de irmos embora, ele me ajudou a entalhar minhas iniciais em uma das árvores, para voltarmos lá na próxima vez. Mas não existiu uma próxima vez.

A primeira coisa que fiz quando comecei a trabalhar no parque foi tentar encontrar essa árvore. Toda vez que caminhava por uma trilha nova, eu a procurava, mas não conseguia achar. Depois de um tempo, acabei desistindo. O parque é grande demais e já faz muito tempo.

— O que ele achou da sua fala? — Zoe pergunta.

Bem-feito por eu ter comentado sobre o meu pai. Ele não sabe da minha fala, óbvio. Da última vez em que tentei contar alguma coisa para ele, não deu nada certo.

Zoe capta o suficiente com o meu silêncio.

— Você não mostrou para ele?

— Como está o taco? Delícia, né?

— Evan.

Adoro quando ela diz meu nome. Ela continua sentada, paciente, esperando que eu confie nela. Sinto que posso confiar.

— Eu pretendo mostrar — digo, com cautela. — Acho que só estou esperando o momento certo. Ele anda muito ocupado com o trabalho e com a gravidez da Theresa. Além disso, eles estão procurando uma casa nova, e sei que querem muito se mudar antes de o bebê nascer.

— Espera. Você não tinha comentado nada sobre um bebê. Menino ou menina?

— Menino.

Zoe sorri.

— Não acredito. Que legal. Você vai ter um irmãozinho.

— Pois é. — É tudo que digo. Porque, por mais que eu confie nela, e confio, não confio em mim para falar sobre esse assunto.

Quando Zoe fica em silêncio, me dou conta de uma coisa: ela perdeu um irmão e aqui estou eu prestes a ganhar um. Talvez eu não tenha o direito de ficar chateado com isso.

— Ainda não caiu a ficha, essa história toda de irmão — digo. O que não digo: queria que meu pai acompanhasse a minha vida para eu não ter de ser sempre a pessoa que conta as coisas para ele.

— Bom, você vai ser um ótimo irmão mais velho — Zoe diz. — E tenho certeza de que seu pai não está ocupado demais para ficar orgulhoso do que você está fazendo.

Por mais coisas que eu tenha contado, ela ainda não sabe nem a metade.

— Tudo isso era propriedade privada — digo, apontando à nossa volta. — Nos anos vinte, tinha um cara que morava aqui com a família. As pessoas pensam que o nome dele era Ellison, mas, na verdade, era Hewitt. Ellison é um nome inventado.

Viro para ver se Zoe ainda está me acompanhando. Estamos caminhando faz um bom tempo e estou falando há muito mais. Agora que Zoe me fez começar, não consigo mais parar.

— Desculpa, não sei por que estou contando tudo isso.

— Não, eu gosto. Continua.

— Então, o que aconteceu foi que ocorreu um grande incêndio na casa de John Hewitt, destruindo tudo e matando a mulher e os filhos dele. Ele não conseguia mais suportar viver aqui, então fez um acordo com o Estado para transformar o terreno num parque em memória da família. Pediu para que fosse batizado de Ellison. É uma combinação do nome da esposa, Ellen, e dos filhos, Lila e Nelson.

— Nossa — Zoe diz. — É arrepiante.

— Não é? Meu chefe que me contou.

A parte mais impressionante da história, para mim, é que o cara poderia ter escolhido o nome da família, Hewitt, o que simbolizaria todos. Mas acho que ele quis se manter fora dessa e deixar o parque ser só sobre eles. É triste que poucas pessoas saibam quem tornou este lugar possível e como.

— Você sabe onde era a casa? — Zoe pergunta. — Onde a família morava antes de...

Faço que não, triste por desapontá-la. Deveria perguntar se o guarda Gus sabe.

Zoe para de repente, dando uma olhada em volta demorada.

— Para ser sincera, sempre esqueço que este lugar existe. Mesmo sendo bem embaixo do meu nariz.

E que nariz perfeito. A beleza dela é maior que a do parque todo.

— Então — digo —, enquanto eu passava o verão todo aqui, onde você estava?

— Trabalhei num acampamento em Riverside durante o dia. E, algumas noites, na sorveteria nova que abriu na avenida.

Assinto, fingindo nunca ter passado por essa sorveteria depois de ouvir dizer que ela estava trabalhando lá.

— Parece que andou bem ocupada.

— Acho que sim — Zoe responde. — Tento ficar o mínimo possível em casa.

Eu sou o contrário. Ou era, pelo menos.

Zoe caminha na frente. Eu a aconselhei a usar tênis hoje, mas não imaginava que usaria All Star. Eles não são ideais para trilhas. Estamos prestes a descer uma colina bem íngreme.

— Cuidado com essas pedras — digo. — Elas podem ficar escorregadias. — Quero segurar sua mão e guiá-la, mas, com os olhos abertos, ela não precisa de mim, e não sei se gostaria que eu fizesse isso.

— Quando eu tinha doze anos...

— Hum?

— Tentei fugir de casa — Zoe diz.

Aperto o passo para escutar melhor.

— Meus pais estavam bem ocupados com Connor, tipo, vinte e quatro horas por dia. Pensei num plano de entrar escondida no parque com meu saco de dormir e ficar aqui até virem me procurar.

O guarda Gus diz que existem sem-tetos que dormem no parque e levantam acampamento quando os guardas-florestais fazem suas rondas pela manhã. Os guardas só sabem porque encontram coisas que deixam para trás.

— Peguei uma mochila e enchi com coisas de que pudesse precisar — Zoe diz. — Sabe aquele filme *Moonrise Kingdom*? Foi tipo isso. Só não levei um gravador.

Ela para em uma bifurcação na trilha.

— Enfim, não cheguei a fugir pra valer — Zoe continua. — Vim até a beira do parque e estava tão escuro que fiquei com medo e voltei para casa. Dormi embaixo da cama, pensando que minha mãe viria me acordar de manhã e não saberia onde eu estava. Mas... ela nem percebeu.

Nem consigo imaginar como deve ter sido dividir a casa com Connor. Seria como morar com um furacão. Já era difícil para as pessoas que dividiam a sala de aula ou o ônibus ou o corredor da escola com ele. Acho que conviver com aquele caos diariamente poderia fazer a floresta parecer bem confortável.

Indico o caminho da esquerda antes que Zoe possa escolher uma direção. O trajeto à direita leva para o campo de trevos e o carvalho.

— Ei — ela diz. — Lembra que contei da apresentação que fiz no Capitol? Então, talvez me apresente de novo no fim de semana.

— *Talvez?*

— É, talvez.

— Bom, *talvez* eu queira ir.

— Talvez isso me deixasse feliz.

Um pássaro passa por nós e sobe em direção ao céu aberto. Sou eu lá em cima, alçando voo. Nunca me senti tão no alto quanto agora.

Ouvimos um barulho, mas é do celular de Zoe.

— Minha mãe — ela diz. — Ela quer saber se você tem mais e-mails para ela. Desculpa, sei que ela é irritante.

— Ah. Não. Tudo bem. Ela quer, tipo, agora?

— Não *agora* agora. Quando você puder.

Claro. Quando eu puder.

Despenco com tudo. Nunca consigo planar por muito tempo. Não quando existe uma verdade pesada e terrível me puxando para baixo o tempo todo.

18

Hoje estou passando pela Área no refeitório e escuto meu nome. Não sei ao certo quem batizou o lugar de "Área", mas é a fileira de mesas no meio do salão onde todas as pessoas populares da escola sentam. Se um caminhão caísse do céu bem naquele lugar, toda a alta sociedade da escola seria exterminada de um só golpe. (Depois de ler *Macbeth* ano passado, passei a sempre dizer "de um só golpe".)

Sentado na frente e no centro da Área está o novo casal do momento, conhecido como Roxanna. Roxanna é formado por Rox e sua nova namorada, Annabel. A pobre Kristen Caballero foi banida para uma das mesas periféricas. É uma simples questão de seleção natural, imagino. Enquanto passo por Roxanna, Rox acena e diz:

— Fala, Hansen. — Annabel me encara nos olhos, coisa que nunca fez nos três anos em que estudamos na mesma escola.

Tudo que faço é ficar olhando para eles em silêncio perplexo. Ainda não estou acostumado com essa história de não ser invisível. Muita coisa mudou desde que fiz aquele discurso. Finalmente escapei da indiferença do *méh*. Agora sou, exclusivamente, *éh*. Sou Evan Hansen.

Passo pela Área e sigo até a mesa de Jared. Ele está comendo uma batata do tamanho (e do formato) de uma calculadora. Me agacho perto da cadeira dele.

— Precisamos de mais e-mails — digo. — Pode me encontrar depois da aula?

— Hoje não — Jared diz. — Tenho dentista.

— Tá. Amanhã?

— Talvez.

Não tenho tempo para brincadeira. Como um capitalista em ascensão, Jared sabe que é um erro fatal quando não se tem oferta suficiente para atender a demanda.

— A não ser que você prefira me ensinar a fazer — digo. — Já vi você fazendo. Aposto que consigo dar um jeito.

— Ah, é? — Jared ri. — Você acha? Então fique à vontade, cara. — Uma alegria perversa se materializa em seu rosto. — E não se esqueça de acrescentar o desvio de TMG, senão todas as conversões de fusos horários vão pirar completamente.

Talvez não, então.

— Bom, pode me encontrar amanhã ou não?

Jared endireita a postura.

— Sim, senhor. Me apresentando às mil e setecentos TMG menos quatro.

— Não faço ideia do que você está falando.

Jared revira os olhos.

— Às cinco.

— Melhor às quatro, na verdade. Tenho planos para a noite.

Deixo Jared enquanto ele saboreia a última mordida da batata e finalmente chego à minha nova base de operações: a mesa de Zoe. Tem um grupo bem eclético aqui. Alguns músicos da banda de jazz. Um garoto do time de golfe da escola, que eu nem sabia que existia. Uma menina relativamente gótica. A goleira reserva do time de futebol. (A srta. Bortel foi substituída permanentemente por um treinador e um professor de educação física; pelo que disseram, ela tinha sido filmada ridicularizando agressivamente, por nome, diversos alunos de grandes proporções.) E, finalmente, Bee, que me parece ser a amiga mais próxima de Zoe. Não tenho certeza quanto a isso, porém, e tenho a impressão de que a própria Bee também não sabe definir sua relação com Zoe. Descobri que a apatia de Zoe não é direcionada só a mim.

Bee é a primeira a perceber minha chegada.

— Você vai usar uma roupa, Evan?

Olho minhas roupas. A não ser que tenha esquecido alguma coisa, tenho quase certeza de que estou vestido, como sempre.

— Pro Halloween — Bee explica.

Ah, claro. Esqueci que o Halloween está chegando.

— Ainda não decidi.

Nunca me fantasio. Não tenho por quê. Sou velho demais para gostosuras ou travessuras e a escola tem regras rígidas contra fantasias.

Zoe se debruça.

— A gente podia pensar em algo juntos. Um par famoso. Bonnie e Clyde. Mario e princesa Peach.

Olho para o prato dela.

— Batata frita e ketchup.

Ela sorri. Não sei qual de nós seria o ketchup nem aonde iríamos fantasiados nem o que significa ela se referir a nós como um *par*. Não importa como vamos nos fantasiar. Podemos ser qualquer coisa. Manteiga de semente de girassol e geleia. Netflix e frio. *American Gothic*. O que quer que seja. Dessa vez, estou completamente dentro.

Na tarde seguinte, Jared e eu estamos na academia Paraíso dos Músculos. Assim que nos sentamos, Jared abre um doce e demora bastante tempo para comer, como se estivesse provocando os pobres coitados suados e infelizes à nossa volta.

— Que tal? — Jared diz.

Querido Evan Hansen,

They tried to make me go to rehab and I said no, no, no.

— É uma música — digo.

— Uma ótima música.

— Muda.

Querido Evan Hansen,

Não quero voltar para a reabilitação. Eu não ligo de fazer ioga, e as reuniões em grupo até que são legais. Mas as pessoas contam umas histórias bizarras, tipo chupar rola para conseguir drogas.

— Jared!

— É verdade. Vi na TV.

— Tira.

Querido Evan Hansen,

Preciso dar um jeito de me livrar disso. Não quero voltar pra reabilitação. Não é nem um pouco legal.

— Está bom — digo. — Próximo parágrafo.

— Qual é a do seu braço? — Jared diz.

— Acabei de tirar o gesso.

— Isso eu vi, gênio. Quero saber por que está apertando o braço desse jeito? Está me dando medo.

Olho para baixo. É verdade. Meu braço direito está apertando o esquerdo.

— Não sei. Tanto faz. Podemos continuar?

Depois de muita luta, chegamos ao fim de um e-mail e criamos uma resposta em que sou o melhor amigo que todos esperam que eu seja — positivo, solidário, generoso. Tenho me dedicado a esse papel. Quando Connor precisa de um objetivo, lhe ofereço um. Quando dá uma mancada, eu o coloco nos eixos. Quando implica com a família, eu o lembro de que eles o amam e que só estão tentando ajudar.

Criamos dez e-mails. Estamos em um fluxo tão produtivo que quase não percebo uma das invenções inspiradas de Jared.

Querido Evan Hansen,

Sabe aquele cara super da hora da escola, o Jared Kleinman? Por que estou dizendo isso, aliás? É óbvio que você sabe quem é o Jared Kleinman. Todo mundo sabe. O que você acha de convidá-lo para nossa amizade incrível e transformar isso num trio?

— Não, Jared. Óbvio que não.

— Por quê? Qual é o problema?

— Você não era amigo dele. Isso não faz parte da história.

— Bom, talvez seja a hora de expandir a história — Jared diz. — Está ficando meio entediante, não acha?

— Não acho. Nem um pouco. Eu era o único amigo dele. Você sabe disso. Você só está inventando coisas.

Jared tira os óculos e os limpa na blusa, deixando sua barriga pálida dar um oi para todos que estão na academia.

— Você tem toda a razão, Evan. Assim, o que eu achei que estava fazendo, inventando coisas em uma conversa de e-mails completamente imaginária que nunca aconteceu?

É como lidar com uma criança.

— Só, por favor, não muda a história, tá?

Ele volta a colocar os óculos com um ar profissional.

— Bom, se quiser que eu refaça este e-mail, vai ter de esperar até semana que vem, porque tenho coisas pelo resto da semana, e no fim de semana vou sair com meus amigos do acampamento. Ou, como gosto de chamá-los, meus *amigos de verdade*.

— Na verdade — digo, subindo a tela —, acho que já deu de e-mails. Vamos parar por hoje.

Guardamos nossas coisas na mochila e atravessamos a pista de obstáculos de aparelhos de musculação. No caminho para a saída, Jared insiste para eu olhar para uma das mães correndo nas esteiras. Eu me recuso, mas ele insiste.

— Sério — Jared diz. — Acho que ela está acenando para nós.

Não é mentira. A mulher está nos chamando para sua esteira.

Contrariado, sigo Jared em direção à mulher. Ela diminui a velocidade da esteira para conseguir ter fôlego o suficiente e falar:

— Você é o garoto do vídeo — diz. — O garoto do Projeto Connor. Evan, não é?

Faço que sim.

— Sabia que tinha reconhecido você. Adorei seu discurso. Demais. Meus filhos também.

É uma loucura a quantidade de pessoas que conheceram o Projeto Connor. Recebo e-mails e mensagens todos os dias de pessoas de todo o mundo me dizendo como suas vidas foram afetadas pelo que criamos. Começamos um movimento. Tocamos em um nervo coletivo. E agora estou vendo isso em carne e osso, brilhando no rosto dessa mulher.

Eu a agradeço e finalmente saímos da Paraíso dos Músculos.

— Cara.Você é um sucesso com as coroas gatas.

— Para.

— Só estou comentando. Mas, de verdade, eu deveria começar a ter direito a um tempinho no vídeo também. É justo. Que tal eu fazer algumas filmagens na rua para a campanha do pomar? Ganhei uma câmera da hora de aniversário.

— Acho que eu e a Alana já damos conta do lance da arrecadação de fundos. Mas aviso você se pensar em algo, com certeza.

— Saquei — Jared diz, olhando para a calçada. — Ei, aposto que a Zoe está feliz que você tirou o gesso.

— Acho que sim.

— Tipo, cortava todo o clima, né? Ter o nome do irmão escrito no braço do namorado.

— Não sou namorado dela. Não sei o que somos. — Quero dizer, penso muito sobre o que somos, claro, o tempo todo, mas, nesse momento, tudo o que tenho são ideias.

— Não se preocupa com isso, cara — Jared diz, tirando a chave do carro do bolso. — A única coisa com que você tem de se preocupar agora é criar aquele pomar para o Connor. Porque, se tinha uma coisa que o Connor curtia, eram as árvores. Opa, espera, quem gosta de árvores é *você*. Que esquisito. Não acha esquisito?

Eu já estou acostumado com o humor ácido de Jared, mas essa última farpa me parece mais agressiva que o normal. E essa impressão se confirma quando ele sai com o carro sem mim. Acho que ele não vai me dar carona para casa.

Saio andando da Paraíso dos Músculos em direção ao ponto de ônibus, tentando não pensar no que Jared disse e em como ele disse, mas falho miseravelmente. Não demora para aquele peso horrível voltar, tomar conta do meu corpo e deixar ainda mais difícil carregar as minhas próprias pernas pela calçada.

E então, nesse estado ensandecido, sinto um calafrio — a sensação de estar sendo seguido. Viro a cabeça e olho para trás. Tudo que encontro é a noite vazia.

vi

Tenho observado Evan. Não consigo evitar. O que começou como curiosidade se transformou em outra coisa agora. De um jeito meio bizarro, quase parece que eu e ele fomos amigos de verdade. Ouvi isso tantas vezes que estou começando a acreditar. Vai saber? Talvez em algum universo paralelo isso pudesse ser real.

Não que eu tenha muita experiência nessa área. Passei basicamente toda a minha vida sozinho. Até conhecer Miguel. Esse era o nome dele. Às vezes M. Nunca Mike.

(Continuo com vontade de vê-lo, mas me contenho. Qual o sentido de passar por aquilo de novo?)

A gente se conheceu no segundo ano na Hanover. Uma escola só para garotos. Pensei que odiaria isso, mas, na verdade, tornava a vida mais simples. (Eu classificaria minha experiência com meninas em algum lugar entre "Muito insatisfatória" e "Não se aplica".) Foi o recomeço de que eu precisava. Na escola pública, nunca teria como escapar da visão que todos tinham de mim. Na Hanover, podia começar do zero. Imaculado.

Ninguém me fez acreditar nisso tanto quanto o Miguel. Na minha primeira semana, nos colocaram em dupla na aula de biologia. Murmurei uma piada que o fez rir. "O que um cromossomo disse para o outro? Cromossomos felizes." Pareceu uma interação normal. O que sempre imaginei que era normal.

Ele sabia um pouco sobre tudo. Falava de assuntos sobre os quais eu nunca havia pensado: criptomoedas e alimentos alcalinos. Citava pessoas de que eu nunca tinha ouvido falar: Nietzsche e David Sedaris. Escutava artistas que eu não conhecia: Perfume Genius e War On Drugs. Fazia perguntas que eu não sabia como perguntar: o governo demoliu o edifício Sete do World Trade Center no Onze de Setembro? Os humanos vão sobreviver à acidificação oceânica? Onde estão todos os filhotes de pombos? Ele conseguia calcular a dosagem ideal de provisão para você continuar flutuando, em vez de se afundar.

Ele me chamava de inocente. O que era o oposto de como eu me enxergava, mas, às vezes, eu sentia que tinha um coração puro. Ele me viu antes que eu mesmo me visse.

Ele foi a primeira pessoa que conheci que era assumida e orgulhosamente gay. (Eu ficava em algum lugar no meio. Fluido. A maneira como pensava em meninas e meninos. Na época, tinha apenas começado a colocar esses pensamentos em ação.)

Às vezes andávamos juntos na escola. Mas, depois da aula, éramos uma dupla. Íamos ao centro. Nos aquecíamos na livraria. Ficávamos olhando os skatistas na arena Erwin Center. Eu ficava esperando na porta da padaria até ele sair do trabalho. Ia com ele levar as baguetes que não tinham sido vendidas para o seu primo. Acabávamos o dia em um banco, jogando pão para os passarinhos, nos lamentando de todo o desperdício que havia no mundo. Às vezes, essas conversas aconteciam no ônibus. Em algumas noites, no sofá da sala dele. Sua mãe chegava em casa e nos preparava um banquete. Eu saía tarde da noite, a barriga e a cabeça cheias. (E o coração também.)

Então, um dia, no segundo semestre, ele estava em pânico. Encontraram maconha nas coisas dele. Pela primeira vez, ele não estava sendo arrogante como sempre era. Tentei minimizar. "É só um pouco. E daí se expulsarem você? Você vai ter sorte de sair deste lugar."

"Acha que foi fácil para mim entrar aqui? Talvez para você tenha sido."

Comecei a pensar no pior. E se ele for *mesmo* expulso? Como eu ficaria? O que seria de mim sem ele? E, então, mais uma decisão de fração de segundo.

Fui até o diretor, falei que a maconha era minha. Não sei o que pensei que aconteceria. Não estava pensando direito, só seguindo meu instinto. Todos assinamos o mesmo contrato escolar — tolerância zero. Penalidade: expulsão. Meus pais tentaram brigar, mas não adiantou. A ficha de Miguel continuou limpa enquanto eu fui mandado para a reabilitação. Meu pai tinha ameaçado me mandar para lá no ano anterior. Minha mãe o convenceu a me mandar para um retiro de vida selvagem no verão, e depois para Hanover. O louco era que eu estava só fumando maconha na época. Mas não importava. Meu histórico não apoiava meu argumento. Minhas chances haviam chegado ao fim. (A ironia: foi a reabilitação que me apresentou a toda uma nova série de hábitos prejudiciais.)

O retiro de vida selvagem era um verdadeiro passeio no parque quando comparado à reabilitação. Os jovens ali eram viciados de verdade. Alguns nem pareciam mais jovens. Pele, dentes, olhos gastos. Quase não eram humanos, pareciam zumbis. E era assim que os funcionários os tratavam. *Nos* tratavam. Mas lá não era meu lugar. Eu agia como se fosse. Fingia usar mais do que realmente usava. Só para me integrar. Sobreviver. Por dentro, porém, eu estava tremendo. Sentia falta de casa. (Pela primeira vez, sentia falta de lá.)

Depois da reabilitação, nos vimos menos. Escolas diferentes. Ele tinha um horário ocupado com o trabalho e a Anistia Internacional. Além disso, a mãe dele não queria mais que ele andasse comigo. (Nunca conheci seu pai e duvido que sequer soubesse da minha existência.) Mas ainda trocávamos muitas mensagens. Eu reclamava para ele da escola pública, de como estava sendo tratado. As pessoas tinham ficado sabendo que eu tinha ido para a reabilitação e agiam como se eu fosse venenoso. Você começa a acreditar também. "Eles que se fodam", Miguel dizia. Simples e resoluto. *Eles que se fodam*. Ajudou.

Sempre que eu parava para pensar na vida, na reviravolta que sofri, a raiva me consumia. (Agora me pergunto: o que teria acontecido se eu tivesse ficado na Hanover? Talvez a vida tivesse seguido um outro rumo.)

Então: certo dia, na primavera passada. Miguel veio em casa. Ele também agiu como se fosse um grande acontecimento. "Parece que sou o primeiro mexicano que entra na sua casa sem ser contratado para trabalhar aqui." Respondi que não. O que não disse: ele era o primeiro *alguém* na minha casa. O primeiro que eu chamava. (Eu já tinha ficado com algumas pessoas nessa época. Mas não tinha chegado a trazer ninguém para conhecer meus pais.)

A casa estava vazia. Ficamos no meu quarto. Ele riu dos meus livros. "*O pequeno príncipe*? Sério mesmo? Isso explica muita coisa." Ele disse que eu era um menino em roupas de homem. (Ele me apresentou um monte de livros e autores. Nunca devolvi seu exemplar de *Os mistérios de Pittsburgh*.)

Havia uma energia nova entre nós. (Estávamos mais velhos agora. Mais experientes. Pensamentos haviam se transformado em ações.)

Ficamos chapados e nos deitamos no chão. "Seu cabelo está ficando comprido", ele disse. Minha vontade era achar uma tesoura na mesma hora. Mas então ele disse: "Eu gosto".

Ele colocou uma música para mim. Quando acabou, pedi para ele colocar para tocar de novo. Uma frase se destacou: "*Don't hold back. I want to break free*". (Escutei essa música todos os dias durante meses. Até ficar doloroso demais para ouvir.)

Deitados ali, notei uma marca de nascença em seu pescoço. Nunca tinha visto antes. Levantei a mão e toquei nela. Nos encaramos nos olhos um do outro.

Aquela marca de nascença: um botão mágico. Depois de pressionado, o mundo todo se iluminou de repente.

19

Me manter conectado com os fãs se tornou parte da minha nova rotina. "Fãs" é uma palavra odiosa, eu sei, mas, sinceramente, não sei de que outro jeito os chamar. "Seguidores" também é esquisito. (Estou com, pelo menos, cem novos seguidores em todas as redes sociais, desde a última vez em que olhei.) Imagino que sejam outras pessoas solitárias que encontraram esperança em nossa pequena comunidade, da qual, por acaso, sou o porta-voz.

O que com certeza sei é que todas essas pessoas parecem ter um desejo desesperado de se sentirem conectadas a alguém. Elas se sentem motivadas a compartilhar histórias incrivelmente pessoais. De quando não atingiram as expectativas de alguém. De quando pegaram dinheiro emprestado e não conseguiram pagar. De quando tiveram medo de que nunca fossem sair do orfanato. De quando perderam um filho. De quando traíram a única pessoa que estava sempre ao lado delas. De quando o trabalho de que precisavam foi para outra pessoa. De quando uma autoridade abusou de seu poder. De quando o propósito que as movia não parecia mais fazer sentido. De quando não conseguiam sair da cama ou de casa ou ir ao trabalho. De quando não sabiam para onde direcionar sua raiva. Ou como suportar o isolamento. Ou corrigir seus erros. Ou não desistir.

Posso me identificar com quase tudo e, ainda assim, é algo muito maior do que eu.

E quando essas pessoas me escrevem, elas não querem só falar; querem também ouvir. Estão interessadas em saber o que penso sobre as coisas. No começo, queriam saber mais sobre Connor, mas agora também querem saber mais sobre mim e a minha vida, e não apenas as grandes coisas dramáticas, mas as mundanas também, como o produto que uso nos cabelos e onde compro minhas roupas. (Não digo que é minha mãe quem cuida dessas coisas.)

Muitas pessoas perguntam a mesma coisa: "Por que você nunca posta uma foto sua?". Sempre tive vergonha de fotos. Até onde sei, Connor era igual. Também não tem muitas fotos dele.

Surpreendentemente, Vivian Maier tirou centenas de fotos de si mesma. É surpreendente porque ela sempre foi uma pessoa muito reservada. Ela usava nomes falsos nos lugares e nunca contava sobre seu passado. Parecia gostar do anonimato e, no entanto, tirou um monte de selfies — muito antes de as selfies virarem moda. Se uma pessoa tão tímida e desajeitada como Vivian Maier conseguia tirar uma selfie, eu também devo conseguir.

Arrumo o cabelo diante do espelho, depois sento na cama e levanto o celular. Tiro algumas fotos e vejo os resultados. Pareço alguém se preparando para cometer um crime sexual. Apago e tento de novo. Dessa vez, fico em pé na frente da janela e aproveito um pouco de luz natural. Percebo que minha cama bagunçada aparece ao fundo. Mas meu sorriso não está tão ruim. Recorto a cama e transformo a foto em um close. Depois de alguns filtros, junto forças para compartilhá-la com o mundo.

Guardo o celular e abro o notebook. Preciso terminar alguns trabalhos da escola antes de levar os novos e-mails para os Murphy. Mas antes clico na minha foto recém-publicada e vejo se tem alguma reação. Minha foto já tem umas doze curtidas. Atualizo a tela e o número de corações aumenta ainda mais. Alguém já postou um comentário:

Que gato! 😎

Embora eu esteja completamente sozinho, fico vermelho e meio que dou risada, meio fico sem conseguir respirar.

— O que está vendo aí?

É minha mãe. (Óbvio.)

— Nada — respondo, fechando o notebook.

— Nada? Você estava sentado aí com um sorriso enorme no rosto.

— Não estava. Impressão sua.

Guardo o notebook dentro da mochila, ao lado dos e-mails impressos.

— Parece que toda vez que entro no seu quarto, você fecha o computador — ela diz. — Não sei o que você faz aí que não quer que eu saiba.

Fecho o zíper da mochila.

— Era só um trabalho da escola, mãe.

— Você tem um minuto? — Parada no batente, ela parece uma guarda de prisão impedindo a minha fuga.

— Na verdade, eu estava indo para a casa do Jared.

— Pensei que você já tinha se encontrado com ele à tarde.

— Era para ser à tarde, mas ele cancelou, então vamos nos encontrar à noite. Temos um trabalho de espanhol para terminar. — Estou com um tênis calçado, mas não consigo achar o outro. — Acho que vamos ficar até tarde, então não precisa me esperar acordada. Ele vai me dar uma carona para casa.

— Não dá para esperar cinco minutos? — ela pergunta.

Finjo considerar.

— Melhor não.

— Vi uma coisa muito estranha no Facebook hoje.

— Ah, é? Está vendo meu tênis por aí?

— Era um vídeo de algo chamado Projeto Connor. Já ouviu falar?

Fico paralisado. Sabia que este momento iria chegar e, no entanto, consegui me convencer de que nunca chegaria.

Ela não terminou de contar o que descobriu.

— No site deles diz que você é o presidente.

Copresidente.

— Eu assisti ao vídeo — ela diz.

Ela e todas as mães da cidade, aparentemente.

— Era você fazendo um discurso. Sobre aquele menino. Connor Murphy. Sobre como subiram juntos numa árvore.

Estou cansado de subir. Não tenho mais energia para isso. Sento na cama.

— Você me falou que não conhecia aquele menino.

— Eu sei, mas...

— Mas aí, no discurso, você disse que ele era seu melhor amigo. — Ela se aproxima e se abaixa para ver meu rosto. — Evan. Olha para mim.

Não posso mais fugir. Estou só com um sapato.

— O que está acontecendo? — ela implora.

Dou uma chance, para ver como é a sensação de deixar tudo para lá. Digo a ela:

— Não era verdade.

— O que não era verdade? — ela pergunta.

Estou tão cansado de andar nessa corda bamba. Às vezes demanda energia demais. Sinto falta da segurança da terra firme. Eu poderia colocar um fim nisso — aqui e agora.

Mas o que seria de mim? Todo o resto também acabaria. Tudo que tenho com a família Murphy chegaria ao fim. Minha mãe me faria contar a verdade. Eles iriam me odiar. Não vão entender o que eu estava tentando fazer, que só queria ajudar.

Não. Não é isso o que eu quero.

— Quando disse que eu não o conhecia — respondo finalmente.

Ela leva a mão à testa, massageando-a, tentando entender.

— Então você quebrou o braço com Connor Murphy? No pomar?

Concordo. Foi a primeira coisa que Jared me ensinou.

— Você tinha me contado que quebrou o braço no trabalho — ela diz. — No parque.

Me levanto.

— Quem você acha que me levou para o hospital? Quem você acha que esperou comigo na sala de emergência por três horas? Você estava na aula, lembra? Não atendeu ao celular.

— Você me falou que seu chefe levou você para o hospital.

— E daí? — digo, dando de ombros. — Eu menti, óbvio.

— Quando pretendia me contar todas essas coisas?

— Quando exatamente eu contaria pra você? Quando você está aqui?

— Estou aqui agora.

— Uma noite por semana? — Volto a procurar o tênis. — A maioria dos pais se esforça mais, só para você saber.

— Sorte a deles.

Onde foi parar meu tênis?

— Tenho que ir para a casa do Jared.

— Acho que não quero que você saia agora, na verdade.

Estou de quatro no chão, procurando embaixo da cama. Como imaginei, é lá que o encontro, escondido atrás da cortina formada pela coberta. Também vejo a sacola plástica que contém meu gesso. Não sabia onde mais colocar, então o enfiei embaixo da cama. Achei que nunca mais o veria. Nem teria de pensar nele.

Eu me levanto e calço o tênis. Coloco a mochila nas costas.

— Falei pro Jared que chegaria lá dez minutos atrás.

— Certo, escuta. Vou faltar à aula hoje para conversar com você, Evan. Por favor, queria muito que você conversasse comigo.

— Ah, tá, tenho que largar tudo porque é conveniente pra você? Não posso simplesmente deixar de fazer meus trabalhos da escola só porque você decidiu matar aula.

Do jeito mais deliberado possível, ela inspira e expira, tentando manter a calma.

— Não sei o que está acontecendo com você.

— Não tem nada acontecendo comigo.

— Você fica na frente de toda a escola fazendo *discursos*? É presidente de um grupo? Não sei quem é essa pessoa.

— Não é nada de mais, você está exagerando.

— Evan. — Ela me segura pelos ombros, me obrigando a olhar para ela. — O que está acontecendo com você? Você precisa conversar comigo. Precisa se comunicar comigo.

— Não está acontecendo nada comigo. Eu te falei...

— Eu sou sua mãe!

Nós dois ficamos chocados. Ela nunca grita comigo.

— Eu sou sua mãe — ela repete, mais baixo, o lábio tremendo.

Desvio o olhar, sem conseguir suportar a mágoa em seus olhos. Já é demais o som dela se esforçando para recuperar o fôlego.

Então, sentando-se na cama, encolhida, ela diz:

— Desculpa.

Não. Era eu quem deveria pedir desculpas. Era eu.

— Estou feliz por você — ela diz, os olhos cheios de lágrimas. — Estou feliz que você tinha um amigo, filho. Só... sinto muito que ele se foi.

Meu amigo. Enfiei nosso único momento realmente juntos numa sacola plástica e o escondi embaixo da cama.

— Queria ter conhecido o Connor. — Ela seca uma lágrima. Em seguida, percebe algo. — Seu braço está doendo?

Percebo que o estou apertando de novo e solto.

— Não.

— Escuta. Se você quiser conversar. Sobre *qualquer coisa...*

Queria conseguir. Queria mesmo. Mas essa chance já era. Não tem como sair dessa a não ser seguindo em frente. E em frente, agora, significa fora desta casa.

— Preciso ir — digo, com a voz fraca.

— Ah. — Ela se afasta da porta. — Está bem. — Ela pega um frasco da mesa de cabeceira. — Precisa de mais?

— Na verdade, não estou mais tomando. Não estou precisando mais.

Ela examina meu rosto.

— Sério? Nenhuma ansiedade? Mesmo com tudo que aconteceu?

Balanço a cabeça.

— Estou bem — respondo. E é verdade.

Agora é ela quem dá de ombros. Nenhum de nós tem as respostas.

— Certo, então. É bom ouvir isso. Estou orgulhosa de você.

Agora é a hora perfeita para sair, aproveitar que ela tem uma boia de boas notícias para flutuar. Mas não sou rápido o suficiente.

— Acho que aquelas cartas para você ajudaram, *éh*?

Não consigo pensar em nenhuma verdade mais dolorosa do que essa.

Éh. Foi ela quem insistiu que eu fosse Evan. O nome com que nasci não foi aprovado por ela. Dezessete anos se passaram e ela ainda está tentando me ajustar um pouco mais ao gosto dela.

— Preciso ir — digo, dando a volta por ela.

Penso que ela vai me seguir, mas, quando olho para trás, ela não saiu do lugar. Está olhando para mim como se eu fosse um estranho. Talvez eu seja mesmo.

20

A garagem da casa dos Murphy é maior do que todo o andar térreo da minha casa. É mais limpa e organizada também. Na minha cabeça, garagens são onde as pessoas guardam todas as tralhas que não querem dentro de casa. Mas Larry Murphy parece não tolerar tralha. Simplesmente joga tudo fora.

O pai de Zoe me pediu para entrar aqui com ele enquanto as mulheres arrumam a mesa de jantar. Eu costumo ajudar Cynthia, mas hoje somos apenas dois caras falando de negócios. A briga com minha mãe é apenas uma sombra agora. Larry não quer me interrogar. Quer me ajudar.

Está me mostrando o que tem dentro de uma caixa de plástico que ele tirou de uma prateleira alta.

— Brooks Robinson — Larry diz. — Jim Palmer.

Só reconheço que são jogadores de beisebol quando ele me mostra as cartas plastificadas.

— Olha só isso — Larry diz, fuçando ainda mais dentro da caixa. — Aqui tem todo o time de 1996.

— Uau — digo, porque imagino ser o que eu deveria dizer.

— Se conseguir chamar as pessoas certas para um leilão, fãs de beisebol, aposto que consegue arrecadar fácil uns mil dólares para o pomar.

— É uma ótima ideia. Vou propor isso pra Alana.

Larry não comentou muito sobre a nossa ideia de reformar o pomar quando a apresentamos. Cynthia topou de primeira, mas Larry só ficou em silêncio. Talvez seja o estilo dele. Até onde eu sei, é o estilo de todos os pais.

Ele tira uma luva de beisebol da caixa e a deixa de lado.

— Juro que tenho um Cal Ripken em algum lugar por aqui.

— É muito generoso da sua parte — digo. — Doar todas essas coisas.

A porta para a casa se abre e Zoe aparece.

— A mamãe falou que seu programa está passando e que ela não quer ter que gravar de novo.

— Bom, fala que estamos ocupados.

— Pai, você está torturando ele?

— Quê?

— Evan, ele está torturando você? — Zoe pergunta. — Pode falar se estiver entediado e quiser sair. Ele não vai ficar chateado.

— Ele pode sair quando quiser — Larry diz.

— Evan, você quer sair?

Nos primeiros momentos a sós com Larry, eu estava torcendo para Zoe vir me resgatar. Eu e ele nunca tivemos uma conversa de verdade, só os dois. Mas até que está sendo bom conversar com ele.

— Não. — respondo. — Está tranquilo, sério.

— Beleza — Zoe diz. — Não diga que não te avisei. E, pai, não deixa o Evan tirar mais selfies pras fãzinhas dele.

— Não faço ideia do que isso quer dizer — Larry diz.

— Pergunta pro Evan. Ele sabe do que estou falando. — Ela sorri para mim antes de fechar a porta.

Larry olha para mim, em busca de uma explicação. Dou de ombros, tentando não deixar que o fato de Zoe ter acabado de demonstrar o que tenho quase certeza de que era ciúme me fazer comemorar de forma constrangedora.

Ele fica em silêncio por um momento. Depois pergunta:

— Então, você e a Zoe...?

Sinto que meu rosto fica o mais vermelho que um rosto pode ficar.

Ele continua me observando, sem maldade.

— Esta luva é bem legal. — Pego a luva de beisebol.

— Não é? — Larry diz, parecendo tão feliz quanto eu pela mudança de assunto. — Pode ficar com ela se quiser.

— Ah, não. Eu não poderia.

— Por que não? Nunca foi usada. Devo ter comprado de aniversário ou algo do tipo.

Só agora me dou conta de a quem pertencia essa luva de beisebol. Não pegaria bem devolver. Eu não me *sentiria* bem. Um presente de aniversário. Connor nunca mais vai ganhar um. Pior ainda, os presentes que ganhou estão sendo passados para a frente.

— Eu e meu pai jogávamos no quintal todo domingo — Larry diz. — Pensei que Connor e eu poderíamos fazer o mesmo. Ele sempre reclamava que eu nunca estava por perto, que eu vivia trabalhando, então falei "Está certo, vamos separar as tardes de domingo só para nós dois". Então, de repente, ele não estava mais interessado. — Ele ri baixo. — Nada com Connor era fácil.

Ele enfia as mãos nos bolsos.

— Pega — ele diz, como se estivesse me oferecendo uma simples bala. — Vai ficar aí largada, juntando pó.

Acho que não tenho escolha.

— Mas você vai ter que amaciar primeiro — Larry diz. — Não vai conseguir pegar nada com ela assim tão dura.

Ótimo. O presente vem com responsabilidades.

— Como se amacia?

— Seu pai nunca ensinou você a amaciar uma luva?

Não respondo. Não preciso responder.

— Bom, só existe um jeito de fazer isso — Larry diz, enfiando a mão na caixa. — Precisa usar creme de barbear.

Penso que ele está brincando, mas então ele pega uma lata de creme de barbear de verdade e começa a agitá-la.

— Toma — ele diz. — Está cheia.

Agora tenho uma luva de beisebol numa mão e uma lata de creme de barbear na outra. Eu não jogo beisebol nem me barbeio.

— Você faz o seguinte, esfrega a espuma nela por uns cinco minutos. Depois amarra tudo com elástico, põe embaixo do colchão e dorme em cima dela. No dia seguinte, repete tudo. Faça isso por pelo menos uma semana.

— Uma semana? Sério mesmo?

— Todos os dias. Sem falta. Não tem como pegar um atalho.

Larry tem até um saco de elásticos.

— Hoje em dia, a sua geração, odeio falar isso, mas vocês só querem saber de alegria instantânea. Quem quer parar para ler um livro quando se pode ver o Facebook? Mas não tem como substituir um trabalho bem-feito. Não tem. Só precisa de um pouco de paciência.

Ele borrifa o creme de barbear na luva e começa a espalhar dentro dela.

— Eu não deixava Connor pegar atalhos. Era Cynthia quem dava as segundas chances e dizia "se esforce mais da próxima vez". E era eu quem dizia não. Eu falava: "Connor, você fica indo por esses atalhos, vai acabar perdendo o rumo uma hora e, daqui a pouco, vai chegar a algum lugar onde não quer estar e sem ter a menor ideia de como voltar para casa".

Sua voz embarga um pouco. Ele limpa a garganta, se recompondo, e olha dentro da caixa. Está vazia. Não estamos mais falando de esportes ou garotas.

— Connor tinha sorte — digo, sem pensar. — Por ter um pai que se importava com ele tanto assim.

Larry arruma os objetos na mesa.

— Bom, seu pai deve sentir que tem sorte por ter você.

— Pois é — digo. — Ele sente.

Aqui estou eu, mentindo sobre coisas sem precisar.

Larry sorri.

— Bom, se quiser ir conversar com a Zoe...

— Claro. Sim. — Sigo para a porta com as mãos cheias: luva, creme de barbear.

Mas algo me impede. Dou meia-volta.

— Não sei por que falei aquilo. Sobre o meu pai. Não é verdade. Meus pais se divorciaram quando eu tinha sete anos. Meu pai se mudou para o Colorado. Ele e minha madrasta têm uma família nova agora. Então, essa é meio que a prioridade dele.

Larry me observa. Eu me arrependo na hora. Não sei direito por que contei tudo isso a ele. Mas ele foi tão aberto e verdadeiro comigo, vulnerável, e eu queria ser igual com ele. Parecia justo, e agora...

Ele apoia a mão sobre o meu ombro.

— Não esqueça os elásticos — ele diz, colocando o saquinho nas minhas mãos.

Agradeço, soltando o ar.

— Agora você está pronto para ir.

A luz do quarto da minha mãe ainda está acesa quando Zoe me deixa em casa. Mas, quando subo a escada, já não vejo nenhuma fresta de luz saindo de baixo da porta do quarto dela.

O bilhete que encontro no meu quarto diz: *Te amo, hijo mio.* Fico um pouco confuso até me lembrar de que falei para ela que estava estudando espanhol com Jared. Por um momento, imagino minha mãe pesquisando no Google como escrever o que ela queria dizer.

Já passou das onze da noite. Está claro que ela estava me esperando acordada. Falei que não precisava, mas acho que ela não conseguiu evitar.

Cynthia sugeriu que eu passasse a noite na casa deles. "Zoe leva você para a escola", disse. "Liga para a sua mãe para avisar. Você pode ficar no quarto do Connor." Foi gentil da parte dela oferecer, mas um pouco exagerado. Eu não conseguiria dormir na cama do Connor. Por mais insensível que tenha me tornado, ainda resta um pouco de sensibilidade em mim.

Na verdade, não é bem assim. Dizer que me tornei *insensível* não é verdade. Pelo contrário, tenho sentido mais coisas agora do que nunca. E não só porque parei de tomar os remédios. Pela primeira vez, estou vivendo a vida para valer. Finalmente sei o que significa beijar alguém. Tipo, *de verdade*, por vários segundos. Acontece o tempo todo agora. Virou rotina, mas *nunca* perde a graça. E hoje aprendi a amaciar uma luva de beisebol. Algo que meu próprio pai nunca se deu ao trabalho de me ensinar.

Zoe diz que eu deveria mandar um link do discurso para o meu pai. Mas não acho que ele vai ligar para nada disso — o Projeto Connor, o pomar. Quando ele escreveu uma vez no Facebook que estava com dificuldade para manter o formato de seu novo chapéu de caubói, mandei para ele um artigo com instruções meticulosas; ele nunca me respondeu. Eu mandava cartões postais para ele, na esperança de nos correspondermos, mas a única vez em que recebi uma resposta foi com a caligrafia de Theresa. Ele gosta de fazer trilhas, então sugeri que fizéssemos o Caminho dos Apalaches juntos. Ele pareceu curtir a ideia, mas, quando o lembrei disso no último verão, veio com uma desculpa de que já viria para o leste para a minha formatura na primavera e, agora, com a chegada do bebê, não teria dinheiro para vir duas vezes. Então o que faço depois disso? Pesquiso uma trilha perto de onde ele mora, no Colorado, e deposito todas as minhas esperanças nisso.

Vou até o mapa. Estou cansado de me esforçar. De que adianta? Quanto tempo devo esperar? Dois mil e novecentos quilômetros nos separam. Talvez seja longe demais. Logo ele vai ter outro filho, um bebê em seus braços. Não dá para ser mais próximo do que isso. Eu não tenho como competir. Por que ainda quero isso, depois de tudo por que ele me fez passar? Só pensei que, naquela ocasião específica, não muito tempo atrás, ele ficaria orgulhoso de mim, apreciaria o fato de que eu trouxe de volta à vida a placa desbotada na frente do parque Ellison, um lugar que ele adorava visitar, muitas vezes comigo, as memórias que criamos. Só pensei que minha conquista, esse gesto, o tocaria de alguma forma, nos uniria, mas, enfim, claro, como sempre, no dia em que contei para ele, quando mandei a foto para ele...

Não importa. Chega. Tiro o alfinete e o atiro numa caneca. Já que estou em pé, coloco minha luva de beisebol nova. Uso o braço livre — o que não está mais quebrado, com o qual ainda estou aprendendo a conviver — para dar um soco no couro duro. Dou mais um, com um pouco mais de força, e de novo, mais forte, e de novo, e de novo, até meu punho brilhar no tom mais reconfortante de vermelho.

21

A garçonete pergunta se quero mais, mas acho que já tomei muito café hoje. Se meu pé bater com mais força no chão, os donos do Capitol Café podem colocar os danos ao edifício na minha conta. Normalmente, não consumo cafeína (o dr. Sherman me aconselhou evitar), mas eu podia escolher entre uma bebida com café ou a água da casa, e como Zoe disse que seria melhor para ela se eu gastasse dinheiro enquanto estivesse aqui… Não posso bancar um jantar, então, sim, me passe o creme e o açúcar.

Ela está no palco agora, afinando o violão. Tecnicamente, não chega a ser um palco. É só uma área com um microfone e duas caixas de som.

Estou mais nervoso do que a Zoe e é ela quem vai se apresentar. Só quero que a noite dê certo. O lugar está bem vazio. Tem um casal de idosos jantando, outro artista esperando nas coxias e algumas pessoas com notebooks, ocupando banquinhos. Mas ainda está cedo.

A voz dela ressoa:

— Olá — e todos erguem os olhos. Ela se afasta do microfone. — Opa, desculpa.

Alguém desliga a música tranquila que tocava ao fundo. O palco, ou o que quer que seja aquilo, é todo de Zoe. Ela toca um único acorde, testando o som. Paro de mexer o joelho, com medo de que o barulho interfira na apresentação dela. Zoe respira fundo, fecha os olhos, e começa.

É um estilo diferente daquele com que estou acostumado. Normalmente, seu violão acompanha dezenas de outros instrumentos para formar um som suntuoso. Aqui, é fraco e simples. Apenas uma dissonância baixa e singela.

Então ela abre a boca e minha apreensão dá lugar ao fascínio. Ela não é sedutora ou graciosa. É quase como se estivesse conversando com a gente, mais do que cantando. É bruto, vulnerável e sincero. É tudo que ela é, só que menos reservado.

À medida que relaxo na cadeira, Zoe também vai relaxando no palco. A timidez que percebi no início diminui. Sua voz fica mais musical, se transformando em um tom mais alto e sedoso no refrão e saindo com força total na última estrofe. Acho que ela está tocando um cover. Já ouvi essa música antes, mas não dessa forma. Ela a transformou para ser só dela.

Quando ela acaba, bato palmas. Ela ergue os olhos e, agora que parou de tocar, está tímida de novo. Não ligo se sou o único batendo palmas. O casal de idosos sorri para mostrar que gostou. O resto do salão está distraído. Zoe parece não perceber nem se importar. Ela está fazendo seu som ali em cima. É ainda melhor do que a ver se apresentar na banda de jazz. Muito melhor.

A próxima música também é um cover. Meu bolso vibra. Entre uma música e outra, olho para ver de quem é a mensagem. É de Alana, mas não tenho tempo para ler. Zoe está apresentando a próxima música.

— Agora vou tocar uma música que compus — ela anuncia. — É completamente inédita e acho que eu vou acabar estragando tudo, mas que seja. Chama "Apenas nós".

Fico tenso outra vez. É como a ver se pendurar de uma grande altura sem cinto ou rede de segurança embaixo. Lembro de como me senti ao entrar naquele palco para fazer meu discurso na frente da escola inteira. A lembrança acelera meu coração. Tento deixar os pensamentos negativos de lado. Não há nenhuma plateia intimidadora aqui. Zoe tem tudo sob controle.

Ela começa com um dedilhar delicado. O ritmo que está criando parece familiar, mas novo ao mesmo tempo. A música soa esperançosa. Acabou de começar e eu já gosto. Passo a gostar mais quando escuto a letra. Quando ela chega ao último refrão, quase sei as palavras de cor.

E se formos nós?
E se formos nós e apenas nós?
E o que veio antes não contar mais nem importar
Podemos tentar?
E se for você?
E se for eu?
E se for tudo que precisamos que seja?
E que o resto do mundo se desfaça
O que você acha?

Meus ouvidos não são treinados, mas não percebo nada de ruim ou indesejado. Ela foi impecável.

— Então, quando sua mãe sai do trabalho? — Zoe pergunta ao chegarmos em casa.

Na última vez em que Zoe esteve na porta de casa, eu estava tentando fazer com que ela fosse embora antes que minha mãe a encontrasse. Hoje, felizmente, não tenho de me preocupar com isso.

— Ela tem aula domingo à noite — digo. — Vai demorar algumas horas pra chegar.

— Então a casa é toda nossa?

Não é justo que Zoe possa dizer coisas como essa que me deixam momentaneamente paralisado. Não achei que poderia ficar ainda mais fascinado por ela até a ouvir cantar.

— Durante as próximas três horas — confirmo, colocando a chave na fechadura.

— A gente podia dar uma festa.

Rio.

— A gente definitivamente devia dar uma festa. Claro.

— Até sua mãe voltar.

— Daqui a três horas. — É possível que eu tenha me esquecido de como usar as palavras. — Obrigado, sabe, por vir.

— Faz *semanas* que me convido pra entrar na sua casa e você sempre diz não.

— Eu sei. — Eu queria recusar desta vez também, mas não posso mantê-la longe para sempre. — É por isso que fico feliz que você esteja aqui agora.

Entramos e sinto uma enxurrada de vergonha. Tentei arrumar o máximo que pude, mas não dava para melhorar muita coisa. Não havia como sair correndo e comprar um sofá novo que não estivesse desbotado. Não dava para pintar as marcas de umidade no teto ou tirar as manchas do carpete. E não há espaço suficiente em nossos armários para esconder toda a tralha. Só fui notar metade do que havia de errado na minha casa quando comecei a passar mais tempo na casa da Zoe.

— Bem-vinda — digo, tentando levá-la correndo para o meu quarto, no andar de cima. Não num sentido pervertido. Eu só me sentiria mais à vontade no meu quarto.

Tarde demais. Ela para no corredor, examinando uma fotografia.

— Esse é você bebê?

— Esse gordinho aí? Sim, sou eu.

— Muito fofo.

Bom, se é pra ela me elogiar, acho que podemos ficar aqui por mais alguns segundos. A fotografia que ela está admirando foi tirada na nossa antiga casa. Não lembro muito de lá, exceto do que vi em fotografias.

— É seu pai quem está segurando você? — Zoe pergunta.

— Não. Meu tio Ben. — As fotografias de Mark nunca serão expostas na casa de Heidi Hansen. O lugar delas é em caixas e álbuns.

Lembro que o quintal da antiga casa dava para a floresta, assim como a casa de Zoe. Tenho uma lembrança do meu pai disparando flechas em uma árvore, mas não sei direito se isso aconteceu mesmo ou se fui eu que inventei essa memória.

Começo a subir a escada, não dando escolha a Zoe a não ser me seguir. Meu celular vibra de novo, me lembrando de que ainda não li as mensagens que Alana mandou mais cedo. No andar de cima, vejo um bilhete da minha mãe colado na porta. Tento tirá-lo discretamente, mas Zoe vê.

— Eu e minha mãe trocamos muitos bilhetes — explico.

— Papel e caneta — Zoe diz. — À moda antiga.

— Ah, não, a gente troca mensagens e e-mails também. Ou seja, tudo menos o cara a cara.

— Cara a cara? — Zoe diz. — Quem iria querer uma coisa dessas?

— Eu não. Nem a sua cara.

— Muito obrigada — ela diz, o que me faz sorrir e me lembrar do por que amo... quero dizer, gosto tanto dela.

— Está pronta para ver o lugar onde absolutamente nenhuma mágica acontece? — digo.

— Mal posso esperar.

Abro mais uma porta para ela. A imagem que ela vê agora do meu quarto é falsa. Minha cama está arrumada. Meu armário e as gavetas da cômoda estão fechados. Minha escrivaninha está organizada. Meus frascos de remédio estão escondidos dentro de uma meia. O aroma industrializado de odorizador de ar permeia o ambiente.

Mas nem tudo está perfeito. Não queria que ela achasse que sou maníaco, então, depois de limpar tudo meticulosamente, deixei algumas coisas fora do lugar de propósito. Pendurei uma camisa em uma cadeira, empilhei alguns papéis na cômoda e deixei o livro mais intelectual que tinha em cima do criado-mudo.

Enquanto Zoe observa meu quarto, leio o bilhete da minha mãe. *Por favor, coma*, diz. É bem conciso para ela. Acho que ela ainda está brava por causa da outra noite. Sinceramente, também não me sinto bem em relação àquilo.

— Dá pra ver que nenhuma mágica acontece aqui — Zoe diz, sentando-se na cama.

— Sério?

— Não. — Ela vai para o lado e toca na cama. — Mas como você dorme com esse caroço no colchão?

Sabia que tinha me esquecido de alguma coisa. Peço para ela sair da cama para eu poder colocar a mão embaixo do colchão. Tiro o saco plástico com a luva de beisebol besuntada de creme de barbear.

— Você estava ouvindo meu pai de verdade? — Zoe pergunta. — Você nem gosta de beisebol, gosta?

Toda resposta é precária.

— Não, na verdade, não.

Pensei que deveria amaciar a luva por via das dúvidas. Vai que o Projeto Connor organiza um jogo de beisebol beneficente algum dia? Também estou fazendo isso só para dizer ao sr. Murphy que fiz. Eu gosto dele, e quero lhe dar algo que o deixe feliz.

Zoe observa a pilha de papéis em cima da cômoda.

— O que é tudo isso?

— Ah, são só... Minha mãe está obcecada por esses concursos de redação que dão bolsa pra faculdade que ela achou na internet. Ela não para de imprimir coisas.

Ela tira a pilha da cômoda.

— São muitos.

Não prestei muita atenção em que papéis deixei na cômoda.

— Pois é. Quero dizer, acho que eu teria que ganhar uns cem desses para realmente bancar a faculdade. Se somar tudo. Mensalidade, moradia, livros.

Ainda não comecei a ver essas redações. Sei que minha mãe está tentando ajudar a nós dois, mas a faculdade é um problema para amanhã; já é difícil tentar resolver os de hoje. E duvido que eu vá ganhar algum desses concursos de qualquer forma.

— Então, seus pais não conseguem...? — Ela não precisa terminar a frase.

— Não.

— Sinto muito.

E agora quem sente sou eu, porque ela parece triste. Não quero deixá-la triste.

— Ah! Queria te contar antes. Tivemos uma reunião do Projeto Connor uns dias atrás e Alana pensou numa estratégia ótima pra arrecadar mais dinheiro pro pomar. Alana realmente nasceu para comandar uma empresa ou, sei lá, o mundo, algum dia. — O que estou dizendo não faz efeito. Não sei por que, mas só deixei o rosto de Zoe ainda mais triste. — Por enquanto acho que vamos começar só com o pomar.

Ela suspira e baixa os olhos.

— A gente pode conversar?

— Ai, merda. — Finalmente consegui. Estraguei a única coisa boa na minha vidinha miserável.

— O que foi? — ela pergunta, subitamente assustada.

— Não. É só que... você vai terminar comigo, não vai? Foi por *isso* que veio aqui hoje.

— Terminar com você?

— Não que a gente esteja namorando. Não quis presumir nada. Não sei o que é isso, se é um namoro oficialmente ou se é mais... deixa pra lá. Por que ainda estou falando? Beleza. Não se preocupa, pode dizer. Não vou *chorar* nem começar a quebrar coisas...

Ela fica me encarando e sinto minhas mãos começarem a suar. Eu as seco por antecipação. Uma tática inútil. Sou ótimo com elas.

— Não vou terminar com você — ela diz.

Fico quieto para ter certeza de que ouvi direito.

— Sério? Beleza. Obrigado.

— Não precisa agradecer. — Ela ri.

Espera. Quer dizer que eu e Zoe estamos *namorando*? Porque, sabe, eu meio que *achava* que estávamos, mas não tinha certeza se ela pensava o mesmo. Quando as pessoas conversam sobre esse tipo de coisa? Ou ninguém fala nada até os dois simplesmente saberem? Além disso, como saber se os dois sabem?

— É só sobre esse Projeto Connor — Zoe diz. — Quero dizer, é ótimo. O que vocês fizeram é incrível. Sério mesmo.

Tem um "mas" a caminho.

— Mas talvez a gente não tenha de falar sobre meu irmão o tempo todo. Talvez possamos conversar sobre... outras coisas.

— Ah, sim. Claro. Só pensei que talvez você quisesse saber como tudo está indo e tal.

— Não, eu sei que você pensou isso, e agradeço de verdade pelo que está fazendo. — Ela se senta no colchão, agora sem caroço. — Mas, durante toda a minha vida, tudo sempre foi sobre o Connor. E agora só preciso de uma coisa pra mim. Se isso for virar um…

Ela para e quase caio durante essa pausa.

— … relacionamento — ela diz finalmente —, não quero que seja sobre meu irmão. Ou o pomar. Ou os e-mails.

Parei de respirar. *Respire, Evan, respire.*

— Só quero… você — ela diz.

— Sério?

Ela suspira, frustrada comigo.

— Você ouviu a música nova que cantei hoje à noite?

— Claro — digo. — Era linda.

— Você ouviu a letra? "Eu e você. É tudo que precisamos ser".

— Você estava… era sobre…

Ela deu de ombros.

— Quem mais?

— Ah.

Queria ter gravado a apresentação dela para poder ouvir a música de novo várias e várias vezes. Agora minha memória tem de preencher o espaço. Um verso em particular me vem à mente: "E o que veio antes não vai contar mais nem importar. Podemos tentar?".

Sim, respondo mentalmente. *Sim,* umas cem mil vezes.

Dessa vez estávamos na casa dele. (Miguel ainda me chamava para ir lá, mas só quando a mãe dele estava trabalhando. Eu sempre gostei da mãe dele. Língua afiada, coração mole. Cozinheira de mão cheia. Superacolhedora. Até eu ser expulso da escola. A triste ironia que apenas eu e M entendíamos: minha tentativa de ajudar seu filho foi o que a levou a me odiar.)

Desde aquele dia na minha casa, nossa amizade havia se transformado em algo mais. O terceiro ano foi um inferno, mas Miguel era um respiro. A única parte boa da minha vida. Sempre ficava ansioso para vê-lo. Mas, nos últimos tempos, essa sensação se parecia mais com um tipo de compulsão. Uma força gravitacional que me atraía para ele. Eu não *queria* estar perto dele. *Precisava* estar.

Nesse dia na casa dele, ele estava deitado ao meu lado. Observei seu corpo tentando memorizar cada pedaço, antes de ele se cobrir novamente. A maneira como sua pele parecia absorver a energia da luz da lâmpada. Seu peito encovado, formando uma poça rasa. Eu me perguntava quem mais em sua vida tinha esse privilégio. Quem mais podia apertar o botão que era sua marca de nascença. Minha vida social parecia uma linha unindo apenas dois pontos. Mas a de Miguel era um círculo. Ele tinha outros amigos em Hanover. Uma família grande, com muitos primos. E havia um ex, com quem ele ainda conversava. Onde era o meu lugar? Perto de seu centro? Ou nas bordas?

"O que é isso?", ele perguntou, quebrando o silêncio.

Segui seu olhar, percebendo tarde demais o que ele estava vendo. Não tinha me tocado que tinha tirado minhas pulseiras. Algo que eu não faria normalmente. Algo que sua força gravitacional me persuadiu a fazer.

Afastei meu punho. "Nada", respondi.

Ele me encarou nos olhos. Parecia um desafio.

Saí da cama, coloquei as pulseiras. Cicatrizes de algumas noites ociosas. Matando o tempo, na verdade. Um isqueiro, fósforo, cera de vela. Certo, não era exatamente nada, mas também não era importante.

Ele se sentou. "Você sempre faz isso", ele disse.

"O quê?", perguntei, vestindo a camisa.

"Sempre que chego perto demais..." Ele bateu os pés no chão.

Tentei rir. "Do que você está falando?"

"A gente está sempre na minha casa. Você só me chamou pra sua uma vez. Parece que só tenho direito a partes minúsculas."

Eu o encarei com um olhar inexpressivo. "Por que você se importa? Nem somos..." Dei de ombros. "Nem sei o que somos."

Ele balançou a cabeça e suspirou, se levantando. "Como podemos virar alguma coisa se você não deixa?"

(Foi como um comunicado. Um ultimato. Eu não tinha escolha, na verdade.)

Miguel não sabia como tinha sido o último ano. Tinha ouvido, claro, mas não estava lá de verdade. Sabia apenas da lenda, não da realidade. Dia após dia após dia. Arranhando e raspando. As feridas causadas a mim e por mim. Todas as coisas boas tornadas ruins. Deitado na cama à noite, simplesmente imaginando...

"Você não entende", digo.

Ele me observou por um momento. Depois se aproximou. Nariz com nariz. Olho no olho. Não tão perto quanto estávamos um momento antes e, no entanto, mais íntimo do que aquilo. "Então", ele disse. "Me fala."

Parei diante dele e balancei a cabeça. Desviei de seu olhar.

"Me manda a real, porra."

Como? Como eu conseguiria? Quando tudo que ele acreditava ver em mim era completamente irreparável?

Dei um passo para trás, cerrei os dentes, me fechei. Vesti minhas roupas o mais rápido que pude. Ele tentou me impedir, me chamou. Mas minha decisão já estava tomada: fuja.

(Ainda estou fugindo, acho.)

Tem uma foto minha rolando por aí. Cabelo curto. Sorriso bobo no rosto. Vi em algum momento naquele evento de algumas semanas atrás. Minha mãe deve tê-la encontrado no meu celular. Acho que ela não tinha como saber que editei a foto. Uma selfie tirada por Miguel. Na original, ele está do meu lado, seu sorriso tão largo quanto o meu.

Eu tinha certeza de uma coisa: como me sentia quando estava perto dele e quando não estava. A primeira opção era emocionante. A outra, insuportável. Estar com ele era como estar viciado em uma droga. Quando paramos de nos ver, entrei em abstinência. Foi um longo verão de trevas.

22

No corredor da escola na manhã seguinte, Zoe me dá um beijo, na frente de todo mundo.

— Tenho ensaio depois da aula, então não posso te dar carona — ela diz. — Mas não esqueça que vou passar para te pegar às sete pro jantar.

Ela me dá outro beijo rápido, dessa vez na bochecha, e sai. Eu a vejo se afastando, e tudo em que consigo pensar é na próxima vez em que a verei.

— Onde você estava ontem à noite?

Viro e dou de cara com Alana.

— Mandei umas cinquenta mensagens pra você — ela diz, balançando a cabeça. — Mas não se preocupa, entreguei os cartões postais sozinha.

— Ai, merda, esqueci. Desculpa mesmo — digo. — Devo ter programado a data errada no celular.

— Qual é o problema, Evan?

Observo ao redor. Preferia ter essa conversa a sós.

— O prazo de arrecadação de fundos é daqui a uma semana — Alana diz — e parece que você está a mil quilômetros daqui. Não fez nenhum vídeo novo. Não posta no blog há sei lá quanto tempo.

— Andei ocupado.

— Ocupado com o quê? — Alana pergunta.

Vivendo? Tentando viver?

— Estava fazendo, sabe, outras coisas — respondo. — Quanto dinheiro a gente ainda precisa conseguir?

— Ah, não muito. Só dezessete mil dólares.

Dezessete mil. Certo, isso são muitos dólares.

— Olha, tenho certeza de que a gente vai chegar lá. Só precisamos, bem, manter o engajamento.

— Exato — ela diz, aliviada por eu finalmente estar falando coisa com coisa. — É por isso que estou publicando os e-mails entre você e o Connor na internet.

— Espera. Como assim? O que você quer dizer com isso? — A água salgada vai entrando no tanque de repente. — Como você sabe sobre os e-mails?

— A sra. Murphy me mandou — Alana diz. — Só alguns, mas disse que tinha mais um monte. Que você, tipo, não para de levar e-mails novos pra ela.

— Você não pode fazer isso.

Ela joga a cabeça para trás, num gesto dramático.

— Não posso?

— São conversas particulares.

— Hum, não são mais. São de domínio público agora. Enfim, era essa a intenção. Quanto mais particulares forem, melhor. É o que as pessoas querem ver. Assumimos um compromisso de mostrar tudo para a nossa comunidade, e dizer a verdade.

A verdade? Que verdade? Respondo todos os e-mails deles e falo sobre a minha vida. Até publiquei uma selfie. Já não mostrei o suficiente? O que mais "nossa comunidade" quer de mim?

O relógio de pulso dela apita.

— Preciso ir, mas vou te mandar uma lista de perguntas para responder. Alguns dos e-mails não fazem sentido.

— Quê? Como assim?

— Bom, por exemplo, você disse que a primeira vez em que foi ao pomar foi no dia em que quebrou o braço. Mas depois, em outros e-mails, fala que estavam indo juntos desde novembro do ano passado.

Essa é fácil de esclarecer. Sabe, na verdade, nunca fui ao pomar. Não sou quem você pensa, Alana.

— Devem ser apenas erros de digitação — digo. — Quero dizer, são só e-mails. Acho que você está vendo coisa onde não tem.

Seu antigo sorriso volta com força total.

— Você pode explicar tudo quando eu te mandar as perguntas. Você sabe o quanto a comunidade adora saber sobre você.

Ela sai andando. Observo ao redor, tentando avaliar que tipo de cena acabamos de fazer. Na verdade, ninguém estava prestando atenção. Todos — andando, digitando, mexendo nos seus armários — estão absortos demais em suas próprias vidas para se importarem com a minha. Eles têm seus próprios namorados e namoradas e melhores amigos e pais (dois) e projetos (sem P maiúsculo). A maioria esqueceu completamente de Connor Murphy. Podem ter contribuído com alguns dólares para a campanha do pomar, mas não porque se importavam em manter a memória de Connor viva. Estavam só fazendo o que todos os outros fazem. O mesmo que estou tentando fazer: sobreviver ao dia.

No caminho para a primeira aula, mando mensagem para Jared.

Cara.

Ia te mandar mensagem agora.

Meus pais estão fora da cidade esse fim de semana.

A última vez que eles usaram o armário de bebidas foi no Rosh Hashaná de 1997.

A gente pode beber o que quiser.

Não posso esse fim de semana.
Tenho que arrecadar dezessete mil dólares.
Lembra do Projeto Connor?
Em que era pra você estar trabalhando?

Lembra quando você disse que não precisava da minha ajuda?

Não disse para não fazer nada.
Sei que você pensa que isso é uma piada, mas não é.
É importante.

Pro Connor.

Sim, pro Connor.

— Interessante você dizer isso.

Tiro os olhos do celular. É Jared, em carne e osso.

— Porque — Jared diz, guardando o celular no bolso —, se parar para pensar, a morte do Connor foi basicamente a melhor coisa que já aconteceu na sua vida, não foi?

Até para Jared, essa é uma coisa horrível de se pensar, que dirá dizer em voz alta.

— Por que está dizendo isso?

— E aí, Evan? — diz alguém que passa.

— Bom, pensa um pouco — Jared diz. — As pessoas da escola falam com você agora. Você é quase popular, o que é, tipo, o milagre dos milagres. Se Connor não tivesse morrido, você acha que esse cara que acabou de passar saberia seu nome? Não saberia. Ninguém saberia.

É verdade. Isso eu não posso negar. Mas essa não é a questão. Nunca foi.

— Não ligo se as pessoas da escola sabem quem eu sou. Não ligo pra nada disso. Só queria ajudar os Murphy.

— Ajudar os Murphy — Jared repete, como se fosse o slogan de uma empresa. — Você vive dizendo isso.

— Para de ser escroto.

— *Você* está sendo escroto — ele diz, e sai andando.

O sinal toca, oficializando o começo do dia letivo. Mas parece uma luta de boxe. Sinto que já passei por uns doze rounds.

23

Zoe estaciona seu Volvo na entrada da casa dela e desliga o motor. Marca a nossa chegada com um sorriso, e sorrio de volta. Ela parece especialmente animada hoje e não consigo entender o motivo. Os trajetos de carro com Zoe normalmente envolvem mais música do que conversa, mas, no caminho para cá, ela manteve o som baixo para me contar sobre o ensaio da banda. Aparentemente, Jamison, o baixista, que é muito bonzinho, não suporta o baterista, porque o baterista é completamente egocêntrico e, sem os dois se dando bem, a música perde o ritmo. Drama na banda de jazz. Quem diria?

Entramos na casa e Zoe acha que isso vale um anúncio.

— Chegamos — ela grita, deixando os sapatos no tapete da sala.

Deixo meus sapatos perto dos dela enquanto ela entra na frente.

— Desculpa a demora — a escuto dizer.

— Estamos aqui tomando uma taça de vinho, se conhecendo — Cynthia diz.

Alcanço Zoe e paro como uma estátua.

Minha mãe está aqui, tomando uma taça de vinho, sentada com os Murphy.

— Convidamos sua mãe para o jantar de hoje — Larry diz, claramente achando que isso vai me deixar feliz.

— Ah — digo, fazendo contato visual com a minha mãe. Ela está tão chocada quanto eu.

— Não sabia que Evan também viria — ela diz.

— Desculpa — Cynthia disse, rindo como se fosse uma bobagem. — Não pensei em contar.

O sorriso de Zoe infla como um balão.

— Oi, eu sou a Zoe. — Ela aperta a mão da minha mãe. — É um prazer finalmente conhecer você.

Minha mãe retribui o sorriso, um balão com furos, e não fala nada. Ela nunca ouviu o nome de Zoe antes. Pelo menos, não da minha boca. Consigo ver a confusão em seu olhar.

Larry se levanta.

— Estamos prontos para outra garrafa?

— Abre a Portland — Cynthia diz a Larry. Depois, explicando para minha mãe: — É cem por cento sustentável, todo o processo de produção. Saiu uma matéria inteira sobre eles no *New York Times*. Incrível.

Sussurro no ouvido de Zoe:

— Você sabia sobre isso?

Ela assente com orgulho.

— A ideia foi minha.

— Ei, vocês dois — Larry diz, fazendo força para tirar a rolha da garrafa. Seu suéter com gola V salienta seu peito imponente. — Por que não se sentam e ficam aqui com a gente?

Eu e Zoe nos acomodamos em um sofá de dois lugares, um tanto longe um do outro. As mulheres estão sentadas lado a lado no sofá maior, o estilo refinado de Cynthia fazendo minha mãe parecer a estudante universitária que ela na verdade é. Sua blusa florida já passou por muitos ciclos de lavagem na máquina.

— Pensei que você fosse trabalhar hoje — digo para minha mãe.

— Bom, isso me pareceu mais importante — ela responde. — Então estou cabulando.

Isso. O que exatamente é *isso*? Parece quando você entra em um pátio em *Call of Duty* e tem trinta combatentes esperando para meter bala em você. O nome disso é emboscada.

— Sua mãe e eu estávamos conversando sobre como você e o Connor eram discretos — Cynthia diz, dando um tapinha no meu joelho.

Forço um sorriso, os dentes rangendo de pavor.

Larry volta com a garrafa nova, que ele entornou em um recipiente de vidro chique.

— Ninguém fazia ideia de como vocês eram próximos — ele diz.

Procuro desesperadamente por uma distração.

— Que cheiro ótimo.

Cynthia olha na direção da cozinha.

— Frango à milanesa.

Sinto minha mãe me encarando.

— Não sabia que você andava passando tanto tempo aqui. — Ela mal consegue dizer as palavras através do sorriso tenso. Eles claramente estavam conversando antes de chegarmos. Mas o que exatamente foi dito? Do que ela sabe?

— Você anda trabalhando muito — digo.

— Por que será que eu achava que você vivia na casa do Jared?

Desvio o olhar.

— Não sei. — Saio do meu corpo, vendo essa cena se desenrolar de longe. Talvez esse seja apenas o meu desejo.

— Pode ficar tranquila que estamos cuidando bem dele — Larry diz, voltando a encher a taça da minha mãe. — Ele sempre come uma boa refeição quando está conosco.

— Que ótimo. — Minha mãe dá um longo gole.

— Evan estava me mostrando todos aqueles concursos de bolsa

que você achou — Zoe diz. — Bem impressionante. Eram, tipo, um milhão.

Finalmente, um assunto que minha mãe consegue sustentar.

— Bom, Evan é um ótimo escritor.

— É fácil imaginar isso — Larry diz.

Se eles vão falar de mim como se eu não estivesse aqui, talvez eu possa me adiantar e simplesmente ir embora? Porque tenho certeza de que não vou conseguir ficar aqui.

— A professora de redação dele do ano passado disse que Evan escreveu um dos melhores trabalhos que ela já leu sobre *Sulu* — minha mãe diz.

— Olha só — Cynthia diz, igualando o orgulho de minha mãe.

— É *Sula* — não quis dizer isso em voz alta, mas disse.

— *Sula?* O que foi que eu disse?

— "Sulu." — Olho para o chão. O chão é o único lugar seguro para olhar.

— Acho que Sulu é um personagem de *Star Trek* — Larry diz —, se me lembro bem. — Ele ri, inocente, e Zoe ri junto. Ela faz que vai segurar minha mão e, sem pensar, eu me afasto. Não quero que ninguém toque em mim agora.

Minha mãe fica olhando para o vinho.

— Erro meu.

Eu não deveria ter feito aquilo. Agora a vergonha dela é culpa minha. Um silêncio insuportável toma conta da sala.

Zoe muda de assunto.

— Por falar em bolsa de estudos…

— Acho que agora é um bom momento — Larry diz. — Cynthia, você quer…?

— Bom — Cynthia diz, deixando a palavra fazer uma marca dramática em nossos cérebros. Ela coloca o vinho na mesa de centro. O que quer que vai acontecer agora eu já não posso impedir.

— Zoe comentou com a gente um dia desses que Evan está com certas dificuldades — Cynthia diz. — Em termos de custos financeiros para a faculdade. E eu e Larry começamos a pensar. Tivemos muita sorte em poder ter guardado algum dinheiro para o nosso filho.

A menção de Connor a faz parar. Larry segura sua mão. Eu me seguro.

— Estou bem — ela diz, parando para respirar. — Liguei hoje de manhã para convidar você para jantar, Heidi, porque, bom, em primeiro lugar, queríamos agradecer por deixar seu filho entrar em nossas vidas. Ele foi um ótimo amigo para nosso Connor, e passamos a amar demais seu filho.

Larry e Zoe riem de novo. Minha mãe abre um sorriso pequeno, sem querer ser deixada de fora, mas, claro, é tarde demais para isso. E só agora ela está começando a se dar conta desse fato.

— E, com a sua permissão, eu, Larry e, claro, Zoe, gostaríamos de dar a Evan o dinheiro que guardamos para nosso filho para que ele possa realizar seus sonhos, assim como ajudou Connor — ela respira fundo — a realizar os dele.

Sinto minha mão ser apertada. Sinto cheiro de frango no forno. Vejo uma escultura de um animal desconhecido atrás da cabeça de Cynthia. Sinto que vou vomitar.

— O que você acha? — Larry pergunta.

O que eu *acho* é que este é o gesto mais gentil, solidário e generoso que sou capaz de imaginar alguém fazendo. Também é terrivelmente desmerecido.

Quase consigo ver as emoções conflitantes da minha mãe brigando dentro dela. No fim, não existe nenhum vencedor óbvio. Ela responde apenas com:

— Uau, eu... não sei o que dizer.

Eu também não.

— Seria um grande presente para nós se pudéssemos fazer isso por Evan — Larry diz.

Cynthia concorda.

— Seria um presente incrível, Heidi.

Vejo as emoções da minha mãe tomarem um lado. Sua expressão endurece.

— Bom — minha mãe diz. — Muito obrigada, mas vamos ficar bem. Posso não ter muito dinheiro, mas tenho o suficiente.

— Ah, não — Cynthia diz. — Não queríamos...

— Não, não, eu entendo. — Minha mãe larga sua taça de vinho como se de repente tivesse se dado conta de que está cheia de veneno. — Eu só... nós temos dinheiro. Por isso, peço desculpas se tiveram a impressão de que não temos. E, para o que faltar, Evan pode conseguir uma bolsa ou fazer um empréstimo ou ir a uma faculdade barata. Não há nada de ruim nisso.

— De maneira alguma — Larry diz.

— Acho que é o melhor que podemos fazer. Não quero que Evan pense que é normal depender de favores dos outros.

— Não é um favor — Larry diz.

— Bom, mas, como mãe dele, preciso dar esse exemplo. Que não se pode esperar coisas de estranhos.

— Não somos estranhos — Cynthia diz.

Todos se viram para ela, a mágoa tomando o lugar de sua recente alegria. Me pergunto se sou o único capaz de ver a adaga cravada em seu peito.

— É claro que não — minha mãe diz, se levantando do sofá. — Obrigada pelo vinho. Estava delicioso.

— Espere — Cynthia diz. — Não vai ficar para o jantar?

— Acho melhor eu ir trabalhar, afinal.

— Ah, não — Cynthia diz.

— Sim — minha mãe diz, me encarando com outra adaga. —

Se eu soubesse que o Evan estava tão preocupado com nossa vida financeira, eu não teria nem pedido a noite de folga.

Ela pega a bolsa e seu celular cai, o que faz com que ela precise se ajoelhar para pegá-lo de baixo da mesa de centro. Todos a observam em silêncio, sem saber o que dizer ou fazer. É excruciante, cada longo segundo que ela demora para se levantar de novo, ajeitar a blusa desbotada e, finalmente, se virar para sair da casa.

Então ela vai embora. E todos se viram para mim.

No fim da noite, abro a porta de casa. O abajur está aceso na sala. Encontro minha mãe sentada no sofá, ainda vestindo a roupa do jantar. Ela não está lendo. Não está assistindo à TV. Não está bebendo. Não está se preparando para trabalhar. Só está esperando.

Os Murphy se sentiram péssimos por ofendê-la. Cynthia se ofereceu para ligar e pedir desculpas. Falei que não precisava. Tentei explicar que ela andava estressada com o trabalho e as aulas e tudo mais, só estava muito cansada e sobrecarregada (e qualquer outro adjetivo em que consegui pensar para descrevê-la que soasse vagamente plausível). Fiquei sentado à mesa deles, obriguei meu estômago sem fome a engolir o frango à milanesa e fiz o possível para sobreviver ao resto do jantar, segundo após segundo de angústia.

— Ele praticamente me prometeu um trabalho de assistente jurídica depois que eu me formasse — minha mãe diz, puxando um fio solto da blusa. — Me deu o cartão de visitas dele.

No caminho para casa, tentei me lembrar de manter a calma. Mas já estou irritado.

— E daí? Qual é o problema? Você fala como se fosse uma coisa horrível.

Minha mãe finalmente olha para mim.

— Você tem noção de como isso é *humilhante*? Descobrir que

seu filho anda passando tanto tempo com outra família e você nem *sabe*? Você me falava que estava no Jared.

Dou de ombros.

— Se você não está aqui, por que faz diferença onde estou?

— Eles acham que você é filho deles. Aquela gente.

Não dá mais para manter a calma.

— Eles não são "aquela gente", está bem? São meus...

— O quê? O que eles são?

Nem eu sei.

— Porque eles agem como se tivessem adotado você, como se eu nem existisse.

— Eles cuidam de mim — digo.

Ela se levanta do sofá.

— Eles não são seus pais, Evan. Não são sua família.

— Eles são bons comigo.

— Ah, eles são uns amores, pessoas adoráveis.

— Pois é.

— Eles mal conhecem você.

— E você conhece?

— Pensei que conhecia.

A decepção na voz dela. Parece a minha própria voz, dentro da minha cabeça, aquela que só eu escuto. Que me lembra de manhã, quando acordo, e à noite, quando vou para cama, do que eu sou. Um mentiroso.

Mas, se eu sou um mentiroso, ela também é.

— O que você sabe sobre mim, mãe? Você não sabe nada sobre mim. Nunca nem me vê.

— Estou dando o meu melhor.

— Eles gostam de mim. Sei que é difícil acreditar. Eles não pensam que tem algo de errado comigo. Que eu precise ser consertado, como você pensa.

Ela se aproxima.

— *Quando* foi que eu disse isso?

Ela está falando sério? Por onde começo?

— Tenho que ir para a terapia. Tenho que tomar remédios.

— Eu sou sua mãe — ela diz com firmeza. — É minha obrigação cuidar de você.

— Eu sei. Sou um fardo enorme. Sou a pior coisa que já aconteceu a você. Estraguei toda a sua vida.

— Olha para mim — ela diz, segurando meu rosto com força. — Você é a única... a única coisa boa que já me aconteceu, Evan.

Seus olhos se enfraquecem. Eu deveria me acalmar agora. Deixar de punir minha mãe. Mas estou cansado de controlar minhas emoções só para dar espaço às dela.

— Desculpa não poder lhe dar mais do que isso — ela diz, perdendo o controle.

Eu me afasto.

— Não é culpa minha que outras pessoas podem.

24

Parece que viram um fantasma. É a cara das pessoas quando chego ao ponto de ônibus. Será que eu estou com uma expressão vazia e imaterial como estou me sentindo por dentro? Ou talvez seja apenas o fato de que passei semanas sem aparecer aqui e eles estão surpresos por eu estar de volta. Eu também estou surpreso. Mas, ao mesmo tempo, não.

Menti para Zoe, dizendo que não precisava de carona para a escola hoje porque minha mãe me levaria. Depois do que aconteceu na noite passada, foi fácil para ela acreditar.

Não dormi. Não consegui dormir. A manhã chegou. Pensei em matar aula, ficar embaixo das cobertas. Mas me obriguei a levantar. Minha mãe já tinha saído para o trabalho. Não encontrei nenhum bilhete esperando por mim no espelho do banheiro nem no balcão da cozinha nem na porta da frente.

Fico olhando para o teto durante a aula de inglês e faço um belo trabalho cravando um buraco na carteira durante a aula de cálculo.

Só quero ficar sozinho, como sempre estive. Não quero ser incomodado ou notado ou interrogado. Mas é só um desejo.

Quando estou indo para o almoço, do nada, Alana me aborda. Ela claramente ficou à espreita aqui na frente do refeitório, esperando pela minha chegada.

— Por que Connor se matou? — ela questiona.

Alana vive falando de trabalho, mas hoje ela está com mais intensidade, e eu só queria que ela conseguisse dizer um simples "oi" antes de se jogar para cima de mim falando sobre...

— Espera, quê? — digo.

— Ele estava melhorando — ela diz, com uma pilha de papel nas mãos. — É o que ele diz para você em todos os e-mails. E aí, um mês depois, ele se mata? Por que tem tantas coisas nestes e-mails que não fazem sentido?

— Porque às vezes as coisas não fazem sentido, está bem? As coisas são caóticas e complicadas.

— Como seu namoro com a Zoe? — Ela observa ao redor e acrescenta: — Sabe o que as pessoas estão falando sobre você?

O que as pessoas estão falando? Nunca me passou pela cabeça que as pessoas poderiam falar algo sobre mim. Por tanto tempo, ser invisível tinha sido o normal. De repente, vejo minha situação como alguém de fora poderia ver: *Evan Hansen está saindo com a irmã do melhor amigo poucas semanas depois da morte dele.*

Merda, parece ruim mesmo.

Tento afastar o pensamento da minha cabeça e me dirigir a Alana.

— Por que está tão obcecada com isso? Quero dizer, você nem conhecia o Connor.

— Porque é importante.

— Importante porque vocês eram colegas de laboratório? Ou porque, sei lá, talvez isso conte mais um ponto extracurricular para suas candidaturas para a universidade?

A expressão de Alana se transforma em algo que eu nunca havia visto nela até então: derrota.

— Importante — ela diz, tremendo — porque sei como é se sentir invisível. Assim como o Connor. Invisível e sozinho e como se ninguém nem fosse perceber caso eu desaparecesse em um estalar de dedos. Aposto que você também sabia como era isso.

Ela espera que eu diga alguma coisa. Como não digo, balança a cabeça e sai andando.

Não me sinto mais vazio. Meu coração está batendo rápido, minha testa, suando. Alana despertou um reflexo primitivo em mim. Lutar ou fugir. Pela primeira vez, estou disposto a lutar.

Vasculho o refeitório em busca de Jared e o encontro na fila de comida. Não nos falamos desde aquele dia estranho. Ele parece demorar uma eternidade para sair do outro lado da fila e passar no caixa.

— Precisamos de mais e-mails — digo a ele. — E-mails que mostrem o Connor piorando.

Jared revira os olhos e ri.

— Não tem graça — digo.

— Ah, eu acho — Jared diz. — Acho que todos achariam muito engraçado.

— O que você quer dizer?

— *Quero dizer* que você deveria se lembrar de quem são seus amigos.

Eu praticamente tive de implorar para o Jared virar meu amigo e, agora, ele diz ameaças na minha cara e finge que está magoado? Ele é ainda mais manipulador do que eu pensava.

— Você me falou que o único motivo por que fala comigo é o seguro do seu carro.

Ele dá de ombros.

— É muito interessante — digo.

— O quê?

— Sua "namorada israelense" — faço aspas com os dedos para

ele entender o que estou falando — e seus "amigos" do acampamento? Nunca ouvi você mencionar o nome de nenhum deles.

— Se eu quiser, eu digo — Jared diz. — Aonde você quer chegar?

Dou um passo para perto.

— Talvez o único motivo por que você fala comigo é porque não tem nenhum outro amigo.

Ele sorri, mas sem confiança.

— Posso contar tudo pra todo mundo.

Ele está blefando. Se eu cair, ele cai junto. Diminuo o tom de voz.

— Vá em frente, Jared. Conta. — Ele não reage, então sigo em frente. — Conta pra todo mundo que você ajudou a escrever e-mails fingindo ser o cara que se matou.

Depois que as palavras saem, quero voltar no tempo e retirar o que eu disse. Já imaginei, antes, o que seria preciso dizer para deixar o Jared sem palavras. Estou arrependido de ter encontrado a resposta.

— Você é um cuzão do caralho, Evan — ele diz finalmente. Há mais raiva nas palavras do que no jeito de ele dizê-las.

Pela primeira vez, dou a ele um gostinho de seu próprio veneno. Pensei que seria bom ser a parte que magoa, mas é quase tão ruim quanto ser magoado. Eu o vejo se afastando com um sentimento que já me pertenceu.

Ao mesmo tempo, lembro de sorrir. Quero assegurar a todos que estão olhando que o que quer que eles pensam ter visto não passou de uma brincadeira inocente entre amigos. Uma das pessoas que por acaso está olhando do outro lado do salão é Zoe. Parece que fugir é a única opção agora.

Não sei como, mas coloco um pé à frente do outro, dou as costas para ela e saio porta afora.

*

Mas não consigo escapar de Zoe por muito tempo. Naquela noite, depois de tê-la evitado o dia todo, ela me mandou uma mensagem: *Estou na porta da sua casa.*

Me esconder no quarto costumava ser fácil. Não muito tempo atrás, talvez existisse apenas uma pessoa em todo o mundo que poderia me procurar, e em muitos dias até essa pessoa — aquela que me deu à luz — perdia o foco e o número caía para zero. Mas, ultimamente, tenho me sentido como um homem procurado.

Saio da cama e olho pela janela. Vejo Zoe, sob a luz do poste, sentada no porta-malas de seu Volvo azul.

Depois de hesitar um pouco, digito uma resposta: *Estou descendo!*

A exclamação é apenas pelas aparências. Sempre fico animado em ver Zoe, mas agora tenho camadas sobre camadas de pavor me dizendo para eu ficar afastado.

Abro a gaveta e encontro meu Lorazepam. Estranhamente, só de ver meu remédio sinto vontade de vomitar. Não sou mais aquela pessoa. E não quero voltar a ser. Guardo o frasco e fecho a gaveta.

Deixo minha dúvida de lado e, pouco depois, saio de casa e encontro Zoe na rua.

— Oi — digo, sem saber se a convido para entrar ou entro no carro ou sei lá.

Ela não faz menção de me abraçar. Apenas fica parada. Continuo parado, reconhecendo a distância entre nós. Como não haveria distância depois do que aconteceu ontem? Uma coisa é presumir que haveria distância, outra é tê-la confirmada. Agora que estou vendo essa distância, não consigo suportá-la.

— O que está acontecendo? — ela pergunta. — Só para eu saber.

Observo o rosto dela em busca de algum indício de intenção, qualquer coisa, mas não encontro nada.

— Não sei do que você está falando. Não tem nada acontecendo.

— Nada? Sério mesmo? — ela pergunta, uma rispidez súbita na voz.

Sinto o chão entre nós começar a tremer.

— Tem alguma coisa errada?

Ela força o riso.

— Hum, sim? Você me ignorou o dia todo? Não consigo entender. Tentei fazer uma coisa legal por você e aí, não sei, sua mãe surta e...

— Pois é — digo, soltando o ar. — Eu sei.

— É só meio...

— O quê?

— Estranho. Você não acha?

Sim? Não? Talvez? Realmente não sei mais o que pensar.

Ela vê minha confusão.

— Já faz um tempo que a gente está saindo e pensei que estava tudo indo bem, que nós estávamos... — Ela para, olha para baixo. — Sua mãe não fazia ideia de quem eu era. Como isso é possível? Você não falou de mim para ela nem uma vez?

É complicado. Muito complicado.

— Eu e minha mãe... nós não... não é bem assim.

— Não é bem assim, Evan? Eu vivia falando que queria conhecer sua mãe e você sempre mudava de assunto. Qual é o problema? Primeiro você tem essa amizade secreta com o meu irmão e agora sou sua namorada secreta? Estou cansada disso. De ser ignorada o tempo todo.

Quero me aproximar dela.

— Desculpa — digo.

— Para...

— É sério, desculpa. Eu não queria...

— Para! Está bom? Para de pedir desculpas!

Suas palavras ecoam pela vizinhança. Quero segui-las no ar e simplesmente sumir.

Ela baixa a cabeça e fica em silêncio. Se quisesse ir embora, ela poderia entrar no carro agora e ir. Mas não é o que ela faz. Ela continua aqui.

Sento no porta-malas com ela, olhando para a frente. Uma rajada de vento balança as folhas de um carvalho preto da Califórnia. Uma árvore dessa espécie, desse tamanho, deve ser mais antiga que a minha casa. E, no entanto, por mais imponente e orgulhosa que pareça, ela ainda chacoalha ao vento.

— Estão sendo difíceis — ela diz. — Essas últimas semanas.

Sei do que ela está falando. Está sendo difícil mesmo. Quero que ela me conte tudo o que está sentindo — sobre a nossa relação, sobre o que está rolando entre nós. Posso melhorar, juro. Posso superar isso.

— Eu só... — ela começa.

— Pode me falar.

— Eu sinto falta dele — Zoe diz. — Não é a mesma coisa sem ele. Ele era um babaca às vezes. Mas sinto falta dele mesmo assim.

Ele. *Ele*. Que merda de problema eu tenho?

Ela me encara nos olhos.

— Você sente falta dele?

Eu era o melhor amigo dele.

— Claro — digo. — Claro que sinto.

Ela apoia a cabeça no meu ombro.

— Não vai embora.

Lutando para inspirar, respondo:

— Não vou.

— Não. Quero dizer, nunca.

Olho para a noite escura à frente.

25

A noite de ontem foi um baque para mim. Ficar ali sentado, vendo Zoe se abrir. Não conseguir ser sincero com ela. Foi agonia pura.

No entanto, estou disposto a aprender a lidar com essa agonia para continuar com ela. Ela significa muito para mim. É doce e diferente e engraçada e brilhante e intensa e insegura e ambiciosa e volátil e talentosa. Tem uma voz e algo a dizer, e também está interessada no que eu tenho a dizer, ainda que sejam besteiras sobre árvores e pássaros. Ela acha que minhas idiossincrasias são um charme. Também acha fofo o jeito idiota como me visto. Fala que meu quarto tem um "charme infantil". Não liga de segurar minhas mãos suadas. Me desafia. Me faz pensar duas vezes antes de pedir desculpas. Me força a experimentar outros sushis além do Califórnia, que é o que sempre peço. Quer que a gente use fantasias que combinam para o Halloween. (Acabamos nos decidindo por Bonnie e Clyde; já comprei meu chapéu fedora.) Ela me enche de um tipo de confiança que me faz ter vontade de voltar a dirigir. Quer conhecer todas as minhas partes, onde moro, como eu era quando bebê, quem é minha mãe. Se importa com meu futuro. Tenta fazer seus pais pagarem meus estudos. Eu e Zoe podemos acabar indo à mesma universidade. Não há motivos para não ficarmos juntos por muito tempo. Antes, eu achava a ideia de uma alma gêmea a besteira mais ridícula que já tinha ouvido, mas talvez não seja. Talvez seja algo além de nossa compreensão e, talvez, Zoe seja minha verdadeira alma gêmea. Ela pode ser minha esposa no futuro. Por ela, eu deixaria de lado todos os meus receios sobre casamento, ignoraria todas aquelas estatísticas deprimentes sobre divórcio e até o exemplo dos meus próprios pais. Não há nada que eu não faria por ela.

E não apenas por ela. Pelos Murphy também. Eles me proporcionaram tanta coisa. Me receberam de braços abertos em sua casa e em sua vida. A generosidade, o apoio e o acolhimento deles me espantam. A orientação e a confiança de Larry. O amor de Cynthia. Seu abraço. Zoe me disse o quanto sua mãe gosta de me ter por perto. Como está "obcecada" pelo que fiz. Como levo... Connor junto comigo.

As mentiras. Não importa o quanto eu diga a mim mesmo, nunca consigo fugir das mentiras. Se ao menos eu conseguisse encontrar um jeito de explicar tudo. Talvez os Murphy pudessem entender. Talvez todos pudessem entender.

Mas já repassei isso na minha cabeça, várias e várias vezes, a decisão de contar toda a verdade sem deixar nada de fora e, toda vez que imagino, chego à mesma conclusão apavorante: tudo vai acabar. Vou voltar à estaca zero. Sem os Murphy. Sem Zoe. Sem amigos. Sem ninguém. Sem nada. Sozinho.

E, além disso, eles vão ficar sozinhos de novo. Deixados com o mesmo nada. Sem consolo. Sem esperança. Vão ficar sem tudo que tiveram nessas últimas semanas. Isso os deixaria de novo devastados, como estavam quando os conheci. Antes de nos unirmos nessa comunidade de almas excluídas. Antes de tudo mudar para melhor. Para nós todos.

É hora de voltar ao foco.

Me sento na cama, mando um convite para uma chamada de

vídeo com Alana. Para a minha sorte, ela já está on-line. Nem sei se ela precisa de sono.

— Bom dia — digo, quando o rosto dela surge na tela.

— Pois não? — ela diz, sem nem tirar os olhos da mesa.

— Alana, andei sendo um péssimo copresidente. Desculpa. Você tinha toda razão. Mas estou de volta agora. Vou voltar a me dedicar para fazer o possível para que o projeto seja um sucesso. — Porque a alternativa é muito apavorante.

— Tarde demais — Alana diz. — Já segui em frente.

Essa não era a reação para a qual eu tinha me preparado. Levo um momento para me recuperar.

— Você *seguiu em frente*? O que quer dizer com isso?

Ela bate a caneta na mesa.

— Você deixou muito claro que não está interessado em fazer parte do Projeto Connor.

— Mas eu estou. Juro. Posso fazer mais vídeos. Escrever coisas pro blog.

— Posso fazer tudo isso sozinha.

— Não é a mesma coisa pra você, Alana. As pessoas querem ouvir o que eu tenho a dizer. Eu era o melhor amigo dele.

— Quer saber, Evan? Estou começando a desconfiar que isso não seja verdade. Você vive dizendo que vocês eram melhores amigos. Parece a droga de um disco riscado com essa frase. Mas ninguém nunca viu vocês juntos. Ninguém nem sabia que vocês eram amigos.

Sinto vontade de desmaiar.

— Porque era segredo. Ele não queria que a gente conversasse na escola.

— Eu conheço essa história, Evan — ela diz, voltando ao trabalho em sua mesa. — Todos conhecemos a história. Já ouvimos um bilhão de vezes.

— Mas... você viu os e-mails.

Alana quase dá risada.

— Sabe como é fácil criar uma conta de e-mail falsa e mudar a data das mensagens? Porque eu sei.

Sinto um aperto no peito; fica difícil respirar. Tento inspirar, mas não consigo ar suficiente.

O que quer que Alana vê em meu rosto gera um pouco de piedade.

— Escuta, Evan, o Projeto Connor agradece pelas suas contribuições, mas infelizmente é hora de seguirmos caminhos separados. Sou a *presidenta* de uma organização que atualmente precisa arrecadar, hum, catorze mil dólares, e receio que não tenho mais tempo a perder.

— Alana! Espera! Posso provar que éramos amigos.

Seu dedo fica paralisado no teclado, a curiosidade vencendo.

— Como?

Minimizo a janela do chat e encontro o arquivo no computador.

— Aqui — digo, enviando o arquivo.

Fico observando seus olhos quando ela os arregala e reconhece do que se trata.

— Se não éramos amigos — digo —, por que ele escreveu a carta de suicídio pra mim?

— Ai, meu Deus.

— Agora você acredita?

Ela lê em voz alta:

— "Querido Evan Hansen, na verdade, hoje não foi um dia incrível. Também não vai ser uma semana incrível ou um ano incrível."

Essas palavras nunca descem fácil. Agora, mal consigo as engolir. Estão me fazendo engasgar.

— Você não pode mostrar essa carta pra ninguém, tá? Ninguém mais precisa ver isso.

— É exatamente *isso* que as pessoas precisam ver — Alana diz, um brilho febril no olhar. — Precisamos de algo para gerar um novo interesse.

Levanto da cama com um pulo e começo a andar de um lado para o outro com o notebook na mão, o corpo todo tremendo.

— Pode deletar, por favor?

Ela está ocupada digitando, mal presta atenção.

— Você não se importa em reconstruir o pomar? Esse é o melhor jeito de transformar o sonho de Connor em realidade.

— Não, Alana, não é. Por favor.

Uma mensagem aparece e perco o fôlego. No alto da tela, há uma notificação me informando que Alana Beck acabou de publicar no grupo do Projeto Connor. Com o dedo trêmulo, clico no link e, no mesmo instante, entro em uma realidade inteiramente nova — um asteroide gigante atingindo a Terra.

— Você colocou na internet!

Rezo com todas as minhas forças para que o que estou vendo na tela seja apenas uma mensagem privada e não visível para o público. Mas, para meu pavor absoluto, é visível para todos. Irreversivelmente.

Alana escreveu um prefácio para a carta: "A carta de Connor é uma mensagem para todos nós. Compartilhem com o maior número de pessoas possível. Publiquem em toda parte. Se já se sentiu sozinho como Connor, por favor, considere fazer uma doação para o Pomar Memorial Connor Murphy. Nenhuma quantia é pequena demais".

— Alana, você não entende — digo, tentando respirar. — Você precisa tirar isso. Por favor, *por favor*, tira isso.

Ela não me dá ouvidos.

— Alana!

Ela desaparece do nada.

Eu me sento. A cama não parece sólida embaixo de mim. Não há nada forte o bastante para impedir minha queda.

Atualizo a tela. Não consigo evitar. As respostas chegam com tudo, uma maré furiosa. Não param de vir.

Já leram? A carta de suicídio de Connor Murphy.

Esta é a autêntica, a verdadeira

Encaminhar

O mundo todo precisa ver isso

Compartilhem com todos que conhecem

É por isso que o pomar é tão importante, gente

Acabei de dar cinquenta dólares pro pomar e acho que todo mundo deveria contribuir com o que pode

Repost

Ele escreveu a carta de suicídio pra Evan Hansen, porque sabia que a família dele não dava a mínima

Os pais dele, aliás, são podres de ricos

Encaminhar

Compartilhar

Curtir

Cinco

Vinte

Toma cem

Talvez devessem ter gastado o dinheiro deles pra ajudar o filho em vez de

RT por favor

Evan Hansen foi a única pessoa que estava prestando atenção

Favoritar

Compartilhar

Encaminhar

"E toda a minha esperança está na Zoe"

Zoe é uma vagabunda metida. Acredita em mim, eu estudo com ela

Compartilhar

Encaminhar

Dez paus

Acabei de contribuir com mais cinquenta

Dei quarenta e um. A idade que minha filha teria se não tivesse tirado a vida

Quase lá

Continuem espalhando

Larry Murphy é um advogado corporativo que não se importa com nada além de dinheiro

Cynthia Murphy é uma daquelas mulheres nojentas

Mais cento e sessenta dólares e o pomar vai estar completamente financiado

Fodam-se os Murphy

Faça com que eles se sintam como Connor se sentiu

Amo vocês gente

Ai meu Deus, faltam duzentos dólares para atingir a meta

A casa deles é a da porta vermelha no fim do beco

A janela do quarto de Zoe é a da direita.
O portão dos fundos é completamente destrancado.

O número do celular de Zoe, se minhas fontes estiverem certas

Doei vinte

Não estou falando pra fazer nada ilegal

Toda hora, dia e noite

Mil

Toquem a campainha

Continuem ligando até atenderem

Há quanto tempo estou aqui sentado, prendendo o ar?

Fecho o notebook e procuro minha mãe. Ela não está em casa. Grande surpresa.

Me jogo no chão. O peso de tudo, do mundo todo, cai sobre mim. Não tenho para onde ir. Não tenho onde me esconder. O chão treme embaixo de mim. O momento perfeito para um terremoto. É o que eu mereço, ser engolido pela Terra.

Eu me sento e identifico a origem da vibração. É Zoe ligando. Atendo com a mão trêmula.

— Pode vir aqui? — ela diz. — Estou com muito medo.

Não sei como vou me levantar, me arrumar e chegar à casa dos Murphy. Acho que não tenho forças para isso.

Mas. Zoe precisa de mim.

— Claro — digo. — Claro que vou. Já chego aí.

— Não entendo — Cynthia diz, navegando pelos comentários infinitos em seu tablet. — Onde eles conseguiram a carta do Connor?

Larry, andando devagar pela cozinha, balança a cabeça de um lado para o outro, de um lado para o outro.

— Não sei.

Estou sentado à mesa na frente de Zoe e de sua mãe, batendo os pés no piso frio. Está escuro lá fora, embora eu tenha certeza de que ainda era de tarde quando cheguei aqui. Até agora, fiquei sentado em silêncio observando os Murphy tentarem encontrar sentido na narrativa que se desdobrava on-line e no massacre de negatividade que havia se virado contra eles. Ofereci apoio moral não por meio de palavras, mas com minha presença. Segurando a mão de Zoe. Concordando com a cabeça. Mas agora é hora de dizer alguma coisa, embora eu não ache que minha voz vá funcionar.

— Tentei ligar para Alana. Ela não atende.

— Algumas dessas pessoas são adultas — Cynthia diz, me ignorando e mostrando o tablet para o marido. — Está vendo as fotos? São adultas.

Zoe também está lendo os comentários no notebook dela. Suas lágrimas já secaram. Quando cheguei, estava na cara que ela tinha chorado, mas suas bochechas estão secas agora, como se ela tivesse ficado entorpecida pela avalanche de raiva dirigida contra ela.

O post de Alana se espalhou por toda parte e parece que para todas as pessoas. Continuo tentando encontrar uma saída. Não acho nenhuma.

Um celular toca e ninguém se move.

— Deixa tocar — Larry diz.

Zoe ignora o pai e atende.

— Alô?

Todos ficamos paralisados.

— Divirta-se com a sua vidinha miserável — Zoe diz e desliga.

Larry pede o aparelho.

— Me deixa ver o número.

— É secreto, pai. Deixa quieto.

A bochecha de Cynthia se contrai.

— O que falaram pra você?

— Não importa — Zoe diz.

— Te ameaçaram? — Larry pergunta.

— Não importa — Zoe repete.

Ontem à noite, vi nela uma profunda e absoluta tristeza. Agora vejo algo mais obscuro. Um misto de medo e cansaço e desespero e, sim, tristeza, que parece deixá-la sem sentir nada.

— Chega — Cynthia diz, desligando o tablet. — Vou ligar para a polícia. — Ela se levanta e começa a revirar a bolsa.

— Vamos esperar mais um pouco — Larry diz. — Tenho certeza de que vai passar.

— Essa é sempre a sua solução, não é? Não fazer nada.

— Por acaso foi isso o que eu disse, Cynthia?

Zoe implora para eles pararem, mas eles não dão ouvidos, ou simplesmente não conseguem se conter.

— Só esperar para ver — Cynthia diz, encontrando o celular. — Vamos só esperar para ver, certo, Larry?

— O que você acha que a polícia vai fazer? É a internet. Eles vão prender a internet?

— Eu tinha de implorar para você, toda vez.

— Agora espera aí — Larry diz, erguendo as mãos em protesto.

— Tive de *suplicar* para você — Cynthia diz. — Pela terapia, pela reabilitação...

— Você ficava pulando de uma cura milagrosa para outra.

Cynthia ri com desprezo.

— Cura milagrosa? Sério? É assim que você chama?

— Porque tudo de que ele precisava era mais um retiro de ioga de vinte mil dólares por fim de semana.

— Qual era a sua alternativa, Larry? Além de destruir tudo o que eu fazia?

— Deixar Connor em um tratamento só e seguir esse tratamento à risca — Larry diz, virando as costas.

Zoe ergue a voz.

— Não, pai, você queria punir o Connor.

— Ouça sua filha, Larry.

— Você o tratava como um criminoso — Zoe diz.

Larry para diante do bar e se serve de uma bebida.

— Você está escutando? — Cynthia diz.

— Você acha que era muito melhor, mãe? — Zoe pergunta. — Você deixava Connor fazer o que quisesse.

— Obrigado — Larry diz do outro lado do cômodo.

Esta casa está em chamas. Eu fiz isso. Botei fogo na casa. Nunca foi minha intenção. Eu só queria ajudar. Este era meu refúgio. Improvável, mas real. Um lugar para onde eu podia vir e me sentir seguro e aceito e querido. Agora ele está ruindo diante dos meus olhos. Tomado por angústia e nervosismo e inquietação. Virou algo como *eu*.

Cynthia está diante do marido.

— Quando ele ameaçou se matar pela primeira vez, lembra o que você falou?

— Ah, pelo amor de Deus — Larry diz.

— "Ele só quer chamar atenção."

— Eu não vou ficar aqui me defendendo — Larry diz, recuando para a janela.

— Ele estava melhorando. Pergunte a Evan. Fala para ele, Evan.

Eu? Meu pé não para de bater no chão. Tento falar, dizer alguma coisa. *Tente, tente, tente*: meu disco riscado.

— Evan fez de tudo para ajudá-lo — Cynthia diz. — Ele *sim* se importava.

Ela me retrata como um herói, mas, debaixo dessa máscara, existe um monstro.

— Evan estava em negação do que acontecia bem diante de seus olhos — Larry diz.

— Não coloquem o Evan no meio disto — Zoe diz.

— Acha que eu não me importava? — Larry diz, olhando para a janela. — Pode ser difícil para você acreditar, mas eu amava nosso filho tanto quanto você.

Isso *me* comove, mas não Cynthia.

— E a carta, Larry? — ela diz, tirando-a da gaveta. Ela coloca a carta na mesa. — Ele queria ser diferente. Queria melhorar.

Larry se vira.

— Fiz o melhor que pude. Tentei ajudá-lo do único jeito que conheço e, se isso não foi bom o bastante...

Fico olhando para a frente. Escutando. Sem escutar. Em meu torpor, mal noto o objeto no centro da mesa, a mesa à qual estou sentado há mais de uma hora, mesa à qual, misteriosamente, fui convidado para comer noite após noite durante semanas. Não vejo o objeto e então vejo. É a origem de tudo. A coisa que me tornou o mentiroso que sou: uma maçã.

As maçãs repousam na mesma fruteira de cobre onde as vi pela primeira vez. São diferentes daquelas sobre as quais ponderei inicialmente semanas atrás, e seu sentido mudou. Antes eram a fonte bem-afortunada de uma mentira. Agora são o lembrete mais duro da verdade.

Perto da fruteira está a minha carta. Meus olhos recaem sobre o último parágrafo: "Queria que tudo fosse diferente".

Desvio o olhar. Não consigo ficar olhando para aquilo. Para mim. Para o que fiz. *O que eu fiz?*

— Ele estava tentando melhorar — Cynthia diz. — Estava.

Um zumbido, começando em meu coração.

— E estava *falhando* — Larry diz.

Zumbindo pelos meus ossos e sangue e pele.

Cynthia bate na mesa.

— *Nós* é que falhamos com *ele*.

— Não.

O som da minha voz assusta a todos.

Todos ficam em silêncio.

Com os olhos trêmulos, fica difícil enxergar. Só existe um fracasso aqui. Um fracasso colossal. Não eles. Nunca eles. Eles não merecem isso.

— Vocês não falharam com ele.

Sai como um sussurro. Eu gritaria se tivesse forças.

Só queria trazer paz para eles. A mesma paz que encontrei neles. A sensação de que fazia parte de algum lugar. De que eu importava. Eles proporcionaram isso para mim. Logo para *mim*.

Cynthia pega a carta. A droga da carta.

— Olhe o que ele escreveu.

Não. Não mais, essa sensação em meu peito, essa massa gigante de mágoa, crescendo e crescendo e crescendo. Não posso mais segurar essa culpa e essa dor e essa angústia descendo por minha garganta, apertando minhas tripas, se apoderando total e completamente de todo o meu ser.

O zumbido se transforma em um tremor absoluto, meu corpo todo em um frenesi cinético.

Não aguento mais isso dentro de mim.

Tentar, falhar, *tentar*. Fecho os olhos e apenas...

— Não foi ele que escreveu isso — digo.

Prendo a respiração, tento parar o tempo, pensando que, se conseguir manter o ar para sempre dentro dos meus pulmões, talvez nunca tenha de enfrentar o que vem a seguir. Mas expiro, porque sou fraco e preciso, e abro os olhos, e estão todos olhando para mim, e sei que acabou de começar: o fim de tudo. Mas não há mais saída.

Falo em voz alta:

— Fui eu.

Uma mão nas minhas costas curvas, a de Cynthia. Eu me encolho para longe dela, envergonhado, mas ao mesmo tempo desejo que ela nunca vá embora. Como o toque de uma mãe pode fazer isso? Ajudar e ferir ao mesmo tempo?

— Você não escreveu a carta de suicídio de Connor, Evan.

O impensável. Quem poderia acreditar nisso? Quem poderia *fazer* isso? Essa pobre mulher, sua confiança em mim. A ideia me faz lacrimejar. Uma gota. E mais uma. A massa dentro de mim escorrendo.

Respiro. Tento respirar.

— Não era uma... Foi uma tarefa do meu terapeuta. — Tento inspirar. — Escrever uma carta para mim mesmo. Um discurso motivacional. "Querido Evan Hansen, hoje vai ser um dia bom, e vou dizer por quê."

Larry se debruça na mesa, os olhos buscando algo.

— Acho que não... Não estou entendendo.

Tento controlar meu tremor, *tento* encontrar a força para responder a esse homem que já apoiou sua mão gentil em meu ombro.

— Eu tinha de levar para a minha consulta. Connor a pegou de mim. Devia estar com a carta quando... quando o encontraram.

Larry se senta, afundando na cadeira. Sua mente não consegue processar tudo.

— Do que você está falando? — Zoe diz.

Zoe. Sua voz é a que mais machuca. Atinge o fundo do meu ser. Seco o nariz, os olhos. Manchas na camisa.

— Eu e Connor... não éramos amigos.

— Não — Cynthia diz, incapaz de acreditar. — Não.

Sou uma doença. Uma doença de choro e tremor. Infectando essas pessoas boas e inocentes.

— Tinha os e-mails — Cynthia diz. — Você mostrou os e-mails para nós.

Uma amizade de conto de fadas. Uma triste invenção.

— Você sabia do pomar — Larry diz. — Ele levou você pro pomar.

— Foi lá que você quebrou o braço — Cynthia diz.

Uma rede de mentiras, tecida aos poucos, agora enroscada ao redor de mim. Porque a verdade é dolorosa demais. Não é uma história engraçada, enfim. Não, o que realmente aconteceu é:

— Quebrei o braço no parque Ellison. Sozinho.

Sozinho e me sentindo sozinho e incapaz de...

Cynthia se levanta.

— Não, aquele dia no pomar, você e o Connor no pomar...

Ela olha para mim, olha para mim de verdade, e é tudo de que precisa.

— Ai, meu Deus — ela diz.

Eu a vejo desmoronar.

Zoe:

— Mas você me contou que ele... que vocês conversavam sobre mim e que ele...

Isso me parte de novo e já estou em pedaços.

— Como você pôde fazer isso?

O tormento nela. Vejo a última parte da casa que amo se reduzindo a cinzas.

Zoe se levanta com um pulo. Cynthia vai atrás dela.

Resta apenas Larry agora. Fico achando que ele vai me humilhar, como mereço. Quero que isso aconteça. Desejo isso.

Fico à espera, mas, depois de um momento, ele só tem uma coisa a dizer.

— Por favor, vá embora.

É o *por favor* que me destrói.

Saio atrás dele. Ele atravessa a entrada de carros e sai para a rua. Para bem ali no meio, andando em círculos, falando sozinho, tagarelando. Não consigo ouvir o que está dizendo. Só quando chego mais perto:

"O que você fez? Que merda você foi fazer?"

Sei muito bem como é isso. O momento de consciência depois do pior dos erros. O fogo cruzado de arrependimento, desamparo, desesperança, ódio e assim por diante. O tsunami de autopunição.

Ele agarra o cabelo, puxando tufos inteiros, dando socos no próprio crânio.

"Não. Não. Não. Não. Não."

Um animal raivoso.

"Qual é o meu problema?"

Já fiz essas mesmas perguntas. Faço até hoje.

Eu me viro para a casa. Ele colocou tudo para fora. Tudo que vinha carregando. Tudo. Mas ainda não está livre. Ainda tem de enfrentar a si mesmo. Sempre o mais difícil de encarar.

Ele se agacha na calçada, senta na rua, bem no meio. É algo estranho de olhar. Familiar. Encenado como se fosse um sacrifício.

Observo ao redor para ver se está vindo algum carro. Está escuro aqui, nenhum farol. Estamos escondidos nas sombras. Me sinto obrigado a tentar.

"Levanta", digo.

Ele faz que não, continua tremendo. Ele pode tentar fazer a dor passar. Não vai fazer com que ela pare. Confie em mim, eu tentei.

Um farol distante. Evan também o vê. Mas não se mexe.

Tento de novo.

"Ei. Levanta."

Se a dor está em você, ela está em você. Vai te seguir por toda parte. Não dá para fugir dela. Não dá para apagá-la. Não dá para deixá-la de lado; ela sempre volta. Pelo que andei pensando, depois de tudo que aconteceu, talvez só exista uma maneira de sobreviver a ela. É preciso deixar que ela entre. Deixar que machuque você. Não esperar. Ela vai alcançar você em algum momento. É melhor que seja agora.

Eu me agacho, bem na frente dele. Tento encostar nele. Como uma pessoa tentou fazer comigo.

É o último instinto que temos. E o mais difícil. Quase impossível. Mesmo assim, é nossa única escolha:

"Assuma", digo.

Como eu não consegui.

"Está me ouvindo? Evan? É isso que você vai fazer. Vai se levantar. E vai assumir."

26

Uma visão. Encarando o misto de luz e noite, tenho uma visão. É a mesma visão que já tive, uma história que já contei, que se tornou real para mim e para todos e, de alguma forma, ainda me parece real agora, mesmo não sendo. Estou no chão, de novo, esperando ajuda, precisando dela, sozinho e indefeso e vazio, e a pessoa que vem à minha mente de novo: ele.

Ele vem me buscar.

Pisco, lembrando de onde estou: no meio da rua. Vejo um farol de carro se aproximando. Seria tão fácil ficar aqui parado e não fazer nada. Continuar escondido nas sombras e deixar o próximo momento me levar. Todo o tormento chegaria ao fim.

Toda a minha energia está esgotada, mas me obrigo a me levantar. A última coisa que quero é que os Murphy acordem e deem de cara com um acidente sangrento na frente de casa. Mais uma tragédia em suas mãos, depois de todo o sofrimento e a mágoa e a tristeza que já causei. Só quero que eles tenham algo próximo de calma, se não hoje, em breve. Muito, muito em breve.

Para mim, só existe guerra aqui dentro, uma batalha feroz e interminável pela frente. E tudo bem. Sei que mereço cada minuto angustiante disso.

Sento no meio-fio enquanto o carro passa. Me encosto em uma

árvore à beira da rua. Uma árvore. Mais uma droga de árvore. Elas estão por toda parte, esses lembretes altos.

Estou sozinho, como mereço estar. Como fui feito para estar. Um zero à esquerda. Indigno de qualquer merda. Como pude me iludir achando que merecia algo próximo à felicidade? Aceitação? E então enganar os outros para que pensassem o mesmo? Que repulsivo e patético querer algo tão desesperadamente que cheguei ao ponto de me dispor a fazer coisas abomináveis. Estou destroçado. Uma parte defeituosa que não se encaixa e nunca poderá se encaixar no todo. Fingi ser algo mais, mas agora eles me viram como sou de verdade. Como sempre fui.

Meu celular vibra no bolso. É minha mãe. Ela está me mandando mensagem, implorando para eu ligar para ela.

Me viro e cravo as unhas no tronco da árvore, pressionando a testa em sua casca, na esperança de arranhar minha pele até ficar em carne viva. Ao contrário daquele dia, meu impulso agora é tentar derrubar a árvore e fazer com que ela caia em cima de mim. Estou cansado de subir. Eu acabaria caindo de qualquer maneira.

Caindo. Incrível. Continuo fazendo isso. Inventando histórias. Ainda agora, sozinho, no meio da rua, sem ninguém por perto, não consigo ser sincero nem *comigo*. Quando isso finalmente vai acontecer? Porque não existem versões diferentes da história. Só existe uma. Uma história. A verdade.

Ergo os olhos para a árvore, acompanhando seus galhos que sobem em direção ao céu estrelado.

— A verdade.

Dizer isso em voz alta... Pensei que minhas lágrimas haviam se esgotado. As estrelas começam a ficar turvas e girar em poças úmidas.

Não é uma boa história.

Assuma.

Consertei aquela placa. Aquela placa idiota. BEM-VINDO AO PARQUE ESTADUAL ELLISON. DESDE 1927. Me dediquei muito a ela. Pensei que ele gostaria, meu pai, que ficaria orgulhoso, qualquer coisa. Mandei a foto do que eu tinha feito para ele. A resposta? Ele tinha algo para compartilhar comigo. Algo especial. Sua própria conquista. Respondeu com outra foto. Um daqueles ultrassons. E uma mensagem: *Fala oi pro seu irmãozinho.*

Tudo que eu tinha feito. Tudo que eu era. Não significava nada. Vi aquele carvalho incrivelmente alto. Queria ver como era o mundo do alto dele. Cheguei perto do topo e olhei para todas as direções. Dava para ver o topo das árvores, até depois do campo de trevos. Dava para ver os prédios no centro. Uma antena de celular. Dava para ver tudo, mais do que eu nunca tinha visto na vida, tanto espaço, mas me senti como me sentia no chão, cercado por todos os lados. Foi então que olhei para baixo. Me dei conta da altura em que estava. Eu nem havia chegado ao topo da árvore. Ainda havia mais para subir. Mas eu já tinha visto o suficiente. Vi o chão lá embaixo, toda a descida. Ergui os olhos mais uma vez, para todo o mundo; era lindo, eu sabia, mas eu não fazia parte dele. Nunca faria. Nesse momento — foi rápido —, apenas soltei as mãos, as pernas e...

Acordei no chão. Pensei que estava morto. Então senti a dor. Meu braço estava dormente. Não conseguia me mexer. Acho que foi o choque do que eu realmente tinha feito, do que eu tinha *tentado* fazer, e que havia falhado tão miseravelmente. Metade alívio, metade repulsa, e ainda inteiramente sozinho. Queria que alguém me encontrasse. Estivesse lá para mim. Me ajudasse. Esperei. A qualquer momento. *A qualquer momento.*

Esperei por muito tempo. O parque não estava aberto ainda. Não havia ninguém...

Me levantei e voltei para a sede. Não podia dizer ao guarda Gus o que havia acontecido. O que eu havia tentado fazer. Pessoas assim, que fazem esse tipo de coisa, não se tornam guardas-florestais. Tudo estaria acabado. E também tinha a minha mãe. Eu não conseguiria olhar para ela. Não sabia como.

Não vai ficar mais fácil agora.

Mas aonde mais eu poderia ir?

Eu me afasto da rua e da árvore. Subo na calçada. Começo a andar.

— Estou procurando minha mãe — digo à mulher na recepção.

— Qual é o nome da paciente? — ela pergunta, colocando os dedos no teclado.

— Na verdade, ela trabalha aqui. O nome dela é Heidi Hansen. Sou filho dela.

A mulher olha para mim.

— Pode pedir para ela descer aqui? — pergunto.

Ela me examina de cima a baixo.

— Claro.

Saio de perto.

Existe a chance de minha mãe já ter saído do hospital para sua aula noturna. Eu poderia ter mandado mensagem ou ligado antes de vir, mas isso exigiria muita explicação e minhas palavras acabaram. As últimas que falei para a família Murphy mal me deixaram com energia suficiente para chegar ao hospital.

Ouço a voz apavorada da minha mãe.

— Cadê ele?

A mulher na recepção aponta para mim. Os olhos trêmulos da minha mãe pousam em mim e me encontram inteiro. Vê-la tem o efeito contrário em mim: finalmente desabo.

— Ah, filho — ela diz, me abraçando.

Ela me leva até um banco no pátio do lado de fora. Tento me recompor. Com a exceção de um zelador colocando um saco novo na lata de lixo, estamos sozinhos aqui fora. Observo o zelador esticar o saco sobre a beira da lata. Ele empurra seu carrinho velho pelo concreto de volta para dentro do hospital.

Ela acaricia minhas costas e me incentiva a respirar.

Longos minutos se passam.

— Fala comigo — ela diz.

Não é uma ordem. É um convite. Tudo que tenho a fazer é me aproximar.

— Vi a carta na internet — ela diz. — A carta que Connor Murphy...

Faço que sim.

— Está no Facebook de todo mundo. "Querido Evan Hansen" — ela recita. — Foi você... quem escreveu? A carta, digo?

Sinto vergonha, claro, mas também alívio. Se ela não tivesse entendido por conta própria a carta de Connor, seria eu quem teria de contar.

— Eu não sabia — ela diz.

E agora a vergonha realmente me atinge com força. A última pessoa que quero que ela culpe é ela mesma. Só existe um culpado aqui.

— Ninguém sabia.

— Não, filho, não foi isso que eu quis dizer. Quis dizer que... eu não sabia que você... não sabia que estava sofrendo daquele jeito. Que se sentia tão... como não percebi?

Finalmente entendo do que ela está falando.

— Porque nunca contei. — Não conseguia nem contar a mim mesmo. Levei um bom tempo para encontrar meu caminho de volta à verdade.

Ela aperta a mão na minha.

— Você não deveria ter de contar.

— Eu menti. Sobre muitas coisas. Não só sobre Connor. No verão, quando eu...

Perco o fôlego.

— Eu me sentia tão sozinho...

Procuro pelas palavras mais difíceis.

— Pode me falar — ela diz.

Faço que não.

— Não consigo. Você vai me odiar.

— Ah, Evan. Não vou, não.

— Mas deveria. Se soubesse o que eu tentei fazer. Se soubesse quem eu sou. Como estou quebrado.

— Eu já conheço você. Conheço você melhor do que qualquer pessoa. E eu te amo.

Como ela pode me conhecer se nem *eu* me conheço? O que digo, o que penso, não consigo saber quais partes de mim são reais e quais são inventadas. Tento, de novo e de novo, chegar a mim mesmo. Como é possível, se já estou aqui, andando na minha própria pele? Às vezes me pergunto se ainda estou caído embaixo daquele carvalho e dormi durante todo esse tempo e tudo isso não passou de um sonho.

— Desculpa.

Nem sei direito por que estou me desculpando. Por todas as coisas que disse e não disse. Por todas as coisas que fiz e não consegui fazer. Por tudo. Por todas as coisas, sem exceção.

Ela absorve meu silêncio, parecendo entender a abrangência de tudo.

— Posso prometer a você que um dia tudo isso vai parecer ter acontecido há muito tempo.

As mães têm de falar esse tipo de coisa. Ela não sabe: isso vai me assombrar pelo resto da vida.

— Lembra do dia em que seu pai passou para pegar as coisas dele? — ela pergunta.

Certo, se ela está falando do meu pai, sei que as coisas estão graves mesmo.

— Foi algumas semanas depois que ele saiu de casa. "Temporariamente", nós dissemos. Eu e seu pai estávamos com medo de como você reagiria, vendo todas as coisas dele saindo da casa. Mas você ficou tão animado quando viu aquele caminhão de mudança enorme na entrada que mal percebeu. Deixamos você sentar no banco de motorista e você não queria sair de lá de jeito nenhum. Estava se divertindo lá em cima.

É difícil imaginar.

— Então, algumas horas depois, seu pai foi embora, o caminhão foi embora, e finalmente caiu a ficha. Éramos só eu e você, sozinhos naquela casa grande. Você ficou triste, óbvio, e entendi, claro, completamente. Então, mais tarde naquela noite, eu estava colocando você para dormir e você me perguntou uma coisa.

— O quê?

— Você queria saber: "Vai vir outro caminhão? Para levar a mamãe embora?". E aquilo acabou comigo. E eu soube naquele momento que, por mais que tentasse ou quisesse, nem sempre poderia estar lá com você. Soube que nunca seria suficiente, e nunca fui. E nunca sou. Mas a resposta que dei para você naquela noite é a mesma que vou dar agora e todos os dias. — Ela me encara nos olhos e levanta meu queixo. — "Sua mãe vai continuar bem aqui. Você não vai se livrar de mim, rapaz."

E *ela* não vai se livrar de mim: essa bagunça que eu sou.

Mas, penso eu, tecnicamente, estar aqui comigo é uma escolha. Meu pai fez uma escolha diferente. Minha mãe poderia ter ido embora se quisesse. Talvez eu esqueça disso às vezes.

Quando mostrei para ela a placa que pintei no parque, ela literalmente soltou um grito de tão impressionada. Minha placa idiota. Ela ainda se gaba sobre ela para as pessoas.

— Vamos para algum lugar — ela diz. — Faz tempo que você precisa do melhor passeio da sua vida.

Essa frase estranha só pode ter vindo de um horóscopo.

— Você não tem aula?

Ela balança a mão no ar, rejeitando essa ideia ridícula. Pode haver uma aula hoje, mas não para minha mãe. Nos levantamos e começamos a caminhar.

Ela continua em frente, com o rosto valente. Não sei como ela consegue.

— Está com fome? — ela pergunta.

— Não.

— Nem se for panqueca?

— Nem se for panqueca.

Nunca mais vou comer de novo.

— Aonde você quer ir? — ela pergunta. — Levo você a qualquer lugar.

Abro a porta do carro para nós.

— Só quero ir para casa.

Pairo como um fantasma no banco de passageiro do carro da minha mãe. Mal consigo sentir o banco embaixo de mim ou ver a estrada à frente ou inspirar ar para os pulmões. Mas a vida segue em frente. De que outro jeito posso explicar ter saído do hospital e chegado em casa?

Minha mãe estaciona o carro na garagem, mas ainda não estou pronto para entrar.

— Acho que vou esperar aqui por um minuto — digo.

— Está bem.

— Deixa as chaves. Eu tranco.

Ela olha para mim. Não sei o que ela está procurando, mas deixo que ela veja o que precisa ver. Meus olhos fazem algum tipo de promessa.

Ela me entrega as chaves e junta as coisas. Eu a vejo subir para a casa. *Nossa* casa. Chegamos aqui, tantos anos atrás, em busca de um recomeço.

O banco de motorista está vazio agora. Faz tempo que eu não tento. Sento no banco e assumo o lugar da minha mãe.

Seguro no volante, passo os dedos pelo arco liso. Coloco as duas mãos no volante, apertando com força.

Ajusto o banco em uma posição confortável. Estico a perna, testo o acelerador. Aperto com delicadeza no começo, depois com força.

Dez anos atrás, eu me sentei em outra garagem, em outro banco de motorista. E se ele tivesse me levado junto? Onde eu estaria agora?

Uma sombra se move na suíte. O quarto ao lado é onde começo e termino todos os meus dias. Muitas noites atrás, pensei ter visto Connor na rua, olhando para a minha janela. Às vezes a presença dele parece tão real, tão próxima, que não consigo me convencer de que não era ele naquela noite, ou nas noites depois dela. Mesmo sabendo que não tinha como ser.

Mas hoje, sou eu quem olha para cima. A câmera da minha mente dá um zoom, subindo para o segundo andar da minha casa, e para o quarto que conheço tão bem. Todos os centímetros dele. O que há escondido lá dentro e embaixo. Na parede, há um mapa. Antes, ele era marcado com destinos. Lugares para ir. Sonhos. Agora está sem nada. Uma grande tela em branco.

A casa está quieta. Como estava naquele dia. A diferença é que minha família não estava no andar de cima como está agora. Naquele dia, meu último, eu estava completamente sozinho.

Eu e Miguel não nos falávamos desde o dia em que saí da casa dele. Ele tinha me enviado algumas mensagens logo depois. Eu nunca respondi, e ele parou de enviar.

Foi o verão mais longo da minha vida. Eu não conseguia comer. Não conseguia ler. Não conseguia ficar parado. Não conseguia nem dormir sem um bocado de ajuda. À noite, ia para o parque atrás de casa, ficava chapado, olhando as estrelas. À procura de respostas. Sobre por que eu era desse jeito — tão quebrado. E tão sozinho, de novo.

Eu não conseguia esquecer Miguel ou o que tivemos. Todos aqueles sentimentos, mágoa e ódio e mais mágoa. Eu o desenhava em meu caderno, aquela marca de nascença em seu pescoço, depois arrancava a página. Tinha repassado nosso último dia juntos diversas vezes. Ele queria me ver. Mas havia partes sombrias demais para mostrar. Partes de que ele não iria gostar. Partes que o fariam fugir. Na melhor das hipóteses, eu estava apenas evitando o inevitável. Ele teria me abandonado de qualquer forma, se eu não o tivesse abandonado antes.

Então: depois de tantos dias sozinho, de repente estou na escola.

Algo em estar de volta naquele espaço. Por um impulso, decidi entrar em contato com ele. Mandei uma mensagem:

Os primeiros dias são um saco. Tomara que esteja se mantendo longe do mau hálito do sr. Nielson.

Esperei uma resposta. A sra. Coughlin me pegou usando o celular. Encheu meu saco. Mas, assim que tive a chance de olhar, havia uma mensagem dele: um emoji de joinha. *Hum?* Tentei interpretar. Aquilo me deixou com uma sensação estranha. Como se ele mal se importasse.

Então: o dia seguiu seu curso. O lance com Evan no almoço. Depois a carta dele. Eu me sentia tragado pela multidão. Cercado por todas essas pessoas e, ainda assim, mais solitário do que nunca. Nenhum deles me via ou me conhecia. Eu tinha afastado a única pessoa que já havia me conhecido.

Saí da escola sentindo que estava despencando. Rapidamente. Mas então vi, no celular: aquele joinha. De repente me pareceu diferente. Assumiu outra forma. Como um raio de esperança. Uma ponte para ele. Para o que eu tinha deixado para trás. Talvez não fosse uma resposta de merda, afinal. Eu não tinha oferecido muito para ele responder. Não tinha me arriscado de verdade. Nunca tinha. Nunca havia mostrado a ele minha versão mais pura. Não quando havia tanta coisa em jogo. E agora, do nada, ele recebe uma mensagem minha, a primeira em meses. Dá para entender a falta de entusiasmo.

Fui eu quem havia criado o silêncio. E agora poderia acabar com esse silêncio rapidamente. Se ao menos...

Parei em uma esquina e mandei outra mensagem para o Miguel. Essa foi angustiante de escrever. Mais angustiante ainda de sentir. Mas as palavras eram as mais simples que eu conhecia:

Estou com saudades.

Me expus. Sem deixar espaço para mal-entendidos. O que sentia. Minha versão mais pura.

Fiquei esperando. Em pouco tempo, na tela, três pontinhos se mexendo numa bolha branca de pensamento. Uma resposta se formando. Meus nervos atentos. Ansiosos. Minha alma quebrada se remendando. Então, de repente, os pontinhos desapareceram.

Esperei a mensagem dele. E esperei. Mas não chegou.

Todo o medo com que eu tinha vivido...

"Eles que se fodam", ele sempre dizia. Talvez eu o tivesse entendido mal todas aquelas vezes. Talvez ele não estivesse assumindo meu lado contra o mundo. Talvez esse fosse apenas o lema dele para todos. Todos menos ele próprio. "Eles que se fodam." É. Beleza. Ele que se foda.

Chorei. Muito. Eu não tinha ninguém. Nada. *Eu* não era nada. Jurei acabar com isso. Com essa dor.

O resto é uma confusão...

Liguei para um cara da clínica de reabilitação. Ele me deu o que eu precisava.

Apaguei Miguel do meu passado. Apaguei as fotos no celular. (Aquelas em que já não o tinha recortado.) Deletei suas mensagens. Apaguei seu contato.

Entrei em casa. Fui para o meu quarto. Tranquei a porta.

(Não consegui assumir.)

(Tentei me anestesiar, desviar a dor, sem me dar conta de que ela sempre volta.)

(Ela sempre volta.)

(Deixe que ela entre.)

Agora, nesta mesma casa, escuto risos. Consigo ouvir claramente, vindos do andar de cima.

Sigo o som. Subo a escada em espiral. Atravesso o corredor. Em direção a uma luz. Uma porta aberta. Meu quarto.

Minha mãe está sentada na cama. Um sorriso se fechando. Meu caderno de desenhos está aberto em seu colo.

Meu pai chega. Entra no quarto, olha por sobre o ombro dela.

"Ele era engraçado", ela diz. "Sempre teve um senso de humor afiado. Ele adorava piadas. Quando era pequeno. Lembra?"

"Claro", ele diz.

"Por que a galinha atravessou a rua? Ele tinha um milhão de respostas diferentes para essa. Um dia ele me disse: 'Mãe, por que o pato atravessou a rua? Porque queria provar que não era um galinha'."

Minha mãe fica olhando para o caderno. "Eu entrava escondida aqui, procurava em toda parte. Por uma pista, qualquer coisa. Folheei esse caderno não sei quantas vezes. Mas nunca vi de verdade o que tinha aqui. Quero dizer, ver de verdade. Nunca vi."

"Você fez o que pôde."

"Não foi o suficiente."

"Ninguém culpa você."

"Mas eu me culpo."

Mas eu não.

Não é culpa de ninguém. E é de todos.

(Naquele dia, no quarto dele, ele ficou parado na minha frente. Talvez se eu tivesse...)

Eu os deixo, se apoiando um no outro. Está na hora de ir. Dou uma última volta pela casa. Memórias por toda a parte.

Na cozinha: Cynthia e suas regras. Nenhuma panela ou frigideira era permitida na lava-louças. O mesmo valia para tigelas, colheres e espátulas. "Tudo pode ir na lava-louças", eu dizia para ela. Ela só queria algumas coisas: copos, pratos e talheres. Todo o resto ficava empilhado no balcão. Ela ficava diante da pia. As mãos em luvas grossas. Esfregando. Uma a uma. Esfregando.

Na sala: dois pontinhos no teto. Dizíamos que eram mamilos, eu e Zoe. A piada era que alguém tinha caído no andar de cima e marcado o próprio peito. Não fazia sentido.

No banheiro: o batente tem dois tons de branco. O lado esquerdo precisa ser trocado. Bati ali com um martelo. Não lembro por quê. (Depois disso, meu pai começou a guardar suas ferramentas a sete chaves.)

Na garagem: uma segunda geladeira onde Larry guarda suas cervejas artesanais e seus doces congelados. Caixas etiquetadas em prateleiras. O lugar é impecável. A não ser por uma mancha de tinta no chão. Na forma de uma criatura. Larry ficou furioso quando aquilo surgiu. Tentou tudo quanto é produto de limpeza. A criatura era da mesma cor de uma das tintas do material de artes de Zoe. Ela jura que não foi ela. Eu também não fui, embora todos imaginem que tenha sido. Até hoje, é um daqueles mistérios de família.

No escritório de Larry: papéis em cima da escrivaninha. Contratos. Uma ilustração com meu nome: *Pomar Memorial Connor Murphy.* As anotações de meu pai nas margens. Examino sua caligrafia. Ele não fecha o G nem o D. Eu também não.

No quintal dos fundos: nossa piscina está fechada para o inverno. "Esgote a energia dele", um dos médicos disse. E assim me inscreveram no time de natação. Zoe cronometrava minhas voltas. Eu pedia para ela gritar com sotaque alemão. Ela fazia isso também. Todo aquele treinamento e desisti antes da primeira aula.

Piso na grama. Tenho uma lembrança. De nossa antiga casa. Tínhamos um jardim muito menor do que este. Um garoto da vizinhança estava em casa. Peguei uma pedra. Do tamanho de uma batata. Fingi que ia atirar. Minha mão estava úmida. A pedra escorregou. Eu a segui no ar, apavorado de seu arco. *Craque.* Bem na cara. Ele se contorceu de um lado para o outro. Não o ajudei. Fiquei paralisado. Com muito medo. Ele correu para casa, tossindo seco. Eu me afundei na grama. Não conseguia me mexer.

Depois, a mãe dele brigou com a minha, fazendo-a acreditar: "Tem alguma coisa errada com seu filho".

Volto a atenção para o céu. Uma noite clara. Estrelas visíveis. Onde essas estrelas estão, exatamente? Elas se foram, mas continuam aqui. Extintas, mas incandescentes. Uma contradição. Como pode ser? Talvez eu seja como elas agora. Tenho um lugar no universo, só não é mais aqui. Como foi acabar desse jeito? Tento acompanhar como acontece, tudo isso. Ainda assim, mal consigo entender.

E dou o fora.

Epílogo

Sentado em um banco, começo uma carta nova:

Querido Evan Hansen,

É assim que todas as minhas cartas começam. A rotina me conforta.

Hoje vai ser um dia bom, e vou dizer por quê.

Mesmo depois de todo esse tempo, mais de um ano, não importa quantas cartas eu escreva, sempre tenho dificuldades com o que vem depois dessa parte. Mesmo em um dia normal, quando não acontece nada, já é difícil. Hoje, porém, não é um dia normal. O dia de hoje pede o tipo mais sensível de resposta.

Porque hoje, aconteça o que acontecer, você é você. Sem desculpas. Sem mentiras. Apenas você. E isso é suficiente.

O eu que sou não é o mesmo que eu era. Assim como o eu que sou não é o mesmo que serei. Essas versões de mim eu não posso mudar ou prever. Nem sei ao certo se exerço alguma influência sobre o eu atual. Mas ele é tudo que tenho. Eu não deveria resistir a isso.

Isso me lembra daquele ditado: "O fruto nunca cai longe da árvore". Acho que quer dizer que somos apenas produtos de quem nos fez e não temos muito controle sobre isso. A questão é que quando as pessoas usam essa frase, ignoram a parte mais fundamental: a queda. Segundo a lógica desse ditado, o fruto cai toda vez. *Não cair* não é uma opção. Então, se o fruto *precisa* cair, a questão mais importante para mim é o que acontece quando ele atinge o chão? Ele cai sem nenhum arranhão? Ou é esmagado pelo impacto? Dois destinos completamente diferentes. Quando se pensa sobre isso, quem se importa com a proximidade da árvore ou o tipo de árvore que o gerou? O que realmente faz a diferença é como pousamos.

Um dia de aula. É tudo que minha mãe me deixou faltar. Cheguei ao ponto de ônibus no dia seguinte e, para a minha surpresa, não ouvi nenhum sussurro. Ninguém me encarou no caminho para a escola. Nenhum olhar estranho no corredor. Alguém até me deu "parabéns". Só fui entender o que a pessoa quis dizer com isso mais tarde, quando trombei com Alana.

Ela me envolveu em um abraço.

— Nós conseguimos — disse ela, à beira das lágrimas.

— Nós? — perguntei.

— Sim, *nós*. Não precisa guardar rancor. Sei que ameacei expulsar você do Projeto Connor, mas precisei ser dura. Se eu não tivesse pegado pesado, você nunca teria me mandando a carta de Connor e o pomar não teria sido financiado.

A arrecadação de dinheiro. Tinha me esquecido completamente.

— Alana. Precisamos conversar.

— Claro. Temos muito trabalho a fazer. Daqui em diante, nós

dois temos de estar na mesma página em relação a tudo. Copresidentes de verdade, hein? Sério, Evan, preciso de você. Connor precisa de você.

A verdade ainda não tinha sido exposta. Imaginei que deveria ser eu a pessoa a contar para Alana enquanto ainda tinha a chance. Era apenas uma questão de tempo até os Murphy repassarem minha confissão.

— Você está livre depois da aula?

— Agora sim, *esse* é o entusiasmo que eu estava querendo — Alana disse. — Com certeza. Depois te mando mensagem.

Com o passar do dia, fui perdendo a coragem. Parte da minha hesitação era por Jared; ele também estava envolvido na história. Além do mais, Alana parecia mais feliz do que eu a via em semanas, tudo por causa do sucesso da campanha de financiamento coletivo. Conseguimos quase sessenta mil dólares. Quando a verdade fosse revelada, será que as pessoas iriam querer seu dinheiro de volta? Elas exigiriam *mais* do que um reembolso? Prestariam queixa contra mim? Afinal, foram as minhas mentiras que as convenceram a doar.

Naquela tarde, na chamada de vídeo, Alana explicou todo o trabalho que precisávamos fazer. O pomar teria de ser comprado. Havia a ideia de nos tornarmos uma organização sem fins lucrativos para conseguirmos isenção de impostos. Precisaríamos da ajuda de todo tipo de especialistas: corretores, contadores, arquitetos, agricultores, empreiteiros, advogados. Pensando bem, não precisávamos de um advogado. Larry havia concordado em cuidar de todos os assuntos jurídicos gratuitamente, mas isso tinha sido antes.

— E não podemos esquecer de nossos apoiadores — Alana disse, chegando ao fim de sua longa lista. — Temos centenas de recompensas para produzir e enviar pelo correio, sem falar dos prêmios em pessoa. Por falar nisso, você prometeu almoçar com um deles. Me manda sua agenda quando der.

Alana havia dedicado horas incontáveis para transformar nossos sonhos em realidade. Agora, por minha culpa, eram grandes as chances de que tudo isso fosse em vão.

— Alana, tenho uma coisa para te contar.

— Claro. Estou aberta a todas as sugestões que tiver. Sei que posso ser muito controladora, mas aprendi minha lição. Somos mais fortes *juntos* do que separados.

Talvez em algum momento isso tivesse sido verdade, mas não era mais. Se o Projeto Connor tinha alguma chance de seguir em frente, precisaria ser sem mim. Eu não conseguia encontrar a coragem para confessar tudo. Mas havia algo que eu *podia* fazer.

— Não quero mais fazer parte do Projeto Connor — eu disse. — Para mim, já deu.

Ela ficou esperando uma conclusão que não veio.

— Do que você está falando?

— Sinto muito.

— Espera, você está falando sério?

Ela estava tão longe de mim, apenas uma imagem numa tela, mas ainda assim eu não conseguia encarar seus olhos.

— Você está desistindo? — Alana perguntou. — Acabei de repassar tudo e, o quê, é demais para você? Vai simplesmente me abandonar? Que tipo de pessoa faz uma coisa dessas?

— Uma pessoa horrível.

— Sim, uma pessoa horrível. Uma pessoa fraca e... e... passiva.

Eu não tinha como discordar.

— Eu sabia — Alana disse, os óculos embaçando. — Deveria ter tirado você faz tempo. Admite, você nunca esteve nessa de verdade. Você me usou, foi isso que você fez. Me usou, e usou o Projeto Connor. Conseguiu o que queria e não liga se alguém se machuca ao longo do caminho. Não consigo acreditar em você. Isso é tão...

— Monstruoso.

Fiquei vendo a ficha cair. Desde que conheço Alana, ela sempre foi muito controlada e refinada. Às vezes até robótica. Mas a reação dela agora foi genuinamente humana.

— Acho que você deveria anunciar que o Projeto Connor está cortando laços comigo — eu disse.

— Ah, pode ter certeza de que vou fazer isso — Alana disse.

— Agora mesmo — sugeri. — É uma notícia muito importante, não acha? — Odiei tudo que estava me forçando a dizer.

— Você é doente, Evan. Sabia?

O anúncio foi feito em menos de uma hora. Ela o fez de maneira civilizada, alegando que estávamos apenas *tomando rumos diferentes*. Preferia que ela tivesse me jogado na fogueira e me deixado queimar, mas deve ter ficado com medo de que fazer minha caveira em público prejudicasse o projeto. Ela não sabia o que *eu* sabia, que em breve eu seria o inimigo público número um de todos. Minha esperança era que o Projeto Connor pudesse sobreviver à tempestade porque tinham feito a coisa certa ao me expulsar.

Infelizmente, a campanha do pomar marcou o ápice do Projeto Connor. O projeto nunca mais chamou a atenção do público. As pessoas passaram para a próxima: a festa, o torneio de basquete, o novo penteado de Rox. Alana estava ocupada demais terminando o que começou para lançar qualquer iniciativa nova. Verdade seja dita, ela nunca desistiu. Se der uma missão para ela, pode acreditar que ela não vai parar até ter terminado.

Se perguntasse agora a Alana Beck se ela já conheceu Evan Hansen, ela vai dizer que não éramos nada além de conhecidos. Ela me ignorou durante o resto do último ano. Passava reto por mim nos corredores. Saía de qualquer sala em que eu entrasse. Fingia que eu nem existia. Ela não foi a única.

Liguei para Jared um dia depois de encarar os Murphy e, como era de esperar, ele ficou furioso.

— Porra, você é maluco? Sério, não tem *nada* que você não entenda? Por favor, me diz que o pai de Zoe não estava lá.

— Claro que ele estava — respondi. — Por quê?

— Porque você acabou de confessar um crime para um advogado. E não qualquer advogado. O advogado *contra quem* você cometeu o crime.

Sabia que estava em uma encrenca inimaginável, mas ainda estava tentando entender a gravidade de tudo. Jared achou que deveríamos conversar com o tio dele, que era advogado, e pensar em uma história convincente. Sugeri falarmos diretamente com os Murphy e implorar piedade.

— Evan, por favor, me escuta. *Não* faça isso.

Foi o tom mais honesto que já ouvi de Jared Kleinman.

— Sério, Evan, se parar para pensar, a história toda é culpa sua — Jared disse. — Foi sua ideia.

Não era bem assim que eu lembrava, mas cansei de discutir.

— Escute, não estou tentando apontar culpados — eu disse. — Eu sei o que fiz, tá? Não vou colocar a culpa em você nem em ninguém. Nunca mencionei seu nome. Eles não sabem nada sobre você.

Dava para ouvir seus dedos digitando em um teclado. Eu o imaginei em seu quarto, apagando quaisquer evidências incriminatórias do disco rígido.

— Não fala com o seu tio, por favor. Vamos só esperar um pouco e ver o que acontece. Talvez os Murphy nem falem nada.

Era uma ideia absurda, mas era tudo que eu tinha em que me apoiar.

— Se você me foder… — Jared disse.

— Não vou. Eu juro.

Ele desligou na minha cara.

Quando a poeira baixou, tentei entrar em contato com ele em uma série de mensagens:

Oi, cara.
Só queria pedir desculpas.
Por tudo.

Sei que fui um babaca.
Sou um babaca.
Estou tentando não ser.

Estamos de boa?

Se um dia quiser sair ou sei lá...

Enfim. A gente se fala.

Mas nunca mais nos falamos. Não de verdade. Nos cumprimentávamos quando não dava para evitar. Ele olhava para mim, mas apenas de uma maneira profissional. Daria para achar que éramos ex-namorados pela forma como pisávamos em ovos quando estávamos perto. Meu maior medo era que ele já tivesse conversado com o tio, entrado em ação com as engrenagens da justiça, e que eu só descobriria quando as autoridades chegassem para me prender.

Em dezembro, meses depois da formatura, eu estava andando para pegar um ônibus. Uma SUV parou. Parecia a caminhonete do Jared, mas não era Jared ao volante. Ou era?

Esse novo Jared era mais magro e não estava de óculos. Então ele disse:

— Continua andando pela cidade feito um esquisitão, *éh*?

Ele me falou para entrar no carro e me deu carona até o trabalho. Talvez finalmente estivesse frequentando a academia. Como um cara desses encontra motivação? Como dá o próximo passo e faz uma mudança de verdade? Eu apostaria em uma namorada.

—Você está bem, cara — eu disse.

— Sei que faz um tempo que a gente não se vê, mas ainda não curto caras — Jared disse.

— Pensei que você estava no Michigan. O que está fazendo aqui?

— Larguei a universidade e entrei pro exército.

— Está me zoando.

— Claro que estou. Estou de férias, trouxa.

Demorou um segundo para lembrar como éramos, mas, depois dessa calibração inicial, o resto do trajeto foi tranquilo. Quanto mais tempo eu passava com Jared no carro, e não foram mais do que dez minutos, mais eu percebi como sentia falta desse velho amigo (da família). Ele sempre havia tentado, de seu jeito meio bruto, me salvar de mim mesmo.

E a minha função era ser nosso compasso moral. Eu havia negligenciado minhas responsabilidades de maneira catastrófica, mas não era tarde demais para me redimir. Eu não deixaria Jared partir sem comentar sobre nosso esqueleto no armário.

— Nunca contei para ninguém — eu disse.

Esperei que ele respondesse o mesmo, para deixar minha consciência limpa, mas ele manteve os olhos fixos na rua e disse apenas:

— Deixa isso pra lá.

Claro. Sem problemas.

Nos despedimos e agradeci. Eu e Jared não fazíamos o tipo soldado, mas, de certa forma, havíamos enfrentado uma batalha juntos, e não havia ninguém além de nós que soubesse a real profundidade do que havíamos feito.

Talvez a frieza com que Jared tenha me tratado ao longo do último ano foi mais do que apenas mágoa (ou uma diretriz jurídica). Talvez ele simplesmente não conseguisse aguentar lembrar nosso passado. Fosse como fosse, a moral da história para mim era a mesma: milagre dos milagres, Jared Kleinman tinha um coração.

A primeira semana depois da minha confissão foi a pior da minha vida. Mesmo com a ajuda das medicações, que eu tinha voltado a tomar, quase não conseguia funcionar. Meu estômago era como um redemoinho ácido. Meu olho esquerdo tremia descontroladamente. Na sexta-feira, fui parar na enfermaria e perdi metade das aulas.

Certa vez, vi um documentário sobre um náufrago que sobreviveu em mar aberto por dezesseis dias. Depois que o salvaram, foi um processo demorado para recuperar sua saúde antes que pudesse retomar uma vida normal.

Eu também sobrevivi a um naufrágio, ainda que tenha sido um que eu mesmo provoquei. No meu caso, porém, fui lançado diretamente de volta à sociedade. Saí da escola na sexta-feira com tudo nas mãos, e voltei na semana seguinte de mãos abanando. Estava confuso. Literalmente sem conseguir diferenciar a realidade da fantasia. Escutava alguém falando, mas descobria que não havia ninguém por perto. Associava uma história a cada olhar que recebia. Uma vez eu fiz um trabalho duas vezes porque tinha esquecido que já o tinha feito. Comecei a me questionar se um dia cheguei mesmo a cair daquele carvalho e quebrar o braço; entrava embaixo da cama no meio da noite só para confirmar que o gesso não era imaginário.

Ao contrário do homem do documentário, não recebi nenhuma ajuda ou compaixão porque ninguém sabia pelo que eu estava passando. E, de qualquer forma, eu lá merecia a compaixão de alguém? Minha mãe e o dr. Sherman eram os únicos na minha vida que faziam alguma ideia, e nenhum deles tinha noção de tudo que havia acontecido. Apenas eu conhecia os detalhes e, com o tempo, eles começaram a me assombrar dia após dia.

Precisei me afastar das redes sociais. As pessoas ficavam me questionando por que eu tinha saído do Projeto Connor e continuavam a falar coisas ruins sobre os Murphy e Zoe. Minhas notas caíram. Minha frequência se tornou imprevisível. Perdi aula depois de sofrer urticária e depois uma febre inexplicável e depois, de novo, por herpes zóster (que me disseram ser uma doença de velhos). Passei de ser uma pessoa caseira para uma agorafóbica.

Tudo isso porque os Murphy estavam demorando para revelar meu segredo. Esperei e esperei, sem saber como e quando isso aconteceria. Fiquei esperando: meu nome ser anunciado pelo alto-falante; ser confrontado por outro aluno; receber uma carta pelo correio me dizendo que eu seria processado; uma carta de um desconhecido; que a polícia batesse na minha porta. Qualquer som me assustava: o toque do telefone, o sinal da escola, uma batida na porta, buzinas, vozes.

Esperei ser punido como sabia que merecia. Às vezes, enfiava a cabeça entre as mãos e implorava para que tudo isso acabasse logo. Foi a mesma sensação que senti quando estava esperando para ver o que Connor faria com a minha carta, só que infinitamente pior. Havia muito mais em jogo agora.

Queria muito entrar em contato com Cynthia e Larry. Pensei em deixar uma carta na caixa de correio deles, falando o que sentia por eles, como era grato por tudo que tinham feito por mim e como estava arrependido. Queria que eles soubessem que eu sentia falta deles. Mas achei melhor não. Quando se tratava dos Murphy, a minha vontade não importava.

Perto do Dia de Ação de Graças, eles ainda não tinham revelado a verdade. Eu e minha mãe viajamos para o interior para passarmos o feriado com os pais dela e a família de sua irmã. Quando minha avó abriu a porta, estava usando uma camiseta do Projeto Connor. Tinha acabado de recebê-la pelo correio como recompensa por sua doação à campanha. Depois, enquanto fazia a oração, meu avô me mencionou:

— Estou grato por ter um neto que entende o valor da humildade e da assistência, e que me dá esperanças sobre o futuro da humanidade. — Imaginei os Murphy sentados em volta de sua mesa de jantar, tentando juntar forças para sentirem gratidão depois de tudo que haviam perdido. Não consegui comer nada.

No caminho para casa, tomei uma decisão: eu me entregaria. Provavelmente era o que os Murphy estavam esperando todo aquele tempo, que eu fizesse a coisa certa e confessasse por conta própria.

Mas, quando chegamos, minha mãe pegou a correspondência e vi uma cartinha deixada em cima da mesa. Ela dizia: *Obrigada pelas flores e pela carta. Suas palavras significaram muito. Feliz Dia de Ação de Graças, Cynthia.*

— O que é isso? — perguntei.

Minha mãe deu de ombros, e não porque não soubesse.

— Não gostei de como as coisas terminaram entre nós e, sabendo por tudo que ela tinha passado, achei que seria gentil entrar em contato.

— Mãe, o que você disse para ela?

— Nada. Só disse "Oi, andei pensando em você, obrigada por tudo, e..."

— E *o quê*?

— Puxa, filho, sei que você cometeu erros, mas você não é uma pessoa ruim.

— Você não faz ideia de quantos erros eu cometi.

— É claro que não. Nenhuma mãe sabe o que seu filho está realmente aprontando. Cynthia, por exemplo. Ninguém é santo nessa vida. Estamos todos fazendo o melhor possível.

As palavras da minha mãe saltaram de um lado para o outro da minha cabeça durante a noite toda. Levei a mensagem de agradecimento de Cynthia para o quarto e a reli várias vezes. Talvez a sra. Murphy não *quisesse* que a verdade fosse descoberta. Talvez aqueles e-mails falsos fossem tão vergonhosos para ela quanto para mim.

Com o fim do ano letivo, comecei a cogitar se meu segredo estava destinado a permanecer secreto. O outono se transformou em inverno, e as chamas dos meus nervos viraram uma brasa morna. Eu não estava menos preocupado com o futuro. Só me adaptei a um novo tipo de normalidade. Não se passou um dia em que não pensasse na dor que havia causado. Eu não merecia ser capaz de esquecer. Mesmo se me considerasse merecedor, não teria sido possível. Eram muitos os lembretes diários. Um, em particular.

Quando se tratava da Zoe, meu objetivo, no começo, era me tornar invisível. Tentei fingir que não existia para que ela não tivesse de me ver e, assim, nunca sentisse mais nenhum sofrimento ou mal-estar por minha causa. Eu evitava contato visual, dava voltas pelos corredores, mantinha a cabeça baixa e o corpo encolhido. Era o oposto do que meu coração queria.

Meu coração queria ir até ela, conversar. Conforme o tempo foi passando, saí da toca, me permitindo ver e ser visto por ela. Fiquei à espera de um sinal, algum indício de que ela quisesse que eu fosse até ela, o mais sutil dos convites, mas nunca recebi nenhum e, por isso, me mantive afastado.

Mesmo quando Zoe não estava presente de verdade, eu a via.

Quando passava um carro azul parecido com o Volvo dela. Quando escutava algumas músicas. Quando passava pela minha foto de bebê no corredor. Quando via um par de All Stars velhos. Quando me deparava com uma entrevista da atriz famosa que também se chamava Zoe.

Essa foi uma das partes mais difíceis da minha vida nova. Não sabia ao certo quem sabia o quê e nunca poderia perguntar. Era arriscado demais. Quando meus colegas olhavam para mim, será que viam um mentiroso, uma farsa? Ou viam uma típica história de ascensão e queda de ensino médio? Ou sequer me viam? Eu tinha voltado a ser *méh*? Eu me sentia mais distante de tudo do que no começo do ano letivo. E me sentia mais sozinho do que em toda a minha vida. O Halloween passou e, em vez de sair fantasiado combinando com Zoe, fiquei em casa sozinho (fantasiado de mim mesmo), como tinha ficado todos os Dias das Bruxas desde criança. Era muito mais fácil ser solitário quando eu era ingênuo, quando não entendia o significado de fazer parte de algo, de amar e ser amado. Agora eu sabia muito bem.

Só podia ver Zoe de longe. Eu a via rindo com Bee no almoço. Trocando mensagens com um sorriso no rosto. Passava por um cartaz anunciando um show de jazz, sabendo que não poderia ir.

Certa manhã, em fevereiro, como se fosse destino, nos cruzamos em um corredor vazio. Nossos olhares se encontraram e, em vez de desviar os olhos com repulsa, ela sorriu. Fazia tanto tempo que eu não recebia aquele sorriso que tinha me derrubado mas, ao mesmo tempo, me alçado às alturas. Me permiti interpretar aquilo como um sinal e acabei comprando um presente para ela. Um caderno. Queria muito entregá-lo pessoalmente, mas, com medo de ser rejeitado, enviei pelo correio. Escrevi uma mensagem dentro: *Que você sempre tenha a coragem de dizer sua verdade.* Nunca obtive resposta.

Independentemente de que tenha usado o caderno ou não, tenho certeza de que ela continuou compondo. Na primavera, eu estava perto do Capitol Café e dei uma olhada na programação dos próximos shows. Vi a listagem semanal da noite de palco livre. Depois, em outro quadradinho, o nome *Zoe Murphy*, sem nenhum outro nome listado. Ela tinha ganhado sua própria noite na casa. Anotei a data, mas não fui.

Na noite em que confessei aos Murphy, quando estava sentado sozinho no carro da minha mãe na garagem, não cheguei a dirigir a lugar nenhum. Na primavera seguinte, depois de ter feito dezoito anos, finalmente consegui ficar atrás do volante e dirigir.

Graças ao dr. Sherman. Ele me incentivou a definir metas novas para mim, e dirigir estava no topo da minha lista. Demorei cerca de seis meses, mas finalmente tive a sensação de ir para a escola dirigindo, e fiz isso pouco antes da formatura. Na cerimônia, antes de entregar os diplomas, o diretor Howard mencionou Connor. Não vi os Murphy na plateia. Nem Zoe. Mas eu estava lá e ouvi o nome dele claramente.

Em casa, naquele dia, tirei o gesso de baixo da minha cama. O nome de Connor estava serrado no meio, mas o gesso ainda estava inteiro do outro lado. Eu o envolvi no braço e, por um breve momento, as duas metades do gesso pareceram uma, as seis letras se religaram, CONNOR refeito. Quando tirei o gesso, foi como se ainda conseguisse ver o nome dele gravado na minha pele. Percebi, então, que nunca conseguiria tirá-lo de mim.

Encontrei um anuário antigo do oitavo ano. Todos os alunos tinham uma página para decorar. A maioria fez colagens de fotos de família, ou desenhou o escudo de seus times favoritos, ou escreveu citações que haviam encontrado na internet. Connor havia listado seus dez livros favoritos. Decidi me dedicar a tentar ler todos eles.

Examinei todos os posts que ele já havia publicado na internet. De vez em quando, fazia uma doação anônima para o Projeto Connor na quantia que podia.

Até que, um dia, me deparei com um evento de arrecadação de fundos no estacionamento de um supermercado. Assim que ouvi a voz de Alana na multidão e percebi onde estava, dei meia-volta com a lista de compras da minha mãe. Contudo, antes que eu pudesse escapar, alguém me chamou.

Olhei para trás, esperando encontrar um colega da escola, mas o garoto na minha frente era um completo estranho.

— A gente pode conversar um pouco? — ele perguntou.

Ele andou em direção ao meu carro. Não tive muita escolha além de segui-lo.

— Estava torcendo para que você estivesse aqui — ele disse, com um sorriso.

Eu tinha evitado eventos públicos exatamente por esse motivo. Não queria ser o Evan Hansen que "o mundo" pensava conhecer. Não queria ter que mentir mais.

— É engraçado — o garoto disse, olhando para a frente. — No começo, fiquei superfeliz em saber que Connor tinha feito um amigo novo.

Meu sangue congelou. Parei de andar.

— Quanto mais eu lia, a maneira como as pessoas o descreviam, soube que tinha alguma coisa errada.

— Desculpa, mas quem...

— Relaxa — ele disse, ainda com aquele sorriso descontraído. — Não vou falar nada pra ninguém. Eu *ia* falar... Queria muito, mas... — Ele fez uma pausa e se virou para a multidão. — Quero dizer, olha só pra isso. Ele finalmente está recebendo a atenção que sempre mereceu.

Observei o garoto com mais atenção. Ele tinha olhos brilhantes e cativantes e a pele escura. O cabelo caía em volta do rosto com uma leveza que o meu nunca teve. Um sorriso que imaginei poder agradar tanto uma namorada quanto seus pais.

— Então, você e o Connor eram…?

— Amigos — ele respondeu.

Ele me contou como a amizade deles começou, depois foi se desfazendo, até acabar abruptamente.

— Naquela tarde, depois da aula, ele me mandou uma mensagem. Eu estava tentando responder, mas estava no trabalho e não queria só… Liguei para ele à noite, mas caiu direto na caixa postal. Demorei alguns dias para descobrir o que ele tinha feito.

Ele ficou em silêncio, a cabeça baixa.

— Se eu soubesse que ele… eu só… não sabia. — Ele estava com dificuldade para conectar as palavras. — Fiquei pensando, se tivesse conseguido conversar com ele…

Um longo silêncio se seguiu e, nesse silêncio, finalmente entendi o motivo por que ele veio falar comigo. Não para *me* condenar, mas para *se* condenar. Eu conhecia um pouco o tipo de culpa que ele devia estar sentindo. E o medo. Por trás do seu sorriso, havia um fardo pesado.

Mas, de tudo que ele me disse naquele dia, uma coisa se destacou:

— O Connor, ele era tão… Nunca conheci alguém como ele. Tão inocente. Tão puro. Às vezes acho que talvez ele fosse puro demais… pra tudo isso.

O Connor que ele me descreveu era diferente do que eu conheci ou tinha ouvido falar. Tive uma sensação renovada de arrependimento. Mas, ao mesmo tempo, pelo menos, estava tendo a chance de aprender, finalmente. Passeis os meses seguintes tentando descobrir o que fazer com o novo conhecimento que havia adquirido.

★

No verão depois da formatura, quis voltar para o meu trabalho no parque Ellison, mas o lugar trazia muitas lembranças angustiantes e era perto demais da casa dos Murphy. Minha placa de BEM-VINDO ainda estava lá. Ao passar por ela, certa manhã, tive uma ideia. Comecei a pesquisar mais sobre a história do parque. Transformei minhas anotações em uma redação — sobre John Hewitt e sua família, sobre os sacrifícios feitos por aqueles que vieram antes de nós — e a inscrevi em alguns concursos para bolsa de faculdade.

A redação não ganhou, mas, depois, comecei a levar a escrita a sério e, ao longo do ano seguinte, me inscrevi em quase todo concurso que minha mãe tinha encontrado. Só consegui ganhar um prêmio no grande valor de mil e quinhentos dólares, mas ainda contava como uma vitória. Na verdade, eu só queria escrever. *Precisava* escrever. Acho que era essa a intenção do dr. Sherman desde o princípio. Imagino que eu tenha pegado o caminho mais longo para chegar lá.

E, assim, aqui estou eu agora, sentado em um banco, escrevendo. Essas cartas finalmente se tornaram uma boa maneira de dar vazão aos meus sentimentos, mas só quando sou sincero, e isso ainda é difícil. Mesmo depois de todo esse treino. Faz quase vinte meses desde a minha confissão. Às vezes parece que faz vinte minutos.

Talvez, algum dia, tudo isso pareça uma memória distante. Talvez eu encontre um jeito de carregar o passado sem que ele pese sobre mim. Talvez, um dia, eu possa olhar no espelho e ver algo menos feio.

Guardo o celular no bolso e admiro a linda vista. Diante de mim, um campo verde se estende infinitamente. Estacas de madeira se erguem na grama em fileiras ordenadas. Amarrada a cada uma, há uma árvore pequena e esguia. É um pomar. *O* pomar.

Nunca duvidei de que Alana conseguisse transformar isso em realidade. Ainda assim, é um choque ver. O Pomar Memorial Connor Murphy já existe há um ano, mas esta é a minha primeira visita. Acho que eu estava esperando um convite.

Daqui a mais alguns meses — entre dois e dez, dependendo do tipo de árvore —, essas mudas vão chegar à maturidade e dar frutos. Gala e Cortland e Fuji. McIntosh e Golden Delicious. Alguma nova, talvez. Mas as árvores ainda são bebês. Apenas começando a vida. Elas têm um longo caminho pela frente.

Um motor rompe a calma. No estacionamento, um carro estaciona ao lado do da minha mãe. A motorista sai. Seco as palmas inutilmente na calça jeans. Zoe sobe a trilha, sua silhueta crescendo.

Às vezes você deseja muito que algo aconteça, e então, depois de tanto tempo sem conseguir aquilo que desejou, você para de desejar, e é então que acontece, do nada.

Me levanto para cumprimentá-la, as pernas tremendo.

— Oi.

Um sorriso.

— Oi.

Zoe combina com o pomar de maçãs. A natureza entende que só serve de pano de fundo quando ela está por perto. O vento sopra seu cabelo ruivo. O sol direciona sua luz dramática. Onde estão as câmeras? Onde está Vivian Maier quando se precisa dela?

Espero Zoe sentar, mas ela parece mais à vontade em pé. Faz tanto tempo que não a vejo que nem sei por onde começar.

— Como você está?

— Bem — Zoe diz. — Muito bem.

Um novo par de All Star. Uma jaqueta jeans que nunca a vi usar. Me pergunto se a garota dentro dela ainda é a mesma.

— Você se forma logo mais, não é?

— Sim. Daqui a duas semanas.

Ela passou um ano letivo inteiro que não acompanhei. De certa forma, foi mais fácil não ter de ver o que estava perdendo. É difícil ver agora.

— Como está sendo seu último ano?

— Agitado — Zoe diz.

Assinto como se soubesse do que ela está falando. Agitado como? Se preparando para a faculdade? Ou socializando com um namorado, por exemplo? Ou as duas cosias? Não é da minha conta, eu sei. Mas vê-la pessoalmente desperta algo que antes estava adormecido.

— Como está sendo o primeiro ano da faculdade? — Zoe pergunta.

Sempre que encontro alguém da escola, tenho de explicar por que ainda estou na cidade.

— Na verdade, decidi tirar um ano de férias.

— Ah — Zoe diz com o mesmo tom de surpresa e pena que todos demonstram.

— Só achei que seria bom arranjar um trabalho e tentar juntar uma grana. Estou fazendo algumas aulas na faculdade comunitária, para ter alguns créditos para validar no outono.

— É inteligente.

É necessário também. Na situação em que estou, nunca teria sobrevivido na faculdade. Dessa vez, segui o conselho do dr. Sherman e consegui um emprego onde seria obrigado a interagir com pessoas.

— Até lá, consigo um desconto para você na Pottery Barn. Se estiver procurando acessórios de decoração caríssimos.

— Agora não, sabe.

— Certo, bom, se mudar de ideia, só vou trabalhar lá por mais alguns meses, então a oportunidade acaba em breve.

Um riso baixo e ela volta a observar o campo aberto e arruma o cabelo para que caia sobre um ombro.

— Sempre imaginei você e Connor aqui — Zoe diz. — Mesmo que, obviamente...

Depois de algumas voltas, finalmente chegamos ao centro da questão. É terrível ir tão fundo, mas também necessário.

— É a minha primeira vez aqui. Quero dizer, devo ter passado na frente umas mil vezes. Pensava em parar e sair do carro, mas, sei lá, não achava que merecia.

Ficamos olhando para o nada.

— É bonito — digo. — Tranquilo.

— Meus pais estão sempre aqui. A gente faz piquenique, tipo, toda semana. Foi bom para eles. Muito bom, na verdade. Ter este lugar.

O alívio que sinto por eles estarem bem faz meus olhos arderem. Eles me pouparam, me deram uma chance de lutar. Ainda é difícil para mim acreditar nisso.

— Seus pais. Eles poderiam ter contado para todo mundo. O que eu fiz.

Zoe inspira o ar puro.

— Todo mundo precisava daquilo.

— Não quer dizer que tenha sido aceitável.

— Evan — ela diz, me obrigando a olhar para ela. — Aquilo os salvou.

Baixo os olhos. Uma pedra perto do meu tênis está solta, pronta para ser chutada. Às vezes, quando meu ódio por mim mesmo é maior que tudo, lamento que a verdade nunca tenha sido revelada.

— Como sua mãe está? Sua família? — Zoe pergunta, percebendo na hora que "família" não soa exatamente certo, mas não tem uma palavra melhor.

— Ela está bem. Também tirou umas férias, então vai demorar

um pouco mais para se formar. Mas falta pouco. E meu pai, bom, ele está com o bebê agora.

— Você é um irmão mais velho.

Tecnicamente, sim, mas não tive a chance de representar o papel. Isso está na minha lista. Ultimamente grande parte da minha atenção ficou voltada a outro irmão. Antes eu achava que os Murphy tinham me deixado sair impune. Não sei ao certo se foi intencional, mas, na verdade, eles fizeram o oposto. Me deixaram com um fardo que carrego para tudo quanto é lugar. Um fardo que se tornou uma responsabilidade. E só agora estou aprendendo a cumprir com ela.

— Tenho uma coisa para você — digo.

Ela aperta a jaqueta jeans em volta de si. Não faço ideia se recebeu o caderno que mandei para ela, mas esse é um outro tipo de presente.

Ela espera apreensiva enquanto pego o celular. Encontro o que preciso e mostro a tela para ela. Seus olhos se arregalam e ela pega o aparelho.

— Já vi essa foto, mas quem é *esse*? — ela pergunta.

É a foto de Connor que foi publicada milhares de vezes. Mas esta é a versão não recortada, mostrando não apenas Connor, mas também...

— Miguel — digo. — Ele era amigo de Connor.

Ela me encara, vasculhando meu olhar.

— Sério?

Concordo.

Quando Miguel me mostrou a foto não editada naquele dia no supermercado, fiquei olhando estupefato, como Zoe está olhando agora. Depois, Miguel me mostrou mais fotos. E depois, mensagens que Connor tinha mandado para ele. Não mensagens imaginárias e inventadas, mas palavras que Connor tinha escrito de verdade. Me senti culpado e aliviado ao mesmo tempo. Culpado porque era um farsante conhecendo a verdade. Aliviado porque, de repente, não havia mais por que fingir. Connor teve *sim* um amigo.

— Eles parecem tão felizes juntos — ela diz.

— Parecem mesmo. — Tiro um papel dobrado do bolso e o entrego para ela. —Vou mandar a foto para você. E este é o número do Miguel. Caso queira perguntar alguma coisa para ele.

Sofri um bom tempo para tomar essa decisão. Por que chamaria a atenção voluntariamente ao que venho me esforçando tanto para deixar para trás? Porque, bom, quando olho para essa foto de Connor e o vejo sorrindo, tenho a sensação de que, talvez, por um tempo, apesar do que houve depois, Connor sentiu uma breve felicidade. Imaginei que Zoe e seus pais gostariam de saber disso. E assim, pela primeira vez, decidi ser corajoso.

Zoe fica imóvel, mordendo o lábio.

— Obrigada — ela diz baixo, guardando o papel no bolso. — Ela olha para baixo. — Foi um ano difícil.

— Eu sei. — Quero lamentar também, mas não tenho esse direito. — Faz muito tempo que eu queria te ligar. Não sabia direito o que dizer, mas, enfim... acabei decidindo ligar mesmo assim.

— Fico feliz que ligou.

Meus comprimidos equilibram as substâncias químicas, mas Zoe é um remédio para a alma. Suas palavras remendam meu mundo em pedaços.

— Queria que pudéssemos ter nos conhecido agora. Hoje. Pela primeira vez.

Seus olhos, mais azuis que o céu.

— Eu também.

Talvez estejamos *sim* nos conhecendo pela primeira vez. Este é o eu mais verdadeiro que consigo ser. Só é uma pena que tenha chegado tão tarde.

— Preciso ir — Zoe diz.

A desilusão.

— Claro.

— É só que... as provas finais são nesta semana.

— Não, eu entendo.

Ela sorri e se vira para ir embora. Ainda tenho muitas perguntas. Escolho uma.

— Posso te perguntar uma coisa? — digo. — Por que quis me encontrar aqui?

Ela para e observa o terreno, absorvendo tudo.

— Queria ter certeza de que você visse este lugar.

Olho para longe, me assegurando de que eu esteja vendo tudo de verdade, a imensidão. Está tudo ali: o passado, o presente, o futuro.

Enquanto Zoe vai embora, combato o vazio com palavras. Termino minha carta.

Talvez, algum dia, outra pessoa pare aqui, olhe para as árvores, se sinta sozinho e se questione se talvez o mundo pareça diferente do alto. Melhor. Talvez comece a subir, um galho de cada vez, e continue subindo, mesmo quando não tiver mais onde se apoiar. Mesmo quando parecer em vão. Como se tudo dissesse para ele desistir. Talvez, dessa vez, ele não desista. Dessa vez, ele segure firme. Continue subindo.

Guardo o celular no bolso e volto a observar a vista. Me esconder e ficar só olhando não é mais possível. Nunca foi, na verdade.

Piso na grama intocada. Parece uma invasão, mas uma voz dentro de mim me lembra de relaxar. Não finjo que o conhecia antes, mas ele está sempre comigo agora.

Estamos andando por entre as árvores, com cuidado para não

incomodar, em uma missão. Não queremos problemas. Há tantos como nós, almas solitárias. Todos nós, que construímos este lugar. Aqueles que vão ver o pomar crescer. Aqueles que perdemos. Seguimos em frente, juntos. Subindo, caindo, alçando voo. Tentando nos aproximar do centro de tudo. Mais perto de nós mesmos. Mais perto um do outro. Mais perto de algo real.

Nota dos autores

Segundo a Fundação Americana para Prevenção de Suicídios, um número assustador de cento e vinte e três suicídios acontecem em média todos os dias, só nos Estados Unidos. Esta história é uma obra de ficção, mas a realidade é que todos, em qualquer lugar, podem sentir que não têm a quem pedir ajuda. Ninguém nunca deveria sentir que precisa sofrer em silêncio. Precisamos continuar falando sobre saúde mental e ajudando aqueles que podem estar sofrendo. Se você ou uma pessoa querida estiver precisando de ajuda, saiba: você não está sozinho.

Se você ou alguém que você conhece está com depressão ou pensando em se machucar, não hesite em buscar ajuda.

Centro de Valorização da Vida (CVV)
www.cvv.org.br
Telefone: 188

Associação Brasileira de Familiares, Amigos e Portadores de Transtornos Afetivos (Abrata)
www.abrata.org.br
Telefone: (11) 3256-4831

Associação Brasileira de Estudos e Prevenção do Suicídio (Abeps)
www.abeps.org.br

Fênix — Associação Pró Saúde Mental
www.fenix.org.br
Telefone: (11) 3271-9315

Agradecimentos

DE VAL

Obrigado aos "caras" — Steven, Benj e Justin — por sua confiança, incentivo, inteligência, sagacidade e bom humor. Admiro a dedicação de vocês a esta história, e sou um escritor melhor graças ao quanto vocês me impulsionaram para fazer jus a ela. Minha editora, Farrin Jacobs, me concedeu esta oportunidade e me fez seguir em frente com elogios, coragem, compaixão e macarrão; não tenho nada além de amor e respeito pela maneira como você garantiu que esse monstro de muitos tentáculos não estrangulasse todos nós. Meu agente, Jeff Kleinman, colocou minha cabeça no lugar desde o começo. Assim como Matt Schuman. Recebi importantes informações pessoais e técnicas de Christina Gagliardo, Sanford Kinney, Dan Couglin, Justin e Megan Kiczek, meus sobrinhos e sobrinhas (especialmente Samantha Baker e Gavin Caterina) e Mike Emmich. Aos que lutam contra ansiedade e depressão, aguentem firme. A Harper e Lennon, estou aqui por vocês. A Jill, agora que acabei, quer dar uma volta?

DE STEVE, BENJ E JUSTIN

Gostaríamos de agradecer a:

Lynn Ahrens, David Berlin, Laura Bonner, John Buzzetti, Jordan Carrol, Drew Cohen, Stephen Flaherty, Freddie Gershon, Michael Greif, Cait Hoyt, Joe Machota, Erin Malone, Jeff Marx, Whitney May, Stacey Mindich, Asher Paul, Marc Plat, Adam Siegel, Matt Steinberg, Jack Viertel, e o elenco original da Broadway de *Dear Evan Hansen*. Temos uma dívida de gratidão especialmente a Farrin Jacobs, por guiar este livro desde o comecinho, e a Val Emmich, por seu talento, sua habilidade e o cuidado incrível que tomou com esses personagens e essa história. Por fim, gostaríamos de agradecer aos fãs do musical — suas palavras, sua música e as histórias que compartilharam conosco são o que inspiraram a criação deste livro.

DE TODOS NÓS

Gostaríamos de agradecer à equipe da Hachette Book Group/ Little, Brown Books for Young Readers por trabalharem com dedicação em cada passo deste caminho para nos ajudar a pôr esta história nas mãos dos leitores. Incluindo, mas não apenas: David Caplan, Jackie Engel, Shawn Foster, Jen Graham, Stef Hoffman, Sasha Illingworth, Virginia Lawther, Michael Pietsch, Kristina Pisciotta, Emilie Polster, Anna Prendella, Jessica Shoffel, Angela Taldone e Megan Tingley.

1ª EDIÇÃO [2019] 2 reimpressões

ESTA OBRA FOI COMPOSTA PELA VERBA EDITORIAL EM BEMBO
E IMPRESSA PELA GRÁFICA BARTIRA EM OFSETE SOBRE PAPEL PÓLEN SOFT DA
SUZANO S.A. PARA A EDITORA SCHWARCZ EM NOVEMBRO DE 2020

A marca FSC® é a garantia de que a madeira utilizada na fabricação do papel deste livro provém de florestas que foram gerenciadas de maneira ambientalmente correta, socialmente justa e economicamente viável, além de outras fontes de origem controlada.